BESTSELLER

Jane Green vive en Connecticut y Londres con su marido e hija. Antes de dedicarse a la literatura ejerció también como periodista. *Hechizada*, un gran éxito de ventas, fue su sexta novela. Otros títulos ya publicados son *Líos*, *libros y más libros*, *Nadie es perfecto* y *Los patitos feos también besan*.

Biblioteca

JANE GREEN

Mi vida con el hijo de Linda

Traducción de
Aurora Echevarría

🔲 DeBOLS!LLO

Título original: *The Other Woman*
Diseño de la portada: Departamento de diseño de Random
    House Mondadori/Yolanda Artola
Fotografía de la portada: Digital Vision/Getty Images

Primera edición en DeBOLS!LLO: julio, 2006

Printed in Spain – Impreso en España

ISBN-13: 978-84-8346-046-7
ISBN-10: 84-8346-046-7 (vol. 567/4)
Depósito legal: B. 28.240 - 2006

Fotocomposición: Revertext, S. L.

Impreso en Cayfosa-Quebecor, Ctra. de Caldas, km. 3
Santa Perpètua de Mogoda (Barcelona)

P 860467

Agradecimientos

Por su colaboración, apoyo y amabilidad a:

Heidi Armitage, Maxine Bleiweis, Margie Freilich-Den y todos los empleados de la Biblioteca de Westport; Deborah Feingold, Dina Fleischmann, Anthony Goff, Charlie y Karen Green, Stacy y Michael Greenberg, la doctora Melanie Mier, Louise Moore, Jean Neubohn, Donna Poppy, Deborah Schneider y Marie Skinner.

1

No suelo faltar al trabajo con el pretexto de que estoy enferma. Y aunque me gustaría decir que me encuentro mal, no es cierto. A menos que cuenten los nervios, las dudas de última hora y la insoportable tensión previos a una boda.

Aun así, esta mañana he decidido que merecía tomarme un día libre —qué digo, puede que incluso dos—, de modo que he llamado a primera hora; con lo mal que se me da mentir, he pensado que me sería mucho más fácil hablar con Penny, la recepcionista, que con mi jefe.

—Pobrecita. —La voz de Penny está llena de compasión—. Pero no me extraña con la boda encima. Deben de ser los nervios. Tendrías que acostarte en una habitación a oscuras.

—Es lo que haré —digo con la voz ronca.

Casi me delato, porque entre los síntomas de la migraña no figuran las gargantas irritadas ni los estornudos fingidos; así que cuelgo lo más deprisa que puedo.

Se me ha pasado fugazmente por la cabeza darme algún lujo y hacer algo que normalmente no haría. La manicura, la pedicura, una limpieza de cutis, algo así. Pero el remordimiento ha logrado imponerse; aunque no vivo cerca de mi oficina, en el moderno barrio del Soho, no tengo ninguna duda de que si me aventuro a salir precisamente el día que me estoy haciendo pasar por enferma, alguien del trabajo estará casualmente por allí.

De modo que aquí estoy, viendo un horrible programa de televisión en una fría mañana de enero —aunque he pillado el final de un programa sobre «recogidos para novias» que podría serme increíblemente útil—, zampándome un paquete de tartaletas de crema —mi último capricho antes de ponerme seriamente a régimen— y preguntándome si existe alguna posibilidad de encontrar a un masajista —pero que sea uno de verdad— que venga a último momento a casa para hacer desaparecer los nudos de tensión.

Consigo perder cuarenta y cinco minutos hojeando los anuncios clasificados de las revistas del barrio, pero tengo la impresión de que ninguno de esos masajistas es lo que estoy buscando: «discreción garantizada», «sensual e íntimo». Y entonces llego a la sección de contactos.

Sonrío mientras los leo de cabo a rabo. Naturalmente que los leo de cabo a rabo. Puede que vaya a casarme, pero sigue interesándome lo que pasa a mi alrededor. Aunque tengo que admitirlo, nunca he probado la opción de los contactos, pero tengo una amiga que lo ha hecho. De veras.

Me invade una oleada de afecto, y sí, lo reconozco, de vanidad. No tendré nunca que decirle a nadie que me distingue un gran sentido del humor o que me parezco un poco a Renée Zellwegger, aunque solo cuando hago un mohín y entrecierro los ojos, o que disfruto dando paseos por el campo y acurrucándome junto a la chimenea.

No es que no sea verdad, pero qué afortunada soy de no tener que justificarme, o describirme, o fingir ser alguien que no soy.

Menos mal que tengo a Dan. Menos mal. Me pongo mis enormes zapatillas afelpadas, me recojo de nuevo el pelo en una coleta, me envuelvo en el enorme albornoz de Dan y me deslizo sobre el suelo del pasillo hasta la cocina.

«Dan y Ellie. Ellie y Dan. La señora de Dan Cooper. La señora Ellie Cooper. Ellie Cooper.» Canturreo esas palabras y me emociono al pensar en lo poco familiares que me resultan y en que se harán realidad dentro de poco más de un mes, cuando todo acabe como un cuento de hadas.

A pesar del cielo encapotado y de la llovizna, que parece ser omnipresente este invierno, siento que me ilumino, como si de pronto hubiera entrado el sol por la ventana del salón solo para hacerme llegar su calor.

El problema de sentir remordimiento por haber llamado al trabajo y haberme hecho pasar por enferma, me doy cuenta ahora, es que te da tanto miedo salir de casa que acabas perdiendo todo el día. Y, naturalmente, cuanto menos haces menos ganas tienes de hacer, así que hacia las dos de la tarde estoy aburrida, inquieta y soñolienta. En lugar de optar por lo fácil y volver a la cama, decido espabilarme con un café bien cargado, ducharme y vestirme.

La nueva cafetera —un regalo de boda adelantado de mi jefe— me saluda, reluciente, desde su rincón en la encimera; es con mucho el objeto más lujoso y de alta tecnología de la cocina, por no decir de todo el piso. De no ser por Dan, nunca utilizaría ese maldito trasto, y eso a pesar de que me encantan los capuchinos muy cargados. La tecnología y yo nunca hemos hecho buenas migas. El único campo de la tecnología en el que sobresalgo es en el de la informática, pero ahora que todos mis colegas más jóvenes juguetean con iPod, MPEG y sabe Dios qué más, hasta en eso empiezo a tener la sensación de estar quedándome atrás.

Sin embargo, mi principal problema no es la tecnología sino el papel: los manuales de instrucciones, para ser exactos. Sencillamente, no tengo paciencia para leerlos; en mi piso casi todo acaba funcionando a base de apretar botones y ver qué pasa. Debo reconocer que mi aparato de vídeo nunca ha grabado nada, pero lo compré para ver cintas alquiladas, no para grabar; así que, por lo que a mí respecta, cumple perfectamente su misión.

De hecho, ahora que lo pienso, no todo funciona tan a la perfección... La nevera lleva todo el año llena de carámbanos, aunque creo que en alguna parte detrás del hielo podría haber una tarrina de helado de hace un año. Y mi aspirador sigue teniendo la misma bolsa que cuando lo compré hace tres años porque no he logrado averiguar cómo se cambia; cuando se llenó, hice un agujero, la vacié manualmente y volví a cerrarla con cinta adhesiva, y sigue funcionando a las mil maravillas. Además, ¡la de dinero que me ahorro en bolsas de aspirador!

Ah, sí, también está el superelegante y supercaro reproductor de discos compactos con capacidad para cuatrocientos, aunque nunca he puesto más de uno a la vez.

De modo que puede que las cosas no funcionen como deberían, o como sus fabricantes pretendían que funcionaran, pero a mí me van bien; sobre todo ahora que tengo a Dan, que no pone un dedo en ningún aparato hasta que no ha leído de cabo a rabo el manual de instrucciones y se lo ha aprendido de memoria.

Así pues, es Dan —que Dios lo bendiga— quien lee ahora los manuales y me hace demostraciones de cómo funcionan aparatos como el aspirador, la secadora o la nueva cafetera. Pero lo mejor de todo, aparte de que ahora puedo utilizar la cafetera, es que Dan ha aprendido a condensar sus demostraciones de modo que no duren más de un minuto, al cabo del cual yo ya he desconectado y estoy pensando en la nueva presentación que tengo que hacer en el trabajo, o en lo bien que lo pasaremos en una isla desierta durante nuestra luna de miel.

Pero la cafetera, tengo que reconocerlo, es genial; me alegro de haber estado atenta cuando Dan me enseñó cómo funcionaba. Llegó hace tres días y ya la he utilizado nueve veces. Dos tazas por la mañana antes de ir al trabajo, una al llegar a casa y una o dos por la noche después de cenar, aunque a partir de las ocho los dos nos pasamos al descafeinado.

Mientras lleno la cuchara de café, me sorprendo pensando en que pasaré el resto de mi vida con una sola persona.

Debería estar asustada. O al menos inquieta. Sin embargo, lo que siento es alegría pura y dura.

Las dudas que pueda tener acerca de este matrimonio, de casarme o de pasar el resto de mi vida con Dan, no tienen nada que ver con él.

Tienen que ver con su madre.

2

«En ese matrimonio éramos tres...»

Recuerdo que vi cómo la princesa Diana miraba con sus enormes ojos tristes hacia la cámara mientras decía esas palabras ahora famosas, y que me pregunté de qué demonios hablaba y cómo lograba hacer tanto teatro.

Sin embargo, ahora que solo faltan unas semanas para mi propia boda, sé exactamente qué quiso decir; la única diferencia es que yo no me las tengo que ver con una amante sino con una matriarca.

Con franqueza, no sé qué es peor.

Conocí a Dan, me enamoré y decidí casarme con él. O al menos eso es lo que yo creía, pero a lo largo de estos meses de preparativos he empezado a darme cuenta de que me estoy casando con Dan, con su madre y, en un grado un poco menor, con su padre y sus hermanos.

No quiero que se me malinterprete. Durante un tiempo estuve loca de contento. Al principio, cuando nos conocimos y él me presentó a su familia, me hizo muchísima ilusión. Había encontrado a la familia con la que siempre había soñado. Una gran familia entrañable y afectuosa, con hermanos y hermanas, cuyos padres seguían juntos y felices. Cuando en nuestra tercera cita Dan me confesó que cada domingo iba a comer a casa de sus padres, me dije que era el hombre adecuado. Un chico que todavía quiere a su familia, pensé. Una familia tan unida que se reúne cada semana. ¿Qué más podía pedir?

En retrospectiva, es lógico que pensara así, puesto que mi familia se había desmoronado tras la muerte de mi madre.

No puede decirse que fuera la familia más feliz del mundo. Mi madre era alcohólica: impredecible, manipuladora, egocéntrica. Cuando estaba sobria era exactamente la madre que yo quería tener. Podía ser amable, tierna, cariñosa, divertida. Recuerdo cuánto la adoraba cuando era pequeña, cómo me llevaba a funciones de marionetas, reía encantada cuando yo me tronchaba con Punch y Judy, y me cogía en brazos y me cubría de besos mientras yo trataba de escabullirme.

Pero no estaba sobria muy a menudo. Mi madre y mi padre siempre estaban organizando fiestas, buscando una excusa para beber. Yo oía la música y las risas; recuerdo que salía de la habitación y me sentaba en lo alto de la escalera, tratando de ver los elegantes trajes de noche sin que nadie me viera.

Al principio era maravillosa cuando bebía.

—No estoy borracha —decía riendo—, solo un poco achispada.

Cuando estaba ebria su personalidad era arrolladora; con el alcohol su alegría se multiplicaba por mil. Se volvía más afectuosa, más vibrante, más todo.

Pero a medida que su afición a la bebida aumentó, las cosas cambiaron. Su alegría se convirtió en decepción, asco, malestar, que no hicieron sino empeorar. Si antes era divertida, ahora se había vuelto arisca; si se había mostrado cariñosa, ahora era distante; si antes me había cubierto de besos, ahora me atacaba con insultos.

Con el tiempo, mi padre se distanció de ella y de mí. Intentaba hablar con ella, pero acababan discutiendo a voz en grito, de modo que cogía el abrigo y salía durante horas; a veces no volvía en toda la noche.

Aprendí a leer las señales, a saber cuándo mi madre había estado bebiendo, a intuir cuándo no debía acercarme. Mis amigas eran pocas pero leales, y me comprendían si necesitaba quedarme a dormir en su casa, a veces varias noches a la semana.

No puedo decir que fuera infeliz. En cierto modo, sabía que las madres de mis amigas no eran ángeles y al minuto siguiente demonios, pero, aunque a veces envidiaba la estabilidad y el afecto que veía en sus casas, no los echaba de menos en la mía. Después de todo, era el único hogar que conocía.

El 23 de marzo de 1983 estaba sentada con mi mejor amiga, Alison, en clase de historia. Nos estaban explicando la Primera Guerra Mundial y yo estaba soñando despierta con Simon Le Bon y el amor verdadero. Había llegado a la parte en que él me mira a los ojos antes del primer beso mágico cuando, de repente, Alison me dio un codazo.

La miré y vi que señalaba hacia la puerta de la clase. A través del cristal pude ver, como ya habían hecho el resto de mis compañeros, que se acercaba la directora, la señora Dickinson. Toda la clase soltó un grito ahogado, porque era evidente que la señora Dickinson estaba a punto de entrar. Aparte de en la reunión matinal con todos los alumnos en la sala de actos, la señora Dickinson era una presencia temible; la veías pero no la oías.

Probablemente era una mujer encantadora, pero tenía a todo el colegio aterrorizado. Incluso a los alumnos del último curso. Parecía que no sonreía nunca; se paseaba furtivamente por el colegio, con su pelo gris como el acero en forma de casco alrededor de la cara, con la cabeza muy alta, mirando con un espeluznante brillo en los ojos hacia algún lejano lugar.

Toda la clase contuvo la respiración mientras observábamos cómo giraba el pomo; de pronto estaba ante nosotros y preguntaba a la señorita Packer, la profesora de historia, si podía hablar un momento con ella. Las dos salieron y el aula se llenó de susurros apremiantes.

—¿Crees que alguien está en apuros?
—¿Va a castigarnos?
—¿Qué crees que quiere?
—¿Quizá ha hecho algo mal la señorita Packer?

Entonces se abrió la puerta y entraron de nuevo las dos mujeres. La señorita Packer estaba ahora tan seria como la señora Dickinson y, aun sin mirarlas, supe que iban a llamarme y que iba a ser horrible.

—¿Ellie? —dijo la señorita Packer con suavidad—. La señora Dickinson necesita hablar contigo.

Noté todos los ojos clavados en mí mientras recogía los libros y me acercaba a la señora Dickinson; traté de no sentir su delicada mano en mi hombro mientras me hacía salir del aula y cerraba la puerta.

No dijo nada mientras avanzábamos por el largo pasillo hasta su despacho. Si yo hubiera sido mayor, o más segura de mí misma, o le hubiera tenido menos miedo, le habría dicho que se parara y me sacara de la incertidumbre; que me dijera inmediatamente qué ocurría. Pero no lo hice. Caminé a su lado arrastrando los pies, mirando al suelo; sabía que mi vida estaba a punto de cambiar pero no sabía muy bien de qué modo.

Cuando llegamos a su despacho, me hizo sentar y, con una voz muy suave, dijo que había habido un horrible accidente y que mi madre había muerto.

Recuerdo que me quedé sentada en aquella silla pensando que debería estar llorando. Recordé una película que había visto hacía poco, en la que a una niña le decían que le habían pegado un tiro a su caballo, y ella se echaba a llorar y se levantaba gritando «¡No! ¡No!». Pensé que tal vez debería hacer lo mismo, pero aquello me parecía irreal y no se me ocurría qué decir o hacer, aparte de mirar al suelo.

Creo que mi falta de reacción hizo que la señora Dickinson se sintiera más incómoda de lo que me había hecho sentir ella nunca. Contaba con que yo llorara; creo que incluso quería rodearme con un brazo y consolarme, pero como no lo hice se sintió perdida.

Llenó el silencio diciéndome que a veces ocurrían cosas horribles y trágicas, que mi padre todavía me quería mucho y que mi madre siempre me observaría desde el cielo.

A menudo he lamentado que dijera eso último. Dijo otras muchas cosas, pero esa fue la frase que me quedó. «Mi madre siempre me observaría desde el cielo.» Sé que pretendía consolarme, pero durante años no pude evitar acordarme de sus palabras siempre que tenía relaciones sexuales. Estaba a las puertas del éxtasis con un amante cuando de pronto me horrorizaba al pensar que mi madre me observaba desde el cielo, y me apresuraba a cubrir nuestros cuerpos con el edredón.

Mientras permanecía sentada en el despacho de la señora Dickinson, escuchando su soliloquio sobre la tristeza, pensé en mi madre observándome y tuve un escalofrío de horror.

Luego vino mi padre a recogerme; me abrazó y se echó a llorar, pero yo seguía sin poder expresar nada, el aturdimiento era demasiado fuerte.

Mi padre se esforzó mucho en mantener cierta apariencia de vida familiar, pero como en realidad nunca la habíamos tenido, no sabía muy bien qué debía hacer.

Al principio intentó que comiéramos juntos, pero nos quedábamos sentados a la mesa, incómodos. Él me hacía preguntas sobre el colegio y yo respondía lo más brevemente posible; a ambos nos pesaba el silencio, la ausencia de gritos, rabietas y platos rotos.

Al cabo de un tiempo se rindió. Telefoneaba y decía que se quedaría trabajando hasta tarde, que debía acudir a una reunión o que tenía planes. Se distanció de mí del mismo modo que se había distanciado de mi madre, tan incapaz de comunicarse conmigo como lo había sido con ella.

No puedo decir que me importara. Al menos entonces. Por aquella época descubrí a los chicos, los porros, las fiestas. Pero no el alcohol, el alcohol jamás. Alison se instalaba en casa cada fin de semana; pasábamos los viernes y los sábados por la noche subiendo y bajando de autobuses, buscando por todo el oeste de Londres fiestas en las que colarnos, y volviendo a casa de madrugada colocadas y felices, sin padres que nos dieran órdenes.

Mi padre volvió a casarse cuando yo tenía dieciocho años. Yo había visto a su mujer un par de veces; se llamaba Mary. Puritana.

Reservada. Amable. Y aburridísima. Todo lo que no era mi madre. Pero parecía buena persona y a mi padre se le veía feliz. De todos modos, a esas alturas me sentía como una huérfana y no despotriqué en absoluto porque volviera a casarse; claro que tampoco lo veía mucho.

Cuando hablo de mi juventud desenfrenada la gente se ríe. No de la muerte de mi madre, por supuesto, sino cuando digo que era una porrera, que cada dos por tres organizaba fiestas en casa, y que durante los dos primeros años de universidad me acosté con prácticamente todo el que quiso hacerlo conmigo.

Se ríen, incrédulos, porque mirándome ahora, con ropa chic y conservadora, un discreto maquillaje y elegantes zapatos de tacón no demasiado alto, les cuesta creer que haya sido rebelde alguna vez en mi vida. Dan siempre dice que por eso se enamoró de mí. Porque aunque tenía aspecto de bibliotecaria, si escarbaba un poco salía Ellie la traviesa, como él la llamaba.

Nos conocimos más o menos en la época en que yo había decidido que no me casaría. Nunca. Había pasado demasiadas noches soñando con una familia, una casa llena de niños, risas y bullicio, una casa que era justo lo contrario de la de mi niñez. Había pasado demasiadas noches soñando con un futuro que nunca se materializaba, soñando con hombres que nunca resultaban ser como yo quería que fueran.

Así que decidí concentrarme en el trabajo. A los treinta y tres años era la directora de marketing de una pequeña cadena de elegantes hoteles; tal vez los conozcáis o quizá os hayáis alojado en ellos. Se llaman Calden. Calden a secas. Llevan el nombre de su fundador, Robert Calden, y son del estilo de los hoteles de Schrager pero pagas la mitad que en estos.

Me encantaba mi trabajo de directora de marketing. Me gustaba redactar informes, trazar objetivos, el tono, y ver que daban resultados.

Me apasionaba preparar campañas de imagen para nuestra

marca; pedir lo que queríamos a los creativos de nuestra agencia de publicidad, y verlos regresar un par de semanas después con sus presentaciones en pizarras, la mayor parte de las cuales, aún ahora, me siguen fascinando por su imaginación y brillantez.

Me gustaban las distintas promociones que yo misma organizaba para aumentar lo que en marketing llamamos la media de ingresos por habitación. Ideaba promociones para animar a nuestro diez por ciento de mejores clientes a alojarse más tiempo, con el incentivo, por ejemplo, de una tarde de compras en la boutique Selfridges a puerta cerrada, o de tres noches de alojamiento por el precio de dos.

Como era de esperar, el tipo de gente que se aloja en el Calden —gente ociosa y viajantes de comercio— solía aceptar al vuelo esas promociones, y me convertí rápidamente en la niña bonita del departamento de marketing.

Estaba muy ocupada, mi carrera iba sobre ruedas y me sentía satisfecha. Aunque siempre había considerado la amistad algo más bien pasajero, por fin había logrado hacer buenas amigas en el trabajo, incluso eran mejores amigas fuera del trabajo, y tenía una vida social muy movida.

Una noche de diciembre tenía una reunión en la sala de conferencias del piso superior del Calden, en Marylebone High Street, con un par de ejecutivos de American Express con quienes hacía meses que intentaba asociarme. Había preparado una propuesta para una promoción dirigida a los titulares de su tarjeta Platinum: reserva un fin de semana en el Calden con American Express y te ofrecemos una cena en uno de los mejores restaurantes de Londres y coche con chófer.

La reunión fue bien, y después todos fuimos al bar a tomar algo. Puede que el Calden no sea totalmente de mi gusto —suelo preferir hoteles más tradicionales, menos lujosos—, pero me encantaba el bar, sobre todo porque en aquellos momentos era uno de los lugares más de moda para ver y dejarse ver, y, por suerte, a pesar de mi aburrido traje de chaqueta negro, los porteros siempre me dejaban pasar.

Había velas por todas partes, desperdigadas en mesas bajas y brillantes, o amontonadas en gruesas estanterías modernas. En jarrones de cristal de pie largo había amarilis de color escarlata que contrastaban con el blanco prístino de las paredes.

En lugar de sillas había sofás, enormes y mullidos. Y a lo largo de una pared, una hilera de mesas de juego: backgammon, ajedrez, incluso Monopoly y Trivial. Esa era una de las razones por las que estaba de moda nuestro bar: nuestra noche de juegos semanal —idea mía, si se me permite decirlo— había aparecido reseñada en *Time Out*, en *Metro* y en la sección de estilo del *Sunday Times*. Ahora, no cabía un alfiler.

Pero esa noche era martes y estaba tranquilo. Ocupamos unos sofás en un rincón apartado, cerca de una de las chimeneas gigantes con fuego de gas que casi parecía de verdad, y pedimos unos mojitos para el grupo, y un zumo de arándanos y soda con un chorrito de lima para mí.

Hablábamos de trivialidades y poco a poco empezábamos a dejar a un lado la presión del trabajo; pero de repente algo me hizo volver la cabeza. Fue la sensación de que alguien me miraba, aunque solo me di cuenta de ello después. Detrás de mí, en otro sofá, un hombre me miraba con el ceño fruncido. Lo miré interrogante, pero él no cambió de expresión, de modo que aparté la mirada.

Pero mientras trataba de volver a participar en la conversación, seguía sintiendo la mirada ceñuda en mi nuca, y tuve que hacer un esfuerzo para no volverme. Al final se marcharon —la mayoría de ellos tenían mujer e hijos—, y cuando me levanté para irme vi que el hombre seguía allí.

Se acercó y se detuvo a mi lado, muy alto, muy serio.

—¿Por qué me mira? —pregunté con un atrevimiento poco habitual en mí.

—Perdone. Es que estoy seguro de que la conozco de algo.

Puse los ojos en blanco.

—Supongo que ahora me toca decir: apuesto a que se lo dices a todas. —No trataba de hacerme la graciosa, en ese momento casi lo miraba con desdén. Estaba cansada, había sido un día muy largo y no estaba de humor para las típicas frases de ligoteo.

—No, lo digo en serio. Me suenas mucho.

Iba a soltar otra frase, pero él parecía muy serio y ligeramente perplejo.

—¿Cómo te llamas? —preguntó.

—Ellie Black.

Se le iluminó la cara.

—¡Lo sabía! Nos hemos visto antes. Hace cuatro años, en una barbacoa en casa de Alex y Rob. ¡Ellie Black! Te recuerdo. ¡Trabajas en marketing en Emap y vives en Queen's Park! —exclamó triunfal, demostrando que no era solo una frase para ligar.

Tenía razón; yo había estado en esa fiesta y entonces trabajaba para Emap. A pesar de que no me acordaba en absoluto de él, cambié la expresión de exasperación por otra de sorpresa con un leve toque de placer.

—¡Sí, ya caigo! —exclamé—. Pero, lo siento, no me acuerdo de cómo te llamas.

—No te preocupes. Dan Cooper. Trabajaba para Channel Four, en producción. Hablamos de quedar a comer un día pero, bueno... —Se encogió de hombros—. Supongo que no encontramos el momento.

Entonces me acordé. Yo entonces salía con Hamish; todavía estábamos con la pasión del principio y estaba convencida de que sería el padre de mis hijos. Pero habíamos discutido porque él había decidido ir a Escocia a ver a su familia y no me había dicho que fuera con él.

Había ido sola a la barbacoa de unos vecinos, amigos de unos amigos, y no conocía a nadie, pero en cuanto había entrado me había sentido como en casa.

Dan se acercó a mí con los ojos entrecerrados y una amplia sonrisa, se presentó y se ofreció para traerme una cerveza. Recuerdo que pensé que era guapo y que era una pena no estar sola.

Pasé la mayor parte de la noche coqueteando inofensivamente con él; disfrutaba del caso que me hacía, de la sensación de sentirme deseada, y cuando nos marchamos y él comentó que me llamaría algún día para ir a comer, le dije que me llamara cuando quisiera a la oficina.

Me acosté con una sonrisa en los labios y me despertó a primera hora de la mañana una llamada de Hamish; se deshizo en disculpas y me dijo que me echaba de menos y que no podía dejar de pensar en mí; por supuesto, todos los pensamientos sobre Dan se desvanecieron.

Cuando al cabo de un par de semanas me llamó, ni siquiera me acordaba de quién era. Mantuvimos una conversación torpe, al final de la cual le dije que tenía una agenda muy llena, pero que lo llamaría en cuanto tuviera un hueco.

Esa fue la última vez que pensé en él. Pero en el bar del Calden, mientras miraba su cara franca y afable, de pronto me acordé de él, y estas son las cosas que recordé:

Que cuando sonreía lo hacía con los ojos.

Que era muy alto. Esa clase de estatura que hace que te sientas siempre protegida y segura.

Que era un hombre que parecía a gusto consigo mismo y con su lugar en el mundo.

Que había tenido un gato que se llamaba Tetley.

Dan Cooper bajó la vista hacia mí, frunciendo de nuevo el entrecejo.

—No te acuerdas de mí —dijo.

—Sí —respondí, y empezó a formarse una sonrisa en mis labios.

—No, no es cierto. No te preocupes. Siento haberte molestado.

—En serio que me acuerdo. ¡Espera! —Le cogí del brazo para que no se fuera—. Te lo demostraré. A los cuatro años tuviste un gato que se llamaba Tetley.

Esta vez fue él quien sonrió y no tardamos en estar sentados el uno al lado del otro en un sofá. Cuando nos fuimos, tres horas después, me dolía la cara de haber estado sonriendo, hablando y riendo toda la noche.

Salimos juntos y él me paró un taxi.

—Te diría que fuéramos a comer un día, pero recuerdo lo que pasó la última vez —dijo.

En ese momento, hice algo tan poco propio de mí que a veces todavía no puedo creer que tuviera el valor de hacerlo.

Me incliné hacia delante y lo besé. Le di un beso largo y delicado en los labios, y sentí un agradable aleteo en el estómago.

Cuando me separé, le guiñé un ojo.

—Nunca lo sabrás si no lo intentas —dije riendo.

Le puse una tarjeta de visita en la mano y me recosté en el asiento mientras el taxi se marchaba.

Me llamó a la mañana siguiente y quedamos aquel mismo día para comer. Normalmente eso me habría disuadido, habría pensado que estaba demasiado interesado, pero ya no era una veinteañera. Tenía treinta y tres tacos, y había vivido lo suficiente para reconocer algo bueno cuando lo veía.

Hubo muchas cosas de Dan que enseguida me gustaron; entre ellas, que saltaba a la vista que estaba impaciente por tener hijos y que sería la clase de padre que yo siempre hubiera querido tener.

Pero también me encantaba cómo olía. Siempre olía a limón. O que lo supiera todo sobre el Arsenal y se pasara las horas con sus amigos en el pub, hablando de las mejores jugadas de un partido de 1984.

Me encantaba que tuviera un armario lleno de ropa preciosa que nunca se ponía, porque la mayor parte del tiempo iba con una camiseta de rugby o con jerséis enormes que eran suaves y agradables; su ropa tenía un tacto maravilloso.

Cuando empezamos a ir en serio le presenté a mi padre. Fuimos en coche a Potters Bar y comimos en un pub con papá y Mary; estábamos todos incómodos y me entristeció ver que mi padre se había distanciado tanto de mí que no había forma de llenar el vacío. Pero me alegré de haber hecho lo que debía; el siguiente paso fue conocer a la familia de Dan.

Casi tenía la sensación de conocerlos, de tantas anécdotas que me había contado, de las fotos que había visto por casa de Dan, de haber oído la voz de su madre en el contestador automático.

Me encantaba oírle hablar de su niñez, de su hermano y de su hermana, de cómo había sido crecer en lo que para mí era una familia numerosa.

—¿Estás seguro de que les gustaré? —pregunté varias veces antes de mi primera comida con la familia Cooper.

—¡Desde luego! —Dan me besó y me dio un apretón tranquilizador—. Les encantarás.

—Pero a tu madre no le gustó tu última novia. ¿Por qué estás tan seguro?

—Confía en mí, lo sé. Y, de todos modos, resultó tener razón sobre mi última novia, ¿no?

La última novia se había largado con un actor, y al parecer la madre de Dan le dijo que en cuanto la vio supo que no era una chica de fiar. Pero, por supuesto, lo dijo después de que se largara.

—Vas a gustarle y ella te va a gustar. Diría que estáis hechas la una para la otra.

—Ja, ja, ja —dije, pero me hizo sonreír.

A pesar de que tuve una crisis tras otra pensando qué ponerme y planeando el gran día, me sorprendí esperándolo ilusionada. Después de todo, ¿no era la familia que siempre había querido tener?

3

Los padres de Dan viven en una gran casa victoriana en una tranquila calle arbolada en los límites de los parques de Hampstead y Belsize. Es la casa donde Dan creció, y le encanta seguir teniendo en ella su habitación, y que la casa esté llena de recuerdos de su juventud.

Un día pasamos por delante en coche, y él quiso entrar y saludar a sus padres, pero yo aún no estaba preparada para conocerlos. Necesitaba más tiempo.

No es que estuviera asustada, pero quería gustarles. En realidad, quería encantarles. Sobre todo, dado que la madre de Dan había desaprobado a novias anteriores, quería que en cuanto me viera pensara que era perfecta para él, que era la chica adecuada.

Dan y yo ya sabíamos que queríamos un futuro juntos, y Dan había anunciado a su familia que iba en serio conmigo. Aunque debería haberme dado igual, me moría por obtener la aprobación de su familia, necesitaba desesperadamente que me acogieran bien, que me trataran como a un miembro más.

En cuanto vi la casa por fuera deseé formar parte de ella, parte de ellos. Era el tipo de casa con el que siempre había soñado. Grande pero en su justa medida, imponente pero sin ser excesivamente suntuosa, con hiedra que trepaba sobre la fachada de ladrillo rojo.

Las ventanas eran de cristal emplomado, y el camino de acceso describía una amplia curva de grava con un enorme roble viejo en el centro y algunas malas hierbas, malas hierbas de las que seguramente se encargaría pronto el jardinero.

Linda y Michael Cooper. Él es un abogado con mucho prestigio; después de haber buscado su nombre en Google sé que tiene fama de ser uno de los mejores. Está especializado en derecho mercantil, tiene su propio bufete en alguna parte de Middle Temple y en las fotos parece mucho menos imponente de lo que hace pensar la reputación que le precede.

Atractivo a su manera canosa y ajada, en todas las fotos que he visto de él en el piso de Dan lo eclipsa su esposa, la encantadora Linda.

Linda Cooper, Campbell de soltera. Nació y se crió en Hampstead; fue una superviviente del Instituto para Chicas de South Hampstead, nada menos, y abandonó sus estudios en la Universidad de Oxford donde, algo insólito entre las chicas de su generación, estudiaba historia.

La versión de Dan de los hechos es la siguiente: sus padres se conocieron en la universidad, donde el vestuario inspirado en Biba y la figura inspirada en la modelo Twiggy que lucía su madre la convirtieron en la comidilla de la ciudad. Que fuera lista, fuerte y presuntuosa tampoco la perjudicó. No con unas piernas como las suyas.

Era la chica con la que todos querían ser vistos, la chica que siempre echaba la cabeza hacia atrás cuando se reía y que parecía ajena a la atención que provocaba allá adonde iba.

Michael era la estrella del equipo de remo, y como tal, él también tenía una legión de admiradoras. De hecho, Linda lo había visto en la regata anual entre Oxford y Cambridge y desde ese momento se propuso conquistarlo.

Conquistarlo, por supuesto, no fue ningún problema, pero resultó un poco más engorroso quedarse embarazada casi once meses después.

Sin embargo, eran jóvenes, estaban enamorados y no tenían ninguna duda de que estaban destinados a vivir juntos. Así pues, ¿qué importaba si tenían que hacer algunos cambios?

Se casaron apresuradamente en el registro civil de Marylebone;

un minivestido estilo imperio Mary Quant y un gran ramo de rosas color crema cubrían el creciente bombo de Linda.

Linda renunció a su licenciatura de historia, satisfecha en ese momento con su papel de esposa y madre, y cuando nació Dan, no le cupo ninguna duda de que había hecho lo que debía.

Dan todavía tiene fotos de Linda, guapísima a pesar de haber dado a luz apenas hacía unas semanas, en las que mece a su diminuto bebé y mira con adoración sus grandes ojos azules, ahora castaños, por si os lo estáis preguntando.

Emma llegó tres años después y otros tres después lo hizo Richard. Entonces vivían todos en las afueras de Londres, y Linda era la perfecta ama de casa que había hecho amistad con todos los vecinos y que organizaba meriendas para sus hijos.

Dan dice que es la madre perfecta. Dice que la adora y que yo también lo haré. Dice que aunque es fuerte, obstinada y franca, también es afectuosa, tierna y amable.

En las fotos de Linda con sus hijos siempre está sonriendo, radiante; se la ve más reservada en las fotos con su marido. Dan dice que tiene debilidad por sus hijos, pero que sus padres siguen juntos y son tan felices como cabría esperar, lo que hoy en día es algo insólito.

Le he preguntado a Dan si él es el predilecto, y se ha encogido de hombros. Dice que Richard es el pequeño y Emma la rebelde. Seguramente lo es, pero solo porque es el mayor. Su madre le llama cada día por teléfono, una o dos veces, y él afirma que se lo cuenta todo.

No sé si eso es normal. No tengo con qué comparar, pero si tuviera una madre que me quisiera y yo fuera como la niña de sus ojos, estoy segura de que me encantaría que me telefoneara cada día. Le pediría su opinión acerca de todo. Supongo que por eso al principio ni me extrañó ni me olió mal.

Pasé muchas horas preguntándole a Dan sobre su familia, tratando de averiguar lo más posible acerca de ellos antes de conocerlos, tratando de averiguar quiénes eran, cómo eran, qué querían que fuera yo.

Y por fin llegó el gran día. La comida del domingo en casa de sus padres. También estaban Richard y Emma.

Mis dudas sobre qué ponerme se resolvieron por sí solas con unos pantalones negros clásicos y una blusa blanca, una cadena de plata alrededor del cuello y zapatos planos negros. El conjunto perfecto para un día bastante cálido de primavera y que hasta a mí me pareció conservador. ¿Cómo no iban a adorarme?, pensé. Parecía la típica buena chica.

En el último momento me recogí el pelo en una coleta y me puse sobre los hombros un jersey verde vivo.

—¡Preparada! —grité a Dan, que esperaba al pie de la escalera taconeando impaciente.

Bajé corriendo y Dan se echó a reír.

—¿Qué? ¿Estoy horrible? ¿De qué te ríes? Mierda, voy a cambiarme.

—¡No, Ellie! —Dan empezó a disculparse—. Es que estás igual que mi madre. No sueles vestirte de esta forma, eso es todo. No estoy acostumbrado a verte así.

—Oh, Dios —gruñí—. Eso es horrible. Tengo que cambiarme.

—¡No! —dijo Dan, esta vez con firmeza—. No tenemos tiempo. Además, deberías considerarlo un cumplido. Mi madre es la mujer más elegante que conozco. Y estás guapísima.

—¿De verdad? —Empecé a relajarme.

—De verdad. No podrías estar mejor. Les vas a encantar.

No debería haberme sorprendido en absoluto cuando Linda, o la señora Cooper, como la llamaba yo entonces, abrió la puerta y vi que llevaba unos pantalones negros y una blusa blanca, una cadena alrededor del cuello y un suéter naranja sobre los hombros. La única diferencia era que saltaba a la vista que su ropa era de diseñador; su blusa, de seda; su jersey, de cachemir, y la cadena de oro.

Retrocedí para examinarla mientras ella le daba un fuerte abrazo a Dan.

Después, se volvió hacia mí con una sonrisa afable. Le devolví la sonrisa y titubeé un poco; no sabía si estrecharle la mano o besarla en la mejilla, y no quería meter la pata.

Había comprado un ramo de peonías y se lo di mientras le decía que era un placer conocerla. Ella cogió de mis manos el ramo, me dio las gracias, y me dio un breve abrazo; me relajé en el acto.

—Hemos oído hablar mucho de ti, Ellie —dijo, cogiéndome del brazo y haciéndome pasar—. ¡Y mírate! —Señaló su ropa y luego la mía—. ¡Parecemos gemelas!

Me eché a reír y la seguí hasta la cocina.

—¡Ya está aquí Dan! —gritó la señora Cooper.

El padre de Dan dejó el cuchillo sobre la tabla de cortar y se acercó para estrecharme la mano.

—Encantado —dijo en un tono que me pareció bastante formal. Sin embargo, luego sonrió y supe que le había gustado—. Perdona —se disculpó secándose la mano con un trapo de cocina—. Me han puesto a cortar tomates y estoy cubierto de zumo.

Mientras me reía, otra voz dijo:

—Estamos tratando de demostrarle que este trabajo no es solo para mujeres. Hola.

Emma estaba sentada a la mesa de la cocina, hojeando un ejemplar de *Hello!* y comiendo puñados de nueces con miel de un pequeño recipiente de cerámica que había en el centro. Levantó la vista y saludó a su hermano, luego me miró de arriba abajo y en aquel instante deseé haberme vestido de otra forma, porque enseguida vi que le parecía aburrida y demasiado conservadora para mi edad.

Y la verdad, no me extrañó, porque Emma era solo un año menor que yo y parecía sacada de las páginas de una revista de moda: pantalones pitillo de cintura baja, botas puntiagudas de tacón alto, blusa ceñida y mechas rojas en el pelo.

—Soy Emma —dijo—. Y está claro que tú eres Ellie. —Y añadió sonriendo—: Qué raro. Vas vestida igual que mamá.

El padre de Dan nos miró a Linda y a mí de arriba abajo, y se rió.

—¡Santo cielo! —exclamó—. ¡Qué casualidad más asombrosa!

—Lo sé. —Hice una mueca—. Me siento un poco ridícula, como si tratara de aparentar diez años más.

—No, estás bien. Clásica. A mamá le encantaría que me vistiera como tú. Siempre me dice que no gaste en ropa de diseñador porque solo está de moda una temporada y es tirar el dinero. «Cómprate algunas prendas clásicas», me dice, pero yo no me siento a gusto con ellas.

Me encantó que Emma fuera tan habladora, hizo que me sintiera cómoda en el acto, como si la conociera de toda la vida.

—Te sienta genial —dije sonriendo—. Ojalá pudiera vestirme como tú, pero me sentiría una farsante. Como si la gente pudiera ver que no soy moderna en realidad, que solo trato de fingir.

Emma se echó a reír.

—En parte es por mi trabajo.

—¿A qué te dedicas? —pregunté, aunque ya lo sabía.

—Soy estilista —respondió ella—. Principalmente en sesiones fotográficas para revistas. De modo que paso mucho tiempo con modelos y fotógrafos, de ahí la necesidad de que vista como exige el papel. Dan dice que trabajas en el Calden.

Asentí.

—¡Estuve allí anoche! Es un buen trabajo. ¡Qué asombroso bar!

—Si consigues entrar.

—Me pasé la semana de la inauguración camelándome a los porteros —me confesó— y ahora Luke y Sean están entre mis mejores amigos.

—Hasta que te tiren los tejos y los rechaces.

—Dudo que se atrevan —dijo Emma riendo—. Creo que les encanta ser el centro de atención de las jovencitas.

Dan se acercó por detrás y me rodeó la cintura.

—¿Qué piensas de mi hermana pequeña?

—Solo soy menor en edad —resopló Emma, metiéndose otro puñado de nueces en la boca—. Desde el punto de vista de la madurez, tengo diez años más que tú. ¿Nunca te ha dicho nadie que las chicas están mucho más adelantadas que los chicos?

—Discutiría contigo si no llevaras esas botas tan puntiagudas —dijo Dan riéndose—. Todavía me acuerdo de cuando me diste una patada en los huevos con unas que eran iguales que estas.

Emma me miró sacudiendo la cabeza.

—¿Puedes creerlo? Yo tenía catorce años entonces y todavía no me lo ha perdonado.

—Niños, niños —amonestó la señora Cooper. Se acercó a la mesa, se sentó y cogió la revista para mirar mejor unas fotos de Jennifer Lopez—. Nada de peleas hoy. Hace semanas que no estamos todos juntos.

—Querrás decir dos semanas. —Dan sonrió mientras su madre se encogía de hombros—. ¿Y dónde está mi errante hermano menor? —continuó—. ¿Tramando algo para variar?

—Oh, no empieces —dijo la señora Cooper—. Ha tenido que ir a hablar...

—¿... con otro genio de los negocios? —intervino Emma.

Su padre contuvo una carcajada desde el otro extremo de la cocina.

—Alto —dijo—. Tenía una reunión para hablar de una nueva empresa de internet.

—¿Una reunión? ¿Un domingo por la mañana? ¿Hablas en serio?

—Ya conoces a Richard. Sus horas de trabajo no coinciden con las de los demás.

—Eso es porque nunca trabaja. —Emma sacudió la cabeza—. Gracias a Dios que os tiene a ti y a papá para que le echéis un cable, o estaría pidiendo limosna por las esquinas.

—¡Emma! —La señora Cooper parecía enfadada—. Que Richard aún no se haya abierto camino no significa que no vaya a hacerlo. Y no voy a permitir que se hable aquí de echar cables a nadie. Tú no sabes nada, y deja que te recuerde quién te ha comprado hace poco tu ordenador portátil.

—Solo porque ibas a comprarle uno a Richard y había una oferta si comprabas dos.

La tensión iba en aumento y, aunque era interesante observar la dinámica de la familia, empezaba a sentirme incómoda, de modo que decidí cambiar de tema.

—Señora Cooper, ¿hago algo? ¿Puedo ayudar?

Ella se volvió hacia mí, relajándose visiblemente.

—No, Ellie, está todo listo. He hecho el plato preferido de Dan, rosbif con budín.

—No sabía que fuera tu plato preferido. —Miré a Dan—. ¿Por qué no me lo has dicho nunca? Te lo habría preparado.

—Ah —dijo la señora Cooper, levantándose—. Pero nunca sería como el de su madre, ¿verdad?

Me quedé sentada, tratando de asimilar aquella afirmación; no sabía si era un insulto o si solo era una madre que adoraba a su hijo. Me dio unas palmaditas en el brazo.

—Y no me llames señora Cooper. Llámame Linda. Lo de señora Cooper siempre me hace pensar en mi suegra. —Lanzó una mirada a su marido y bajó la voz—. Y, con franqueza, prefiero pensar en ella lo menos posible.

—¡Mamá! —exclamó Emma—. No hace ni dos meses que ha muerto. Al menos deja que se enfríe su cuerpo antes de empezar a criticarla.

—Tienes razón. Perdona —dijo Linda—. Que en la gloria esté esa mala pécora —añadió lo bastante bajo para que no lo oyera su marido.

Emma miró al cielo y volvió a concentrarse en su revista.

—¡Ajá! —Dan se levantó de un salto para dar un fuerte abrazo a su hermano—. Ha vuelto el hijo pródigo.

—¡Richard!

Linda se acercó rápidamente y casi apartó a Dan de un empujón para abrazar a Richard. Luego, él se inclinó y plantó un beso en la mejilla de Emma, y finalmente me estrechó la mano sonriendo de forma descarada.

Enseguida vi que era de los que siempre se salen con la suya. Era igual que Dan pero más delgado, más joven, más atractivo.

Dan me parece encantador, pero sobre todo porque lo quiero, porque tiene buenos modales y es educado. Richard, en cambio, tenía tanto encanto que seguramente alguno de nosotros tendría que ir a por la fregona para secar el suelo.

—Tú debes de ser la encantadora Ellie —dijo, dándome un beso. Muy a pesar mío me ruboricé ligeramente—. Menos mal que Dan parece haber aprendido por fin algo de mi buen gusto.

—¿Buen gusto? ¿Estás de broma? Tu última novia parecía salida de un callejón de Westbourne Grove.

—Supongo que ya te han presentado a mi implacable hermana. —Richard arqueó una ceja.

—Querrás decir impecable hermana —replicó Emma.

Me recosté y disfruté del espectáculo. Michael y Linda daban los últimos toques a la comida mientras Dan, Rich y Emma y, por supuesto, yo, la espectadora, estábamos sentados a la mesa. Observé cómo discutían, se reían y soltaban comentarios que podrían describirse como insultos que desaparecían bajo un enorme y sincero cariño.

—Dime, Ellie, ¿tienes hermanos? —me preguntó Linda desde los fogones.

Sacudí la cabeza y me acerqué a ella.

—Siempre quise tener una familia grande, pero mi madre murió cuando yo era adolescente y mi padre volvió a casarse.

Linda me miró con expresión seria.

—Oh, qué horrible —dijo—. ¿De qué murió?

—En un accidente de coche cuando yo tenía trece años. —Naturalmente, no comenté que solía estar borracha a todas horas.

El padre de Dan parecía impresionado.

—Qué espanto —murmuró—. Qué experiencia más horrible para alguien tan joven.

—Oh, pobrecita —se hizo eco Linda—. Tan pequeña... ¿Sigues unida a tu padre?

Sacudí la cabeza.

—Volvió a casarse y ahora vive en Potters Bar, de modo que no le veo mucho. Pero con su nueva mujer ha tenido dos hijos, de modo que oficialmente tengo dos hermanastros, aunque los he visto muy pocas veces.

—¿Y eso es todo? —Linda parecía horrorizada—. ¿No tienes más familia? ¿Tíos? ¿Abuelos?

—No, pero no me importa. Estoy acostumbrada. Aunque siempre soñé con tener hermanos y formar parte de una familia como esta.

—Magnífico —dijo, pasándome el brazo alrededor del hombro y dándome un apretón—. Porque ahora puedes formar parte de nuestra familia. ¿Qué te parece?

—Me parece genial. —Y era cierto.

La comida fue exquisita. Y larga. Y animada. A medida que avanzaba la comida, Dan, Emma y Richard parecían experimentar una regresión a su adolescencia y yo no pude evitar unirme a ellos; me sentía como una colegiala traviesa y reía de bromas que los padres no podían oír.

No había duda de que era Linda quien llevaba los pantalones en aquella casa. Michael parecía divertirse y se mostraba jovial y encantador, pero cada vez hablaba menos, principalmente porque lo interrumpía continuamente su mujer.

Saltaba a la vista que la madre adoraba a Dan y a Richard; sonreía cada vez que los miraba. Le hizo un montón de preguntas a Richard.

—Entonces, ¿crees que va a funcionar esa empresa de internet? —preguntó.

Richard asintió, poniéndose serio de pronto.

—En realidad, creo que va a ser una bomba —dijo—. La reunión de esta mañana ha ido realmente bien, y en cuanto solucionemos la cuestión financiera, lo pondremos en marcha.

—Hummm, siento ser yo la que rompa el encanto —Linda miró al cielo en cuanto Emma empezó a hablar—, pero ¿no te ha dicho nadie que ya ha pasado el boom de los puntocom?

—Mira, Emma —respondió Linda antes de que Richard pudiera hablar—, las buenas ideas siguen funcionando. Mira Amazon. O Google. ¿Y qué me dices de eBay? Solo se ha calmado un poco. Ya no se ganan las fortunas de los primeros tiempos, pero si la idea es tan emocionante como cree Richard, no hay razón para que no pueda despegar.

—Pero eso es lo que dijiste de aquel servicio de conserjería que montó el año pasado. ¿Y qué fue antes, una especie de curso de autoayuda?

—Hay razones que explican por qué no funcionaron —dijo Richard a la defensiva—. Y la primera de ellas es que no escogimos el momento adecuado. ¿Cómo íbamos a saber que la competencia iba a montar exactamente lo mismo pero con más fondos?

—Hummm... ¿quizá haciendo antes un estudio de mercado?

—Emma —dijo Linda en un tono de voz helado—, ¿puedes darle un respiro a tu hermano para variar?

—Sí —coincidió Richard—. Cuando tu sueldo tenga seis cifras podremos hablar.

—¿Para que puedas sablearme con tu próxima brillante idea?

Emma sonrió y Richard le pegó juguetonamente.

—No seas ridícula —replicó riendo—. ¿Por qué iba a querer sablearte a ti cuando Dan: a) es mucho más simpático que tú, y b) tiene mucho más dinero que tú?

—Y no te olvides de papá, por supuesto —dijo Dan—. Él es el inversor que necesitas para triunfar.

—Papá —dijo Emma en tono adulador—, ¿recuerdas el coche del que te he estado hablando...?

—Olvídalo —zanjó Linda—. Tu coche está en perfecto estado. ¿Podemos dejar de hablar de dinero, por favor? ¿Qué va a pensar Ellie?

Lo que yo pensaba era qué afortunados eran de tenerse los unos a los otros, tener todo aquello, poder pelearse, discutir, reírse y darse empujones, y saber que al final seguirían estando juntos.

Pero, naturalmente, ellos no lo sabían, no conocían otra cosa, al igual que yo no conocía otra cosa.

Qué suerte tenían. Y qué poco conscientes eran de ello. Sobre todo Emma. Observé cómo se comportaba Emma con su madre; noté la tensión que había entre ambas, y me entristeció que Emma no tuviera ni idea de lo agradecida que debería estar de tener una madre, y no digamos una madre como Linda.

Si yo fuera Emma y Linda fuera mi madre, me sentiría orgullosa, y muy agradecida. Saldría con ella y me la llevaría siempre de tiendas. Quedaríamos para comer y nos contaríamos cotilleos, le explicaría mis problemas con los hombres y mis discusiones con los amigos.

Era la clase de mujer con la que podría ir a un balneario y sentarme a su lado mientras nos hacían una limpieza de cutis, y portarme como una cría sin sentir el menor remordimiento.

Y cuando las cosas me fueran mal, cuando alguien me dejara plantada o me sintiera sola, o la vida no fuera exactamente como yo esperaba, correría a casa para tomar sopa de pollo, estofado o rosbif y budín hecho por Linda, y buscaría su compasión y su amistad, su aceptación y su comprensión.

Si yo fuera Emma, mi madre sería mi mejor amiga; aunque Emma me cayó bien y me resultó fácil hablar con ella durante la comida, vi que la relación entre madre e hija no era buena, y deseé ardientemente hacerle ver lo que tenía, hablarle de mi vida, de lo que es no tener a nadie. Hasta que conocí a Dan.

4

—Les has encantado —anunció Dan al día siguiente—. Y no me extraña.

—¿En serio? —No pude disimular el alivio y la alegría en mi voz.

—Ya lo creo. —Sonrió—. De hecho, mi madre dijo que eras perfecta para mí.

—Eh. —Me incorporé en el sofá y miré a Dan fijamente—. ¿No serás uno de esos hombres que solo sale con las mujeres que su madre desaprueba y se aburre con las que le gustan?

Dan se echó a reír.

—No, Ellie. No voy a ir a ninguna parte en, hummm —miró su reloj—, al menos una hora.

Por aquel entonces habíamos empezado a vivir juntos. Dan se había instalado en mi piso y no había traído apenas nada consigo, pero, como señaló él mismo, todavía tenía mucho espacio en casa de sus padres, de modo que si de pronto necesitaba desesperadamente, pongamos, la guitarra eléctrica que había empezado a tocar a los dieciocho años, solo tenía que ir corriendo a Hampstead a buscarla.

Hasta entonces, yo nunca había vivido con nadie; siempre había valorado mi independencia y había trabajado duro para que mi piso fuera exactamente como yo quería.

Pero en cuanto empezamos a ir en serio, en cuanto Dan empezó a pasar seis de cada siete noches en mi casa, nos pareció ridículo que los dos siguiéramos pagando una hipoteca, y como mi piso era solo un poco más grande pero un millón de veces más confortable, decidimos alquilar el suyo.

Yo llevaba cinco años viviendo en mi piso. Los años más felices de mi vida. Era la primera vez que entendía lo que significaba establecerse, la primera vez que supe qué era tener un hogar.

Me pateé todas las tiendas de muebles de segunda mano; poco a poco amueblé las habitaciones con muy poco dinero y los fines de semana los pasaba subida a una escalera con una brocha en la mano.

Compré todas las revistas de decoración —*Architectural Digest*, *House & Garden*, *World of Interiors*—, arranqué las fotos de las habitaciones que me gustaban y traté de reproducirlas con un presupuesto muy reducido.

Tenía colegas del trabajo o amigas que se mudaban cada pocos años, se aburrían de sus pisos o querían mudarse a otro más grande y mejor, pero yo nunca me había sentido así. Ese piso era todo lo que siempre había querido y no necesitaba nada más.

A Dan le encantó desde el momento en que entró (en nuestra quinta cita; preparé una ensalada de alcachofas, rape con tomates asados y ajo y una mousse de chocolate y fresas). Naturalmente, terminamos en la cama, y a la mañana siguiente supe que era muy probable que nunca volviera a acostarme con otra persona. Dan siempre dijo que mi piso era exactamente como quería que fuera su casa, si él tuviera estilo.

Pensé que bromeaba, hasta que a la semana siguiente fuimos a su piso de Kentish Town. Situado en la quinta planta de un enorme edificio de apartamentos, en cuanto traspuse el umbral busqué inmediatamente un sofá cómodo en el que desplomarme después de subir la escalera a pie.

Nada. Ni un mueble. Solo había cajas de ropa, un futón que decididamente había conocido mejores tiempos, una enorme pantalla plana de televisión y cientos de cintas de vídeo.

—Me temo que no es muy acogedor —dijo, mientras entraba en su habitación a recoger ropa limpia para pasar la semana siguiente en mi piso.

—Eso es quedarse corto —dije, asombrada de que pudiera vivir así—. ¿Cuándo te mudaste? ¿Ayer?

—Casi no paro en casa —dijo él sonriendo.

—Eso salta a la vista. Pero ¿cómo es posible que no pares en tu casa cuando has logrado pasar la mayor parte de la semana pasada en la mía? Si nunca paras en casa, ¿cómo encontraste tiempo para estar conmigo casi toda la semana? No le he dado precisamente un impulso a tu vida social.

Dan sonrió, con los brazos llenos de camisas y camisetas.

—¿Vida social? ¿Qué vida social? No tenía vida social antes de conocerte.

Me di una palmada en la frente.

—¡Por supuesto! Debería haberlo sabido. Esa noche estabas en el Calden para... ¿qué? ¿Una reunión de negocios?

—La verdad es que sí —dijo asintiendo—. Ya conoces a la gente de televisión. ¿Por qué reunirse en una sala de juntas cuando hay un bar perfecto a la vuelta de la esquina?

—La verdad, no creo conocer tan bien a la gente de televisión.

—Ah, ¿no? —Arqueó una ceja y dejó caer la ropa en el suelo mientras se acercaba a mí—. Entonces tal vez va siendo hora de que nos conozcamos mejor.

Dos semanas después de que Dan se instalara en mi piso, un día sonó el timbre de la puerta. Era un sábado por la mañana y Dan había ido al gimnasio para su habitual sesión de fin de semana; por fin me había dejado un rato sola.

A pesar de lo emocionada que había estado con la mudanza de Dan, el temor empezaba a aflorar. Siempre había tenido una idea muy romántica de lo que sería vivir con alguien: despertar en los brazos del otro, reír mientras desayunábamos un zumo de naranja recién exprimido y una tostada el domingo por la mañana. Por mucho que me avergüence admitirlo, creo que mi idea de vivir con alguien era producto de algunos ridículos anuncios de televisión.

Pero la realidad era que ese era mi piso, pagado y decorado por mí. Yo había escogido cada uno de los muebles y había decidido dónde colocarlo. Si no me gustaba algo, lo quitaba.

Y de pronto tenía que buscar sitio para las cosas de Dan, incluso las que no soportaba. Su colección de carteles de cine enmarcados, por ejemplo. *Chinatown. Harry el sucio. Érase una vez en América.* Estoy segura de que debían de haber quedado increíbles en su habitación de la residencia universitaria, pero, con franqueza, a los treinta y cinco esperas que le interese algo un poco más, no sé, de adulto. Los llevé al pasillo, donde se quedaron amontonados de cara a la pared, esperando a que Dan los colgara.

Y aunque comprendía que una enorme pantalla plana de televisión de plasma es algo que todo niño sueña tener cuando sea mayor, no pegaba con mi decoración femenina. Pero enseguida me di cuenta de que era una batalla que no iba a ganar, de modo que intentaba no fijarme en el enorme rectángulo negro que se alzaba como un profeta de la catástrofe en un rincón de la habitación.

¿Egoísta? Por supuesto que lo era. ¿Quién no lo sería después de haber vivido solo casi veinte años? Estaba acostumbrada a hacer las cosas a mi manera y nunca había tenido que pensar en nadie más. Sabía el significado de la palabra ceder; pero nunca había tenido que demostrarlo.

Allí estaba Dan, quitando los marcos de fotos que yo había colocado esmeradamente encima de su aparato de música en un intento de darle un toque femenino, más acorde con el resto de la habitación, y allí estaba yo, observándolo mientras me mordía la lengua para no gritarle que aquella era mi casa y que no quería su estúpido aparato de música.

—Sé que es difícil —dijo Dan después de nuestra primera discusión, dos días después de que se mudara—. Llevas años viviendo sola y no has convivido mucho tiempo con nadie. Los dos estamos acostumbrados a tener nuestro espacio; nos va a llevar un tiempo adaptarnos a tener al lado a otra persona. Pero Ellie —alargó una mano por encima de la mesa y me cogió la mía—, vale la pena. Te quiero y quiero pasar el resto de mi vida contigo. Esto es solo un pequeño problema técnico y es necesario que ambos cedamos.

Asentí, asombrada de haber encontrado a alguien perfecto para mí, alguien que me quisiera mucho y que fuera capaz de ser absolutamente sincero al respecto.

—Tienes razón —dije—. Lo siento.

—¿Significa eso que puedo seguir dejando mi ropa interior en el suelo del cuarto de baño?

—Ja, ja, ja. No tientes a la suerte. —Pero cedí cuando se inclinó y me besó en los labios.

Ese sábado por la mañana, cuando llamaron a la puerta, estaba ligeramente irritada y acababa de meterme de nuevo en la cama para disfrutar de mi solitario ritual del sábado por la mañana, que consistía en una taza de té, un cruasán y el *Telegraph*. La llovizna de marzo ayudaba a acallar mi sentimiento de culpa por estar todavía en la cama, pues no hay nada como quedarse en ella cuando fuera hace un día gris y lluvioso. No tenía ni idea de quién podía estar tocando el timbre.

Me puse el albornoz —siempre he querido comprarme una bata como Dios manda pero nunca he encontrado el momento— y, con el pelo enmarañado y los ojos hinchados y legañosos, fui a abrir la puerta. Era la madre de Dan, sonriendo radiante en el umbral.

—¡Ellie! —exclamó. Me plantó un beso en la mejilla y pasó por mi lado mientras yo me quedaba paralizada, avergonzada de que me viera en aquel estado—. Espero que no te importe que me haya pasado un rato, pero he pensado que si tengo que esperar a que Dan me invite, me puedo morir. ¿Dónde puedo dejar esto?

Llevaba un enorme ramo de tulipanes que dejó en la cocina. Empezó a abrir armarios, supuestamente buscando un jarrón.

Mierda. La cocina estaba patas arriba. Habíamos cocinado la

noche anterior, y Dan se había acercado por detrás mientras yo recogía la mesa y me había deslizado una mano por el interior del muslo; cuando quise darme cuenta, nos habíamos olvidado de devolver la cocina a su anterior estado inmaculado y estábamos corriendo hacia el dormitorio, dejándolo todo para la mañana siguiente.

Una vez oí decir que lo que distingue a un verdadero chef es limpiar sobre la marcha. A pesar de que soy adicta a todos los programas de cocina de la tele, y he visto infinidad de veces a Gordon, a Jamie y a todos los demás limpiar sus tablas y deshacerse de las pieles de ajo y los tallos de perejil antes de dar el siguiente paso, nunca he logrado hacerlo.

Pero ojalá lo hubiera intentado con más tesón. Miré los destrozos con los ojos de Linda Cooper y quise morirme.

—Siento mucho el desorden —dije en voz baja, mientras recogía de la mesa platos con comida incrustada y los llevaba al fregadero—. No puedo creer que estés viendo mi piso el día que está más desordenado que nunca. Estoy muy avergonzada.

Abrí un armario y le tendí un jarrón cuadrado de cristal.

—Tengo una señora de la limpieza que es maravillosa y que busca más trabajo —dijo ella sonriendo—. Si quieres, la llamaré para ver si puede venir esta semana. ¿Qué te parece?

—Estupendo —respondí con un hilo de voz.

La verdad es que nunca había considerado la idea de que otra persona limpiara por mí. Y, sinceramente, con la excepción de esa mañana, quiero creer que hago un buen trabajo. Aunque no tenía sentido señalarlo, porque si yo fuera Linda Cooper no lo creería.

—De todos modos —canturreó ella, cortando los extremos de los tulipanes y colocándolos con mano experta en el jarrón—, en un santiamén lo habré fregado todo. ¿Ibas a ducharte? Cuando hayas terminado tendré la cocina limpia como una patena.

Sé que no debería haberlo tomado a mal, que ella solo trataba de ayudar, pero aun así tuve la sensación de que yo, o mis dotes de limpieza, habíamos sido menospreciadas, y eso no me gustó nada.

También me sentía desagradablemente vulnerable con mi albornoz deshilachado y grisáceo, el pelo enmarañado y la cara sin maquillar. Sabía que solo lograría superar la humillación si me sentía lo bastante fuerte, y no me sentiría así hasta que tuviera firmemente asegurada mi armadura corporal, es decir, ropa y maquillaje.

De modo que corrí al cuarto de baño y dejé a la madre de mi novio sumergida hasta los codos en Fairy.

Salí media hora después con el pelo recogido en una coleta, una camiseta blanca y unos vaqueros, y sintiéndome capaz de enfrentarme a cualquiera.

—He hecho café para las dos —dijo Linda animadamente cuando entré en la ahora reluciente cocina—. Espero que no te importe pero he lavado los jarrones, estaban todos bastante sucios.

Me sentí avergonzada.

—No tenías que hacerlo, Linda.

—No, no. Sé que la gente joven no tenéis tiempo para limpiar como es debido, y era lo menos que podía hacer. Ahora siéntate y conozcámonos mejor.

Cuando se marchó me sabía toda la historia de la familia Cooper, y me había hecho una idea exacta de la dinámica familiar.

Al parecer, Linda no era tan segura de sí misma como me pareció el día que la conocí, y percibí cierto resentimiento por no haber podido desarrollarse profesionalmente. Yo ya había deducido que era una de esas mujeres que hacen realidad sus ambiciones viviendo a través de sus hijos, y todo lo que dijo me lo confirmó.

Estaba extraordinariamente orgullosa de Dan, que evidentemente era el niño bonito gracias a su brillante licenciatura y a su prometedora carrera de productor de televisión. Su último documental había obtenido varios premios y había recibido una impresionante cobertura periodística, que Linda había recortado y guardado en un álbum.

Richard, dijo, todavía tenía que hacerse con una buena posición. Se supone que a los veintinueve años eres lo bastante mayor para saber qué vas a hacer con el resto de tu vida, pero Linda dijo que era un soñador y que al final lo descubriría.

—¿Y Emma? —pregunté—. Es muy extrovertida, y tiene una personalidad tan arrolladora... Debes de estar encantada de tener una hija como ella.

—Bueno, cuando es buena es buenísima, pero cuando es mala es terrible.

—¿Terrible? ¿En serio? Parece encantadora.

—Eso es porque no es tu hija. —Linda sonrió—. Ya sé que tu madre murió muy joven, no te lo tomes a mal, pero los años de la adolescencia pueden ser muy difíciles entre una madre y una hija.

—Lo sé —dije—. Puede que no tuviera a mi madre, pero lo viví a través de mis amigas.

—Verás, Emma siempre ha sido una rebelde. Por supuesto que la quiero, pero no acabo de entenderla. Y, con franqueza, a su edad ya debería haber sentado la cabeza. Mírate, Ellie. Tenéis más o menos la misma edad, ¿no?

Asentí.

—Tú tienes tu propio piso, un buen trabajo, independencia económica. Emma en cambio va de un trabajo a otro y de fiesta en fiesta, y se va a vivir con amigos o novios a la primera de cambio. No sé. —Suspiró—. Tal vez sea porque es una persona creativa.

Se oyó la llave en la cerradura de la puerta principal y exhalé un suspiro de alivio. Una cosa era tener una buena relación con la madre de tu novio y otra muy distinta oírla lloriquear sobre sus otros hijos, algo que aún no estaba dispuesta a hacer, al menos con una familia que estaba empezando a conocer.

—¡Mamá! —La cara de Dan se iluminó cuando entró en la cocina. La besó y luego se acercó a besarme a mí.

—Puaf. Estás sudado. —Lo aparté—. Supongo que te has quedado a gusto.

—Sí. Ahora mismo me ducho. ¿Qué estás haciendo aquí, mamá?

—No sabía nada de ti, de modo que se me ha ocurrido venir a ver vuestro nuevo piso.

—Es bonito, ¿verdad? —Dan sonrió.

—Una clara mejora con respecto a tu último piso.

—Eso no es difícil —tercié yo, decepcionada de que no hubiera descrito mi piso como algo más que una mejora.

—¡Hombres! —Linda miró al cielo y de nuevo me cayó bien. Me encantó que me incluyera en la conspiración, aunque personalmente yo no pensara así.

Transcurrieron un par de meses, meses que a veces fueron difíciles y a veces más maravillosos de lo que podría haber imaginado nunca. Me encantaba tener a alguien con quien hablar cada noche, en lugar de acostarme y sentirme sola.

Pero otras veces lo miraba con resentimiento. Odiaba tener que ver *Los Simpson* cuando lo único que quería era acurrucarme en silencio con un libro; me sublevaba que tuviera que ser siempre yo quien tenía que pensar qué cenar, por no hablar de cocinar.

En general diría que los buenos momentos compensaban con creces los malos, y aunque nos enzarzábamos en discusiones, solíamos olvidarlas rápidamente y nunca eran lo bastante serias como para que uno de los dos cuestionara la relación.

A finales de mayo, Dan ganó un importante premio por uno de sus programas de televisión. Tan pronto como se enteró me telefoneó y me dijo que me invitaba a cenar al Zuma para celebrarlo y que me pusiera elegante.

Me puse un vestido negro clásico que había comprado en las rebajas de Nicole Farhi; mis gustos se habían vuelto más refinados desde que tenía pareja. De soltera mezclaba y combinaba partes superiores de Hennes con pantalones de Zara y jerséis de Joseph. Ahora, aunque rara vez voy a restaurantes como Zuma, alternábamos mucho más de lo que yo nunca había hecho. No soy competitiva, pero a menudo me sentía un poco anticuada y sin gracia comparada con las novias y las mujeres de los amigos de Dan, y había decidido empezar a comprarme ropa mejor. Aunque fuera en las rebajas.

Los amigos de Dan eran, en su mayoría, del colegio. Yo me había distanciado de toda la gente con la que estudié, y me parecía extraordinario que siguiera en contacto con los «chicos», como él los llamaba. Lo significaban todo para él. Supe desde el principio que si quería ir en serio con Dan iba a tener que cortejar a los chicos tanto como a él.

Estaba Simon, el que haría de padrino de boda si algún día Dan decidía casarse. Ejem. Era gracioso, atractivo y encantador. No tenía ni idea de por qué seguía estando soltero, pero Dan decía que era nefasto con las mujeres, y que con el tiempo ya lo descubriría.

También estaban Tom, Rob y Cheech, cuyo nombre verdadero al parecer era Nicholas pero llevaba tanto tiempo respondiendo por Cheech que cuando pregunté por qué lo llamaban así, Dan no se acordaba. Al final deduje que tenía algo que ver con ciertas hazañas en la universidad relacionadas con una pipa de agua.

Tom y Rob estaban casados; sus mujeres eran Lily y Anna, respectivamente. Pero estaban muy necesitados de comida casera, de modo que en cuanto Dan y yo empezamos a vivir juntos invité a los chicos a cenar un viernes, lo que rápidamente se convirtió en una tradición. Cada semana preparaba un asado como Dios manda, con patatas, verduras y una salsa hecha con el jugo de la carne, miga de pan y leche; siempre me aseguraba de hacer un postre que les evocara sus años en el internado: budín de frutos secos, pastel de manzana con crema, bizcocho de melaza. Me aseguraba de pasar por sus estómagos antes de dirigirme a su corazón y surtía efecto.

Dan me dijo después del primer viernes que los cuatro habían coincidido en que no debía dejarme escapar. Al parecer era el mejor elogio que podía recibir una chica, y por lo visto era la primera vez que estaban de acuerdo los cuatro. Me quedé tan encantada que casi no pegué ojo.

Por suerte las dos mujeres eran encantadoras; tal vez no eran las amigas que yo habría escogido, pero en cuanto me puse la ropa moderna adecuada, casi tuve la sensación de haber pertenecido siempre al grupo.

Habíamos quedado en encontrarnos en el Zuma, adonde Dan iría directamente después de una reunión de última hora. Me sentía fenomenal con mi vestido, a la moda y al mismo tiempo elegante, y mis nuevos Jimmy Choo de tacón, mientras seguía al encargado hasta la mesa y pedía mi habitual bebida sin alcohol para esperar a Dan.

—Siento llegar tarde. —Él entró unos minutos después y se inclinó sobre la mesa para darme un rápido beso—. Estás guapísima —añadió, y yo sonreí mientras él cogía la carta de vinos que le tendía el camarero y la leía de cabo a rabo, fingiendo que sabía lo que hacía—. ¿Qué me recomienda? —preguntó cuando terminamos de pedir los platos, y asintió con aire de entendido cuando él le recomendó un Château Beychevelle de 1996, como si fuera exactamente el vino que él habría pedido.

—¿Crees que nos habrían echado a patadas si hubiéramos pedido solo media botella de vino de la casa? —susurré.

—Algo me dice que no es la clase de sitio donde puedes pedir media botella de vino barato. —Dan sonrió—. Aunque no me quejo.

—Yo tampoco. —Sonreí, pensando en lo agradable que era permitirse de vez en cuando ese lujo—. Bueno, cuéntame cómo ha ido todo.

Hablamos, nos reímos y comentamos los sucesos del día, hablamos del futuro, compartimos nuestros sueños de lo que este podía depararnos y nos quedamos encantados al ver que coincidían: una casa con un gran jardín, no más de dos hijos, y tal vez, en algún momento, cuando hubiéramos ganado suficiente dinero, una segunda residencia en el campo o incluso en Francia. Un perro estaría bien, decidimos, aunque no demasiado grande, ya que vivíamos en Londres. Yo quería un terrier blanco, pero Dan dijo que esos perros eran para chicas, y que él tendría que tener por lo menos un pequeño labrador.

Trajeron y retiraron los postres, y a continuación los cafés; de pronto, Dan se puso serio.

—¿Qué pasa? —Observé cómo su cara perdía el color y adquiría un tono verdoso—. ¿Estás bien? Dios mío. ¿Es algo que has comido? ¿Qué tienes, Dan? Di algo.

Dan carraspeó y me cogió la mano; entonces lo supe. Juro que en cuanto le oí carraspear supe qué seguiría. Estoy segura de que dejé de respirar unos minutos, y cuando empezó su discurso ensayado sobre que siempre había querido casarse pero nunca pensó que encontraría a la mujer adecuada, el corazón me latía tan fuerte que apenas lo oí.

Naturalmente, dije que sí.

5

Volvimos a casa en taxi, acurrucados en el asiento trasero mientras yo levantaba la mano para mirar mi anillo de compromiso. Era extraño llevar un anillo en esa mano; pero era tan bonito que quería enseñárselo a todo el mundo.

Dan no había hecho algo tan fácil como pararse frente a una joyería y preguntarme qué anillo me gustaba, sino que se había acordado de una vez que le mostré en una revista un anillo que me parecía precioso.

—¡No puedo creer que te hayas acordado! —decía yo una y otra vez sosteniendo la mano en alto y viendo cómo brillaba el diamante a la luz de las farolas—. No puedo creer que lo hayas hecho.

—Quería sorprenderte —dijo Dan, besándome la oreja derecha—, y pensé que no sería lo mismo si no te regalaba un anillo.

—Tienes razón. Probablemente me habría parecido irreal. ¡Dios mío, nos vamos a casar! —grité arrojándole los brazos al cuello.

Cuando entramos en el piso sonaba el teléfono. Contesté y oí la voz de Linda al otro extremo de la línea.

—¿Y bien? —canturreó eufórica mientras yo miraba a Dan con recelo.

—¿Y bien? —repliqué.

—¿Tengo otra hija?

Sonreí.

—Sí, Linda. La tienes.

Linda chilló y llamó a Michael para que se pusiera.

—Felicidades, Ellie —dijo Michael efusivamente—. Una noticia maravillosa. Sé que seréis muy felices juntos.

Entonces Linda volvió a ponerse al teléfono.

—¡Estoy tan emocionada! —exclamó—. Estoy impaciente por empezar a hacer planes para la boda. Oh, cielos, ¿cuándo es el gran día?

—No tengo ni idea —dije riendo—. Aún no hemos hablado de fechas. —Mientras lo decía pensé: ¿de qué estás hablando, que tú vas a hacer planes para la boda? Es mi boda, tengo treinta y tres años y soy la directora de marketing del Calden. Si no puedo organizar mi propia boda, ¿dónde está la gracia?

—¿Qué tal en invierno? —preguntó Linda—. Ya sé que solo faltan siete meses para diciembre, pero adoro las bodas en invierno. ¡Son tan elegantes! Podrías encargar rosas rojas. Además, tendríamos tiempo de sobra para organizarlo todo.

—Dan y yo tendremos que hablar de ello —dije—. Pero estoy segura de que serás la primera en saber la fecha.

No me molesté en decirle que agradecía su ofrecimiento, pero que estaba segura de que nos las arreglaríamos sin su ayuda, aunque tomé nota mentalmente de decírselo en algún momento.

—Lo sé, lo sé, no es asunto mío, pero llevo años esperando organizar una boda para Emma, y es evidente que no lo he conseguido. Ahora podría hacerlo por ti.

—Lo sé. —Sentí una punzada de remordimiento; al fin y al cabo, ella solo trataba de ser agradable, y ¿no debería estar agradecida de que se emocionara tanto?—. Te comprendo perfectamente. Aquí está Dan, habla con él.

Le pasé el teléfono a Dan y revoloteé a su alrededor hasta que se despidió.

—Dan —dije despacio en cuanto él colgó—, ¿sabían tus padres que ibas a hacerme una proposición de matrimonio?

Él me miró, cohibido.

—Mi padre no, pero mi madre estaba informada.

—Ah.

Me extrañó que yo no hubiera sido la primera en saberlo; era como si Dan hubiera antepuesto a su madre, aunque sé que puede parecer ridículo. Sé que las madres y los hijos tienen una relación muy especial, pero yo era ahora la mujer más importante de la vida de Dan, y al decírselo primero a su madre había vuelto a ponerla a ella antes que a mí, y eso me molestaba. Lo mirara como lo mirase, me molestaba, pero sabía que si expresaba en alto mis pensamientos, Dan los encontraría ridículos. Probablemente lo eran, pero no pude evitar que se desinflara mi emoción.

—Lo siento —dijo Dan—. Yo también quería sorprenderos a todos, pero necesitaba al joyero de mi madre para encargar el anillo, de modo que tuve que decírselo.

—No te preocupes, lo comprendo. Solo que ha sido extraño que sonara el teléfono en cuanto hemos entrado por la puerta y que tu madre ya lo supiera.

Dan, solemnemente, se llevó una mano al corazón.

—Te juro que si volvemos a prometernos no se lo diré a nadie antes. ¿Qué te parece?

—Ridículo.

Pero sus palabras tuvieron el efecto deseado. Sonreí y dejé que me abrazara.

—Estupendo. Ahora llamemos a todos los demás.

Dan telefoneó primero a Richard, luego a Emma y por último a los chicos. Tuve que ponerme cada vez para que me felicitaran, y luego me pasó el teléfono para que llamara a mis amigos. En realidad, no había gente a la que llamar. Estaba tan acostumbrada a que el trabajo ocupara toda mi vida que nunca me había parecido extraño no tener amigos fuera del trabajo. Finalmente llamé a Sally, mi mejor amiga de la oficina, y a Fran, la relaciones públicas del Calden, que sabía que se emocionaría.

Dudé en llamar a mi padre. Solo habíamos hablado un par de veces el año anterior, y ambas conversaciones habían sido violentas. Me había invitado a comer a Potters Bar, pero yo tenía prisa y además no parecía que tuviéramos mucho que decirnos. En ambas ocasiones la conversación se había reducido a «¿Alguna novedad?», y ninguno de los dos había tenido nada más que decir. Pero es mi padre, y aunque ahora tengamos poca relación, de vez en cuando pienso en mi niñez, en cómo lo adoraba, en que era mi príncipe azul. Cuando mi madre caía «enferma», como lo llamábamos, mi padre siempre estaba allí para cuidar de mí. Era él quien iba a ver nuestras torpes obras de teatro de aficionados de la escuela primaria. Era él quien iba a hablar con mis profesores cuando había algún problema, y cuando me ponía enferma, era él quien me daba el jarabe y me secaba la frente. Trato de no pensar mucho en aquellos tiempos. Ya fue bastante triste perder a mi madre, pero cuando pienso en el padre que perdí, el padre que conocí de niña, el dolor es casi insoportable. Apenas puedo reconocer a ese padre en el hombre con el que hablo ahora de vez en cuando, de modo que procuro no hacerlo. Intento no pensar en el pasado, aunque es allí hacia donde a menudo se dirigen nuestras contadísimas conversaciones, porque después de todo lo único que ahora nos une es un pasado común.

Dejé a un lado la cobardía y llamé, pero a la mañana siguiente, cuando sabía que él estaría en el trabajo y Mary habría salido a llevar a los niños al colegio. Dejé un mensaje en el contestador, diciéndole que esperaba verlo pronto y que me llamara al trabajo, donde podía filtrar las llamadas o pedir a una secretaria que dijera que estaba reunida.

De todos modos, hice lo que debía.

Todos arman mucho alboroto en el trabajo. Mujeres que casi no conozco se quedan mirando como bobas mi anillo de compromiso, todos quieren saber cómo se me declaró, si lo hizo de rodillas —no— y cuándo exactamente iba a ser el casorio.

A la hora del almuerzo Fran y Sally insisten en pedir champán, aunque, como decimos en broma, correrá a cargo de la empresa.

—Piénsalo —dice Sally, recorriendo con la mirada el bar—, aquí es donde os conocisteis.

—Lo sé. —Fran sonríe—. Eso significa que todavía hay esperanzas para ti.

Sally siempre está cambiando de pareja mientras que Fran lleva cinco años casada con Marcus. Tienen dos hijas, Annabel y Sadie; vive en una casa de Notting Hill que es la envidia de todos sus amigos, y tiene fama de ser la relaciones públicas más solicitada de la ciudad.

También da miedo, al menos el primer día que la conoces. Es terriblemente moderna, va vestida con lo último en ropa de diseño. En la primera reunión en la que coincidimos, en la que se suponía que ella peleaba por nuestro negocio, me sentí muy pequeña a su lado. Pero cuanto mejor la conozco, más me gusta. En realidad no suele llevarse bien con las mujeres, pero si decide que le caes bien, hace cualquier cosa por ti. Me toma el pelo continuamente por mi falta de vida social, mis inclinaciones de rata de biblioteca, como ella las llama, y aunque no la veo mucho fuera del trabajo —su «vida real» parece girar sobre todo en torno a sus hijas—, quedamos a menudo para comer o tomar algo.

Sally, que suele acompañarnos, le ha pedido en numerosas ocasiones a Fran que le encuentre un hombre como Marcus; alguna vez, Fran le ha concertado una cita, pero nunca ha funcionado. Sally sigue esperando a que un hombre la conquiste. Cree que si no oye violines de fondo cuando él la bese, no es su alma gemela. Tiene las aventuras románticas más espectaculares y maravillosas, pero en cuanto se da cuenta de que su última conquista no es más que un ser humano, se rompe el hechizo y decide que eso no puede ser el amor verdadero.

—Aun así —dice Sally sacudiendo la cabeza—, no puedo creer que conocieras aquí al hombre con el que vas a casarte.

—¿Te burlas de mí? —Me echo a reír—. Tú eres la que siempre está diciendo que este es el trabajo de tus sueños precisa-

mente porque tienes a los hombres más guapos de Londres a tu
alcance.

—Sí, ya lo sé —dice Sally—, y la mayoría son guapísimos.
—Nos callamos y miramos alrededor; realmente hay mucha gente guapa desperdigada por el bar del Calden—. Pero ¿con ganas
de casarse? Creo que no.

—Pues yo creo que te equivocas —dice Fran, mientras pide
otra botella de champán—. Creo que lo que quieres decir es que
los hombres que tú escoges no están hechos para el matrimonio.
No se trata de dónde lo escoges sino de a qué hombre escoges.

—Creo que no lo hago tan mal —resopla Sally—. ¿Qué me dices de Alex? A las dos os pareció encantador.

—Lo era —coincidí yo—. Fuiste tú la que no podía soportar
sus continuas bromas. Con franqueza, creo que era un buen partido. Y, seamos realistas, te adoraba.

—Tiene razón —dice Fran, asintiendo—. Alex era maravilloso.

—Eso lo dices porque no tuviste que estar todo el tiempo par-
tiéndote de risa. Dios, me volvió loca.

—Todos te vuelven loca —dice Fran—. Tienes que bajar el lis-
tón o acabarás convirtiéndote en una solterona excéntrica.

—Pero tú no bajaste el tuyo —dice Sally—. Y tú tampoco,
¿verdad, Ellie?

—Está bien, tal vez no lo bajé —dice Fran—, pero hay cosas de
Marcus que me molestan, que siempre me han molestado, pero no
lo dejaría plantado por ellas.

Sally y yo nos sentimos inmediatamente intrigadas.

—¿Cosas como qué? —pregunta Sally.

—Está bien. —Fran pide una ronda de cafés con leche—. Cosas como que caga con la puerta del cuarto de baño abierta, o espera que entre y hable con él mientras lo hace.

—Puaf —decimos Sally y yo al unísono.

Sally nunca ha llegado a esa fase de la relación en que podría
imaginar algo semejante, y yo sigo siendo un poco puritana en
todo lo relacionado con el cuarto de baño.

—Exacto. Tienes razón. No paro de decirle a Marcus que no

tiene ninguna gracia. Realmente, me molesta mucho, pero le quiero, así que tengo que aceptarlo.

—No dejarías a alguien por eso, ¿no? —digo, mirando a Sally de manera elocuente.

—Ya lo creo —dice horrorizada—. Alguien que evacua en público merece ser evacuado. ¿Qué más hace? —Se inclina con una sonrisa maliciosa y yo la imito.

Fran suspira.

—Sally, eres patética, ¿lo sabes?

—¿Cómo se supone que voy a aprender lo que debo y lo que no debo tolerar si no me lo dice una mujer casada como tú?

—Está bien. Se tira pedos en la cama.

—¿Silenciosos y violentos? —pregunto.

—Ni siquiera eso. Ruidosos y repugnantes. Te juro que el culo de mi marido es el arma más mortífera que tiene este país.

Sally empieza a sacudir la cabeza.

—Lo siento, pero creo que no deberías consentirlo. Es repugnante.

—Bueno, sé que tú no lo harías —dice Fran riéndose—. Eso es parte de tu problema. Marcus no es un superhombre, es humano. Hace cosas repulsivas como cualquier hijo de vecino, y el matrimonio no es el final feliz y romántico que tú crees que es.

Sally se vuelve hacia mí.

—¿Estás segura de que quieres casarte? Piénsalo. Dan parece el hombre perfecto ahora, pero dentro de unos meses estará hurgándose la nariz y dejando los mocos en las almohadas.

—Ya lo hace —digo inocentemente. Sally abre mucho los ojos, horrorizada—. Cielos, Sally. —Le doy un codazo juguetón—. Eres tan crédula... De todos modos, estoy de acuerdo con Fran. Tú te los quitas de encima en cuanto hacen algo que no te gusta.

—Que las dos hayáis acabado con unos guarros no significa que yo tenga que hacerlo.

—Es cierto. —Fran se encoge de hombros—. Podrías volverte lesbiana.

—Podría, pero sería una lástima desaprovechar tanto hombre.

Fran se vuelve hacia mí.

—Bueno, recién prometida. ¿Qué se siente con ese pedazo de piedra en el dedo y qué clase de boda vas a celebrar?

Me echo a reír.

—Dame un respiro, no llevo ni doce horas prometida. Pregúntamelo la semana que viene y tendré una idea más exacta de lo que siento. En cuanto a cómo será la boda, mi futura suegra ya ha expresado su preferencia por una boda de invierno...

—¡No! —interrumpe Sally, horrorizada—. Dile que no es asunto suyo.

—Soy incapaz —digo sonriendo—. De todos modos, es muy simpática y creo que vamos a ser buenas amigas.

Fran se ríe tan fuerte que derrama el café por toda la mesa.

—Oh, perdonad. —Se seca los ojos y luego me da unas palmaditas en la mano—. A veces eres tan inocente...

—¿Por qué? ¿Porque me cae bien mi suegra?

—A todas nos gustan nuestras futuras suegras —declara Fran con firmeza—. El odio solo empieza en cuanto te casas.

—Pero tú no odias a tu suegra —dice Sally—. Pensaba que os llevabais muy bien.

—No la odio. Yo diría que, en el mejor de los casos, nos soportamos. La verdad, es mucho más fácil cuando no tenemos que tratarnos mucho.

—Pero ¿por qué? —Estoy sinceramente sorprendida—. Nunca he entendido todo ese rollo de las suegras. ¿Por qué tiene que haber conflictos? ¿Por qué no es posible congeniar?

—¿Por qué es azul el cielo? —Fran se encoge de hombros—. ¿Por qué la hierba es verde? Hay ciertas cosas que sencillamente son así.

Sacudo la cabeza.

—Ya sé que no congenias con la tuya, pero mi caso es distinto.

Fran arquea una ceja.

—No, en serio. Recuerda que yo no tengo madre. No he tenido madre desde que tenía trece años. Llevo casi veinte años soñando con casarme y formar parte de una familia exactamente como esta. Y ¿sabes una cosa? Linda es encantadora, y me ha acogido en su familia con los brazos abiertos. No me imagino teniendo problemas con ella.

—¿Y no te molesta que tuviera la necesidad de expresar sus preferencias por tu boda? —presiona Fran.

—Creo que solo trataba de ayudar. Y, si te soy sincera, no me importa que sea una boda de invierno.

—Estoy totalmente de acuerdo —dice Sally—. Las bodas de primavera están demasiado vistas. Las de invierno en cambio pueden ser encantadoras y elegantísimas. Chimeneas de leña, rojos y morados intensos, velas. —Su mirada se vuelve soñadora.

—Supongo que vas a contratar a Sally —dice Fran riendo.

Sally destaca especialmente organizando actos en el Calden; ya ha organizado dos de las bodas de famosos más espectaculares del año.

Sally sale de su ensoñación.

—Me encantaría organizar tu boda —dice, ilusionada—. Hace años que no hago una boda para amigos. Nos lo pasaríamos en grande.

—Pero nada de tronos de cristal ni palomas blancas ¿verdad? —advierto, refiriéndome a su última boda, que salió en todos los periódicos del país, entre otras cosas por el elevado coste y la absoluta falta de gusto.

—¿Cuántas veces tengo que decirte que aquellos tronos no fueron idea mía? —dice—. Les repetí mil veces que eran una exageración, pero en última instancia son ellos los que pagan.

—Deja que hable de ello con Dan —digo—. Solo llevamos unas horas prometidos y ya estoy abrumada. Pero gracias por tu ofrecimiento. Te lo agradezco muchísimo y sé que harías un gran trabajo. Ya te diré algo, ¿de acuerdo?

—Por supuesto —dice Sally—. Perdona, no quería presionarte, y sé lo abrumador que es. —E, inclinándose con impaciencia, añade—: Bueno, ¿ya sabes qué clase de vestido vas a llevar?

—¿Qué tal el trabajo? —pregunta Dan cuando me telefonea más tarde.

—Estoy borracha de champán —digo riendo. Tengo un considerable dolor de cabeza por haber bebido más de la cuenta al mediodía—. ¿Y tú?

—Yo de cerveza —dice—. Hemos salido a celebrarlo a la hora de comer.

—¿Significa eso que vamos a acostarnos temprano esta noche?

—Ya lo creo. Mis padres han dicho que pasarían un momento para felicitarnos personalmente, pero aparte de eso creo que podríamos encargar la cena, ver un rato la tele e irnos a la cama.

—Los genios pensamos igual. Ahora sé por qué acepté tu proposición de matrimonio.

—¡Dan!

Linda le arroja los brazos al cuello mientras Michael me sonríe con afecto y me da un torpe abrazo.

—Felicidades —me dice al oído antes de apartarse—. Me alegro tanto por vosotros...

—¡Ellie!

Linda se vuelve hacia mí y, mientras me rodea con los brazos, pienso en lo equivocada que está Fran, lo afortunada que soy de tener a alguien como Linda y que nunca podré odiarla, haga lo que haga.

—Hemos comprado champán —dice Michael mientras Dan y yo nos cruzamos una mirada, sin decir nada ninguno de los dos—. ¿Tenéis copas de champán?

Linda y Michael desaparecen en la cocina mientras yo sacudo la cabeza hacia Dan.

—Tenemos de vino —dice él, pidiéndome con la mirada que se lo confirme. Asiento.

—Bueno, al menos ya sabemos qué decir a la gente que os compre de regalo de compromiso —dice Linda riendo.

¿Regalos de compromiso? ¿Qué regalos de compromiso? ¿De

qué demonios está hablando? Cuento con regalos de boda, por supuesto, pero nunca he oído hablar de regalos de compromiso.

Miro a Dan, que se encoge de hombros. Es evidente que él tampoco sabe nada.

Linda y Michael vuelven con cuatro copas de vino y la botella de champán descorchada. Sirven las copas y las pasan, y todos las alzamos para brindar.

—Por Dan y Ellie —dice Michael mientras nosotros sonreímos y fingimos que bebemos, aunque solo el olor me revuelve el estómago.

—En fin, hay algo que tu padre y yo queremos deciros. —Linda mira primero a Dan, luego a mí—. Sé que tradicionalmente es la familia de la novia la que paga la boda... —Mantengo la cara seria porque, después de todo, estamos viviendo a principios del siglo XXI, no en los años sesenta, y para ser sincera, había dado por sentado que, independientemente de mis circunstancias familiares, Dan y yo pagaríamos a medias la boda—... pero tu padre y yo nos hemos sentado a hablar y nos gustaría pagar la boda. No, no quiero oír nada. Sabemos que querréis mudaros de este piso diminuto y comprar algo más grande, de modo que debéis ahorrar dinero. No aceptaremos un no por respuesta —concluye, triunfal.

Dan me mira para ver mi reacción. Yo le sostengo la mirada para tratar de calibrar la suya.

—Bueno, gracias —tartamudea nervioso antes de que yo salga en su rescate.

—¡Gracias! —Me acerco a los dos para darles un beso—. Es el mejor regalo que podríais hacernos. Tenéis toda la razón sobre que querremos mudarnos, y esta es la mejor forma de empezar nuestra vida de casados. No puedo creer que seáis tan generosos.

Linda parece encantada.

—Estupendo. —Junta las manos—. Dios mío, hay tanto que hacer que no sé ni por dónde empezar. Decidimos que os casaríais en invierno, ¿verdad, Ellie?

Trago saliva mientras asiento. Va a pagar toda la boda, ¿qué derecho tengo a pedir algo que pueda desagradarle? De todos modos, Sally ha dicho que las bodas de primavera están muy vistas, y estoy segura de que quedará preciosa.

—Tendremos que empezar a hacer listas —continúa ella—. Hay que elegir el local, la empresa de *catering*, las flores, oh, últimamente he oído maravillas de Absolute. Ah, y la iglesia. Tal vez debería llamar mañana mismo. Veamos. El Claridges sería un lugar perfecto si estuviera libre, el Connaught es demasiado pequeño, tal vez el Mandarin Oriental. O podríamos hacerlo en el Searcy's.

Es como si alguien hubiera pulsado el botón de play y ella se hubiera lanzado. No para de hablar mientras yo la miro asombrada y Dan se encoge de hombros.

Nada de lo que está diciendo tiene sentido para mí. No creía que Dan y yo fuéramos de los que se casan en el Claridges. Yo pensaba más bien en una boda discreta en el registro civil y luego tal vez una recepción en el Calden, pero Linda no deja de hablar; supongo que puedo dejarla disfrutar de su sueño un poco más.

Habrá tiempo de sobra para decirle que eso no es lo que queremos, que preferimos una boda sencilla, y que, aunque les agradecemos que corran con los gastos, los que nos casamos somos Dan y yo, así que tendrán que respetar nuestros deseos.

Habrá tiempo de sobra para eso.

6

Tom le dijo a Dan que planear una boda era como hacer rodar una pequeña bola de nieve montaña abajo. Cuanto más rodaba más grande se hacía, hasta que estaba totalmente fuera de control, y lo mejor que podía hacer era quedarse al margen.

Eso sin tener en cuenta el jaleo y el estrés adicional de comprar un piso nuevo. Me encanta mi piso, pero hemos decidido empezar de nuevo en otra parte; queremos que sea de los dos. De modo que he tratado de mantener impecable el piso para que vengan a verlo —lo que no es fácil, os lo aseguro—, y he hojeado docenas de folletos de inmobiliarias, tratando de encontrar tiempo los sábados por la mañana para concertar citas.

Tres meses después de anunciar nuestro compromiso debo decir que comprendo exactamente qué quería decir Tom.

—Por eso la gente recurre a alguien como yo —dijo Sally resoplando cuando le confesé cómo me sentía.

Finalmente me había perdonado por no haber contratado sus servicios, pero eso solo era porque Linda parecía tenerlo todo controlado y no creía necesario llamar a una organizadora de bodas.

—Cariño, si no lo ves claro podemos pagar nosotros la boda y hacer exactamente lo que tú quieres —dice Dan cada vez que me quejo de lo poco que tiene que ver la boda con nosotros.

—No estoy diciendo eso —replico siempre. Los costes parece que aumentan sin control, y ahora que hemos reservado el hotel, elegido el menú y escogido las flores, no quiero empezar de cero.

Además, me siento incapaz de discutir con Linda. Tiene una personalidad tan fuerte que cuando toma una decisión, nadie parece poder llevarle la contraria. Salvo, por supuesto, Emma, de ahí que no se lleven bien.

He visto a Linda y a Emma enzarzadas en tremendas discusiones, tremendas porque yo suelo huir de cualquier confrontación; siempre he creído que discutir así lleva inevitablemente a una ruptura. Sin embargo, al cabo de un par de días todo está olvidado y vuelven a ser, si no amigas, al menos madre e hija.

Me encanta Emma. Una de las alegrías de casarme con Dan es tener hermanos que han caído del cielo, y Dan está tan unido a ellos que supongo que es inevitable que yo también lo esté.

En Emma he encontrado a la hermana que siempre había querido tener, a la mejor amiga que nunca había echado de menos hasta que la he conocido. Me encanta que no se acobarde por nada, que todo en su vida sea una aventura, que nunca parezca preocuparse por nada y que disfrute con todo.

Al principio solo la veía los domingos en casa de los padres de Dan, pero luego solía llamar para hablar con Dan y charlábamos un rato. Al cabo de un tiempo se acostumbró a pasar por casa los fines de semana. La verdad es que cuanto más la conozco, más cómoda me siento con ella.

Solemos quedar para comer en el Calden o en uno de los cafés cercanos de Marylebone High Street; ella me pone al corriente de las novedades de su vida glamurosa y de sus últimas conquistas mientras yo trato de no sentir mucha envidia. No es que haya renunciado a un estilo de vida parecido tras conocer a Dan; simplemente, esa posibilidad ha desaparecido: nunca tendré la oportunidad de ir de discotecas con el cantante pop de moda o acostarme con el hombre que el *Cosmopolitan* ha seleccionado recientemente como uno de los diez mejores partidos del Reino Unido.

La verdad es que tampoco lo he deseado. De haberme interesado, habría frecuentado cada noche el bar del Calden y me habría codeado con las estrellas de las que habla Emma, las estrellas sobre las que leo cada mañana en los ecos de sociedad. Pero cuando tuve la oportunidad, preferí acostarme pronto para poder madrugar y estar fresca a la mañana siguiente en el trabajo.

Hace unos años me invitaron a una reunión de ex alumnas del colegio y durante semanas me planteé seriamente ir. Me intrigaba saber qué había sido de mis antiguas compañeras de clase, pero también tenía la impresión de que no había pasado suficiente tiempo; sabía que en cuanto entrara en el salón de actos, nos comportaríamos como chicas de dieciséis años.

Pero sobre todo pensé en cuánto se sorprenderían al verme, al ver en qué me he convertido. Imagino que esperarían que me pareciera a Emma: una juerguista poco dispuesta o incapaz de sentar la cabeza.

No fui. El miedo a decepcionarlas o sorprenderlas pesó más que el morbo de averiguar si ellas habían cambiado o qué aspecto tenían.

A veces yo misma me sorprendo, pero solo he echado de menos las juergas y los ligues de una noche desde que conozco a Dan. Aunque sé que solo es porque nunca estamos contentos y porque la vida de Emma parece increíble, aunque estoy segura de que a mí no me haría feliz.

Emma me llama el jueves hacia las once y media de la mañana.

—Hola, Ellie, soy yo. Acabo de terminar de juntar ropa en Portland Street y me muero de hambre. ¿Quieres comer conmigo?

—Claro. —Miro el sándwich de Prêt À Manger y la Coca-Cola baja en calorías que tengo encima de mi escritorio y decido que no me vendrá mal tomarme un descanso de la oficina—. ¿Quieres venir aquí?

—¿Te importa si quedamos fuera? Me muero por un sushi.

—Como quieras.

Esa es otra de las cosas que adoro de Emma. Nunca dice: «Me da lo mismo. ¿Adónde quieres que vayamos?». Como su madre, tiene una opinión sobre todo, lo que me molestaría más si fuera ella quien se ocupara de mi boda, pero como no es el caso, solo es una de las muchas cualidades por las que la adoro.

Quedamos en un restaurante japonés que está unas cuantas puertas más abajo. Cuando llego, Emma ya ha cogido una de las pocas mesas que quedaban libres y las fuentes de sushi ya están en la mesa.

—No he podido esperar —me dice después de abrazarme—. ¿Te importa? ¿Quieres que pida algo más?

—No, ya está bien. Solo dime que no son de anguila.

—No, no son de anguila. Estás salvada. Bueno, ¿qué tal va la boda del siglo? —Sonríe.

—¿Cómo quieres que lo sepa? —Me encojo de hombros—. Es la boda de tu madre.

Emma se echa a reír.

—Ahora ya sabes por qué no me he casado.

—No, todavía puedes casarte. —Cojo un trozo de sushi—. Pero fúgate y hazlo a tu manera.

—Hummm. No es mala idea. Tal vez podríamos fugarnos a una isla caribeña y hacerlo en una playa.

—No me digas que nunca lo has hecho en una playa. —Bromeo con el doble sentido y finjo escandalizarme.

Emma se ríe.

—Por supuesto que sí. En una playa de arena que estaba muy de moda. Pero no he hecho «eso» en una playa. Y debe de ser increíblemente romántico casarse a orillas del mar.

—Siempre que no vayas a un lugar donde sea la octava boda del día.

—Como Sandals —decimos al unísono. Y nos echamos a reír.

—Entonces, ¿te está volviendo loca mi madre?

Una breve pausa, pero las dos sabemos a qué se refiere.

—Loca no. Solo ligeramente trastornada.

—Es mi madre, yo no la he escogido, pero tú podrías escapar. En serio, no es demasiado tarde.

—Lo sé —gimo—. Pero está Dan, y sé que puede que no lo creas, ya que es tu hermano mayor, pero le quiero.

—Pero ¿estás enamorada de él?

—Por supuesto. ¿Por qué si no iba a casarme con él?

—Entiendo. —Asiente muy seria—. Eso es un problema. Supongo que tendrás que aprender a vivir con ella como el resto de nosotros.

—Lo sé, pero eso es parte del problema. Vosotros sois sus hijos; podéis enfrentaros a ella o tener grandes broncas porque sabéis que os seguiréis queriendo. Seguís siendo una familia.

—Y tú eres demasiado buena —dice Emma—. Te aterroriza que te odie si le dices que no quieres arbustos con formas geométricas por toda la sala de baile.

—¡Exacto! ¿Así que te has enterado de los arbustos con formas geométricas?

—Sí. Es ridículo. Una exageración. Típico de mi madre.

—Esa no es la boda que quiero. ¿Puedes hablar con ella? —suplico.

—Ya tengo bastantes líos con ella. Lo siento, pero eso es cosa tuya. Aunque si quieres un consejo, no seas tan complaciente. Al fin y al cabo, eres la madre de sus futuros nietos. Tiene que ser amable contigo, y si la haces enfadar, lo superará. Te irá mucho mejor si de vez en cuando te enfrentas a ella.

No digo nada. No es necesario porque, naturalmente, tiene toda la razón.

—¿Qué dice Dan de todo esto? —pregunta Emma—. Supongo que está de tu parte.

—Pobre Dan. Creo que está en una situación muy difícil. Me da la razón, pero cuando la presión aumenta, no hace nada.

—Sí, mi hermano es así —dice Emma.

—Hablo en serio. Se limita a salir corriendo. Siempre dice que no quiere meterse entre las dos, y que si tengo un problema tengo que resolverlo directamente con ella. Sin embargo, yo creo que si él es mi futuro marido debería defenderme.

Emma me mira a través de sus palillos.

—Yo en tu lugar querría pegarle.

Me río.

—Lo hago a menudo. No me refiero a pegarle sino a querer hacerlo.

—Ya sabes que Dan y mi madre tienen una relación muy especial.

—Por favor, no me digas nada horrible —digo despacio.

—Oh, no es nada de eso, pero te juro que Dan tiene un problema serio.

—¿Quieres decir que ella está enamorada de él?

—Quiero decir que, para ella, él nunca hace nada mal, y aunque no digo que sea completamente recíproco, me consta que él está encantado con esa situación y que probablemente no haría nada por cambiarla.

—En otras palabras, tu familia es tan complicada como la mía, y debería pensarlo dos veces antes de casarme y formar parte de ella.

—Supongo que sí. —Emma se encoge de hombros, pero se ríe al ver mi expresión horrorizada—. No te preocupes, Ellie. Mi familia no tiene más problemas que otras familias que conozco, y creo que, bien mirado, nos va bastante bien. Créeme, podrías haber salido peor parada. De todos modos, tenemos que encontrar la manera de deshacernos de los arbustos con formas geométricas.

—No me los recuerdes —gimo.

—¿Puedes tomarte más tiempo? Me muero por echar un vistazo al cachemir de Brora.

Caminamos por Marylebone High Street en este día frío y vigorizante de septiembre. Hasta Brora. Y Agnès b. Y Rachel Riley. Emma termina con tres bolsas y yo con ninguna.

—Por cierto, tu madre insiste en acompañarme a comprar el traje de novia —digo cuando finalmente nos paramos frente al Calden para despedirnos.

—Lo sé. Y, aunque me hace mucha ilusión ser tu dama de honor, te suplico que no vayas al altar con un traje de volantes color crema.

—Haré lo que pueda. —Hago una mueca y luego se me ilumina la cara—. ¡Eh! ¿Por qué no vienes con nosotras? Soy incapaz de defender mis derechos cuando tu madre anda cerca, pero tú podrías hacerlo por mí.

Emma reflexiona.

—¿Cuándo pensáis ir?

—El sábado. Dice que hay un montón de tiendas en el West End y un par en el norte de la ciudad.

—Está bien —dice Emma—. Iré y te protegeré, pero a cambio quiero que me hagas un favor.

—Lo que quieras.

—Vísteme de color melocotón o lila y te juro que nunca volveré a defenderte.

—De acuerdo.

Cada vez que Linda me molesta hasta el punto de que no quiero volver a verla, hace algo tan inesperado y encantador que la perdono inmediatamente; luego, me quedo sorprendida y dolida cuando me ofende de nuevo.

El sábado por la mañana pasa a recogerme; cuando me subo al coche, casi aplasto una pequeña caja que hay en el asiento del copiloto.

La cojo y la dejo en el salpicadero, pero Linda dice:

—Es para ti, Ellie.

—¿Para mí? ¿Por qué? No es mi cumpleaños.

—Lo sé. Pero estás prometida y hace tiempo que quería dártelos, pero me... Vamos, te lo diré cuando los veas. Ábrelo ahora y luego iremos a recoger a Emma.

Abro la caja. Dentro hay unos maravillosos pendientes de diamantes, los más bonitos y delicados que he visto nunca; me pongo a temblar.

—¡Dios mío! —no paro de exclamar—. Son preciosos, Linda. No puedo aceptarlos.

Linda parece encantada.

—Puedes y debes —dice—. Eran de mi madre, los llevé en mi boda y ahora quiero que los tengas tú y los lleves en la tuya.

—Pero no puedo aceptarlos. Tienes que guardarlos para Emma.
Trato de devolverle la caja, pero ella sacude la cabeza.

—No, Ellie. Siempre he dicho que serían para el primero de la familia que se casara; Dan es el primero y tú ahora eres parte de nuestra familia.

—Pero Emma se quedará destrozada —balbuceo, aunque no estoy segura de que sea cierto, teniendo en cuenta que Emma es la clase de chica que probablemente se casará en el Caribe, en biquini y con unos pendientes de cristal de colores brillantes. Si es que se casa.

Linda sonríe.

—En primer lugar, no parece que mi querida hija vaya a casarse en un futuro próximo. Segundo, la susodicha no sabe nada de estos pendientes...

—Pero eso no significa que deba quedármelos yo —interrumpo, pero Linda alza una mano para hacerme callar.

—Y tercero —dice Linda, triunfal—, tengo un precioso collar de diamantes que es mucho más del estilo de Emma y que, si Dios quiere, cuando llegue el día de su boda, será suyo.

Abro la caja y vuelvo a mirar los pendientes: llevan un diamante en el centro rodeado por otros más pequeños que forman una margarita perfecta.

—¿Estás segura? —susurro. Solo había visto algo tan bonito en el escaparate de Cartier—. ¿Estás completamente segura?

—Estoy completamente segura —dice Linda. Es evidente el placer con el que me da ese maravilloso regalo—. Pero tal vez no deberías decirle nada a Emma aún.

—No sé qué decir, Linda. —La abrazo con torpeza—. Es el regalo más increíble que me han hecho nunca.

Emma se sienta en el asiento trasero y se inclina para darnos un beso en la mejilla a su madre primero y luego a mí.

—¿Alguna novedad? —pregunta al aire, mientras yo, nerviosa, lanzo una mirada a Linda y me pongo colorada.

Aprieto los dientes y pienso: no hables de los diamantes. No hables de los diamantes.

—Ninguna, cariño —responde Linda—. ¿Y tú?

—Ninguna —dice Emma—. Pero ¿podemos pasar por Knightsbridge? Me guardan unos zapatos en Harvey Nichs. No tardaré ni un minuto.

Gracias a Dios recupero mi color normal y me vuelvo hacia Emma.

—¿Otros zapatos? —pregunto, sabiendo que esta misma semana se ha comprado unos en Prada.

—Están de rebajas, de modo que estos no cuentan. Los dos juntos me han costado lo mismo que un solo par. De verdad, habría sido una grosería por mi parte no comprarlos.

—Tú y Richard —dice Linda suspirando— sois un desastre con el dinero.

—Sí, mamá. —Emma mira al cielo—. ¿De dónde has dicho que has sacado ese collar?

Linda se lleva una mano a su collar de Bulgari.

—No es lo mismo —dice—. Soy mayor que tú y puedo permitírmelo.

—Quieres decir que papá puede permitírselo —replica Emma con intención.

—Quiero decir que ambos podemos permitírnoslo. ¿Desde cuándo ganas lo suficiente para comprarte ropa de diseño?

—Desde que empecé a vivir en casa de amigos y a emplear el dinero en las cosas importantes que hay en la vida.

Linda suspira.

—¿Vas a madurar algún día, Emma?

Emma se limita a reír.

—No si puedo evitarlo.

—En serio —susurro en el probador de la segunda tienda de trajes de novia mientras Emma me sube la cremallera y Linda espera fuera actuando como una reina, bebiendo un capuchino a sorbos y charlando con las dependientas—, ¿cómo puedes permitirte comprar toda esa ropa de diseño?

Emma se ríe.

—Ser estilista autónoma no está tan mal pagado ni es tan mal trabajo como mi madre cree. Además, me hacen enormes descuentos. Y la mitad de la ropa que mi madre cree que es de diseño son imitaciones que he comprado en Portobello por un par de libras.

Miro con recelo su camisa Pucci.

—¿No es de Pucci entonces?

—Más bien de Fucci —dice riendo—. Si tienes los zapatos y el bolso, todo el mundo da por descontado que es auténtico.

—Caray. Estoy impresionada.

—Ahora ya sabes por qué soy tan buena estilista. —Me guiña un ojo mientras se vuelve hacia la derecha del probador—. Creía que habías dicho que no querías trajes de color crema con volantes. ¿Qué hacemos aquí? —Señala con un ademán los cinco vestidos que están colgados en el amplísimo probador. Los cinco son enormes, blancos y terriblemente rococós.

—Hacer feliz a tu madre —digo.

No puedo confesarle por qué es tan importante para mí tener contenta a Linda, ni que es lo menos que puedo hacer después del regalo tan generoso que me ha hecho.

Emma hace una mueca.

—Perdona que te lo diga, pero pareces un tonel.

Me vuelvo y, con los brazos en jarras, la miro con severidad.

—Tienes suerte de que vayamos a ser parientas, Emma. Si me dijera eso una amiga la mandaría al infierno.

—Bueno, eso explica por qué no tienes amigas —replica ella, sin saber lo cerca que está de la verdad—. De acuerdo, lo retiro, pero ¿no crees que estarías mucho más guapa con algo más sencillo y elegante?

—Por supuesto. —Me encojo de hombros—. Pero tu madre tiene que convencerse de lo horrible que estoy; así apreciará lo que yo quiero.

—Ah, ya entiendo. —Emma asiente—. Muy hábil. ¿Por qué no se me había ocurrido?

Cuatro tiendas después, hasta Linda empieza a perder el entusiasmo. Yo ayudo probándome los trajes más recargados y saliendo del probador encorvada y sacando barriga a propósito para que me sienten lo peor posible.

—Nunca me había fijado en la mala postura que tienes —dice Linda en un momento determinado—. Tienes que aprender a echar los hombros hacia atrás, Ellie.

Al final veo el vestido perfecto. Ceñido y con mangas acampanadas, de seda y gasa, de una elegante simplicidad. Le doy un codazo a Emma, que se acerca a mirarlo.

—Mamá —dice Emma, llevándole el traje—, ¿qué te parece este?

—Un poco... insulso, ¿no? —Linda lo mira con desdén, lo que no me sienta muy bien, la verdad.

—Eso es porque se ha probado trajes enormes. Estaría bien verla con algo distinto. Para comparar.

—¿Ellie? —Linda sigue dudando—. ¿Quieres probártelo?

—Claro —digo, y dirijo hacia Emma una sonrisa de complicidad en cuanto corremos la cortina del probador.

—Caramba —dice Emma mientras me mira en el espejo.

—Caramba —repito yo, preguntándome cómo es que nunca me he dado cuenta de lo guapa, delgada y elegante que soy.

El vestido disimula mis defectos y realza mis virtudes.

Descorro la cortina y, con los hombros echados hacia atrás, me deslizo como un cisne hasta donde está Linda, que deja la taza de café, boquiabierta.

—Esa es la idea —dice, sonriendo por primera vez en dos horas y media—. Pareces una princesa, Ellie.

—¿Estás segura de que no quieres que se pruebe otros cincuenta vestidos con volantes? —Emma tiene un brillo malicioso en los ojos.

—Oh, cállate. ¿Cómo te ves, Ellie? ¿Te gusta?

—¿Si me gusta? Es lo más bonito que me he probado en toda mi vida.

—Entonces ya está decidido —dice Linda—. Este será el vestido. Sabía que debíamos decantarnos por algo más sencillo.

Emma y yo tratamos de no reírnos.

Los pendientes de diamantes, me digo. No lo estropees ahora.

—¿Y bien? —Dan me llama al móvil mientras volvemos en coche a casa.

—Lo hemos encontrado —digo sonriendo—. El traje más bonito que has visto nunca.

—No se lo digas —grita Linda a mi lado—. No le digas nada del traje.

Como si fuera a hacerlo.

—No me está permitido decirte nada de él, como es lógico —digo.

—Pero ¿te has divertido? —pregunta, ansioso por que Linda y yo volvamos a ser amigas, para que no vuelva a casa despotricando y llorando y no tenga que oírme echar pestes de su madre.

—Lo hemos pasado en grande —digo.

Y es cierto. Me he sentido como una mujer cualquiera que se divierte yendo de compras con su madre y su hermana. Bueno, casi. Pero sí es cierto que me he sentido integrada; ha sido la sensación más maravillosa del mundo.

7

Por fin hemos encontrado el piso de nuestros sueños. Sin embargo, el estrés que sentíamos antes no es nada comparado con el de buscar alguien que nos haga una oferta por nuestro piso, tener que bajar el precio y aceptar por fin lo que nos dan mientras intentábamos de coordinar un traslado simultáneo.

Los agentes inmobiliarios y los abogados me llaman a todas horas, y estoy tan preocupada por si algo sale mal, o alguien supera nuestra oferta, que si no tengo el móvil permanentemente en la mano me entra el pánico.

Hoy estamos en plena planificación de la campaña de primavera. Justo cuando acabo de terminar mi presentación empieza a vibrar el móvil.

No le veo la gracia al vibrador. Había dado por hecho que sería silencioso y discreto, pero el móvil está prácticamente dando saltos por la mesa y zumbando sin parar. Nuestro jefe, Jonathan, interrumpe lo que está diciendo y lo mira arqueando una ceja.

—Perdón —murmuró, y alargo una mano hacia el móvil. Imagino que será el abogado y que tendré que disculparme unos minutos para atender la llamada. Pero mientras lo cojo veo que parpadea en la pantalla el nombre de Linda.

¡Por el amor de Dios! Menos mal que tengo un identificador de llamadas. Pulso el botón para desviar la llamada al buzón de voz y me disculpo. Dos minutos después vuelve a sonar. Vuelvo a desviar la llamada.

Dos minutos y tres tandas de vibraciones más tarde, mi jefe suspira, deja de hablar y me mira fijamente. Yo me pongo roja como un tomate.

—¿No crees que quizá deberías responder a esa llamada? —pregunta.

El vibrador del móvil se hace bastante más molesto y ruidoso en medio del silencio que reina en la sala de conferencias.

—Lo siento. —Desconecto inmediatamente el móvil, mientras maldigo interiormente a esa maldita mujer—. No es urgente; seguro que puede esperar hasta que termine la reunión.

Menos de cinco minutos después asoma la cabeza por la puerta Sandy, una de las asistentes de marketing.

—Siento interrumpir —dice tímidamente—, pero hay una llamada urgente para Ellie.

Joder. Me levanto de la silla, me disculpo y me dirijo con paso firme a mi despacho para atender la llamada. Mi voz suena irritada.

Es ella, naturalmente. Esa mujer no conoce el significado de la palabra paciencia. Cuando quiere algo lo quiere ya.

—¿Diga?

Hago lo posible por parecer educada y ocultar mi cólera. Después de todo, es mi futura suegra. Y por irritante y exasperante que pueda ser, lo último que quiero es ofender a esa mujer que no solo es la madre de mi futuro marido —todavía no puedo pensar en la palabra «prometido» sin hacer una mueca—, sino que también está pagando toda nuestra boda.

Además, soy complaciente por naturaleza. Supongo que es la consecuencia de haber tenido una madre alcohólica; andaba de puntillas y me portaba lo mejor posible creyendo erróneamente que esa era la única forma de tenerla contenta. Solo estoy contenta cuando tú lo estás, y puede que no me gustes, pero voy a hacer todo lo que esté en mi mano para asegurarme de que te gusto.

Ahí está la locura, y la razón por la que no soy capaz de reprender a mi suegra por haberme avergonzado en el trabajo y pedirle que no me llame de nueve a cinco. O en todo el día.

—Hola, Ellie —dice Linda alegremente—. ¿Cómo estás?

—Bien, gracias. —Aprieto los dientes y hago una larga pausa antes de añadir—: ¿Y tú?

—Bien. ¿Le pasa algo a tu móvil? Llevo horas tratando de hablar contigo.

—Estaba en una reunión. —Mi tono es frío—. Podrías haber dejado un mensaje y te habría llamado inmediatamente después.

—En lugar de hacerme salir por algo que sé que va a ser una tontería, añado. Para mis adentros, por supuesto.

—Vaya, qué tonta —dice Linda riendo—. Pensé que el móvil estaba estropeado. Si hubiera sabido que estabas en una reunión no te habría molestado.

Apuesto a que sabía que estaba en una reunión. Apuesto a que se lo ha dicho Sandy.

—¿Todo va bien? —digo por fin, después de un incómodo silencio.

—Perfecto. Solo quería saber si podéis cenar con Michael y conmigo esta noche. Pensábamos probar el nuevo indio del barrio. ¿Hacia las siete y media?

Me quedo atónita. ¿Me ha sacado de una reunión para invitarnos a cenar? ¿Es esta la razón tan importante por la que tenía que hablar conmigo inmediatamente y no podía dejarme un mensaje?

—Lo siento, Linda. —Finjo lamentarlo—. Pero Dan ha estado rodando en el norte y llegará agotado, y yo he tenido una semana muy dura. Supongo que nos acostaremos pronto... Pero gracias —me apresuro a añadir; sé lo fácilmente que se ofende mi suegra.

—Oh —dice Linda con una nota de mi anterior frialdad en la voz—. Pero si acabo de hablar con Dan, que, por cierto, estaba en el tren, y me ha dicho que le parecía bien. Solo te llamaba para avisarte.

—Oh. —Fantástico. De modo que ahora también me tiende trampas. ¿Por qué demonios Dan ha dicho que sí?—. Oh —repito sin saber qué más decir—. Lo siento. Deberías habérmelo dicho. Quiero decir que si a Dan le parece bien a mí también.

—Perfecto —dice Linda—. Pasad a recogernos hacia las siete y cuarto. ¡Hasta luego! —Y cuelga.

—¿Sandy? —chillo mientras me acerco con paso resuelto al escritorio de Sandy.

No quiero desquitarme con ella, pero necesito desahogarme con alguien, y Sandy, por desgracia, es la que está más cerca y es, naturalmente, la más fácil de culpar.

—¿Sí? —Sandy me mira nerviosa desde su ordenador.

—¿Sabías que era mi futura suegra?

—Sí.

—¿Y por qué no le has dicho que estaba en una reunión, por el amor de Dios?

—Lo he hecho —dice Sandy—. Se lo he dicho, pero ha dicho que era urgente y que te avisara.

—Por el amor de Dios. —Sacudo la cabeza.

Sandy parece afligida.

—Perdona —dice—. He tratado de decírselo, pero... bueno, la verdad es que daba un poco de miedo.

Suspiro y me retracto. Qué otra cosa puedo hacer.

—No, perdóname tú. Me estoy desquitando contigo; ya sé que esa mujer puede dar miedo. Tiene una cara que se la pisa.

Sandy se encoge de hombros y se vuelve hacia su ordenador mientras yo me debato entre tomarme un momento para llamar a Dan y gritarle a él o esperar a que termine la reunión para hacerlo.

No, necesito calmarme antes de hacer nada. De modo que regreso a la reunión, aunque durante los primeros quince minutos no me entero de nada, estoy demasiado ocupada echando pestes de Linda. Pero luego me concentro en el lanzamiento de un Calden en Edimburgo. Una hora y media más tarde, cuando termina la reunión, mi indignación ha remitido. Telefoneo a Dan en cuanto me siento de nuevo frente a mi escritorio y logro no gritarle como habría hecho una hora y media antes, aunque en cuanto contesta, Dan sabe que ha ocurrido algo.

—¿Qué pasa?

—Tu madre. Para variar.

—Oh, vamos, Ellie. —Dan no hace nada por ocultar su exasperación, lo que, con franqueza, ya empieza a molestarme. Está a punto de ser mi marido, ¿no se supone que debería apoyarme?

—Ni vamos ni nada. Me ha sacado de una reunión porque se suponía que era algo urgente; luego me engatusa para que rechace su invitación a cenar antes de decirme que tú ya has dicho que sí. Muchas gracias, Dan. Ojalá me hubieras consultado antes de...

—¡Un momento! —me interrumpe Dan—. Yo no he dicho que sí. Ella ha propuesto ir a cenar y yo le he dicho que estaba agotado y que probablemente nos acostaríamos pronto, pero que antes hablaría contigo.

—Fantástico. Tan manipuladora como siempre.

—Por el amor de Dios —gruñe Dan—, ¿no puedes dejarlo correr? Hace semanas que solo te oigo quejarte de mi madre.

—Quizá es porque nunca me apoyas. Si demostraras tener valor y me defendieras o te pusieras de mi parte cuando tu madre se pone manipuladora o poco razonable, no me acaloraría tanto.

—Si tan desgraciada eres, ¿por qué demonios te casas conmigo? —replica Dan, sin importarle ya que todo el tren esté escuchando con interés su discusión.

—Buena pregunta —grito yo.

Y, aunque no es mi intención, aunque sé que es lo peor que puedo hacer, cuelgo de golpe. Durante una fracción de segundo, una brevísima fracción de segundo, me siento mucho mejor.

Poco antes de las seis y media nos encontramos en el piso. Yo me he sentido fatal el resto de la tarde, por supuesto. Me he recriminado por ser mala persona y me he dicho que todo se debe a los nervios por la boda, aunque no parece una gran excusa. Me siento aún peor cuando veo lo enfadado que está Dan.

Sé cómo se siente, de verdad que lo sé. Hace unas semanas, cuando logramos hablar de ello con calma, me explicó cómo era estar en medio de las dos mujeres más importantes de su vida, y lo comprendo, de verdad que sí. Pero yo le expliqué que necesito que me apoye, que ahora soy, o al menos debería serlo, la mujer más importante de su vida. Él asintió y me dijo que se esforzaría más, que solo era cuestión de adaptarse.

Tal vez si las cosas hubieran sido distintas en mi familia lo comprendería mejor, pienso de vez en cuando con tristeza. Si yo fuera el ojito derecho de mi padre, Dan tendría que vérselas con él. Tal vez todo esto es absolutamente normal; quizá forma parte de hacerte mujer, de convertirte en una esposa y una adulta verdaderamente emancipada.

—Lo siento. —Son las primeras palabras que salen de mi boca cuando Dan entra y deja caer su maletín en el dormitorio—. Siento lo que te he dicho y siento haberte colgado el teléfono.

Espero a que Dan haga lo que siempre hace después de estas terribles discusiones: rodearme con un brazo y disculparse a su vez. Pero no dice nada, solo se sienta en el sofá frente a mí y mira al suelo. Por primera vez siento una inquietud horrible. Oh, Dios. Que no diga algo terrible. Que lo haya pensado mejor.

—Dan, he dicho que lo siento —susurro. El miedo me oprime el pecho y me impide hablar más alto—. ¿Dan? ¿Vas a decir algo?

Transcurren unos minutos, y Dan levanta la cabeza y me mira con tristeza.

—Es tan difícil... —dice—. Comprendo lo agobiante que es para ti, y sé que mi madre puede ser autoritaria, pero no puedo seguir oyéndote hablar mal de ella Es mi madre, Ellie, y, pienses lo que pienses de ella, solo está tratando de hacer lo mejor para nosotros.

—Lo sé...

—No, déjame acabar. El caso es que, por lo que veo, mi madre se está desviviendo por hacer que te sientas un miembro más de la familia. Nosotros estamos acostumbrados a pasar mucho tiempo juntos, a hacer cosas juntos, y lo único que quiere mi madre es que no te sientas excluida. Pero parece que interpretas mal todo lo que hace, y me estoy cansando.

Me quedo sentada en silencio. Avergonzada.

—Pienses lo que pienses de ella, no es mala mujer. Me quiere y quiere que sea feliz, y cree, o creía —me mira fijamente—, que la forma de conseguirlo era acogiéndote en nuestra familia. Eso debería hacerme feliz, pero veo que cada vez te acaloras más y no entiendo por qué.

Tiene razón. Por supuesto que la tiene. ¿Podría haber sido más insensible? ¿O más mezquina? ¿Cómo puedo haberme precipitado y haber sacado conclusiones tan negativas cuando ahora todo parece tan claro? Porque las razones de Dan son muy racionales, y salta a la vista que la mala de la película soy yo.

Siento vergüenza, y cuando Dan termina por fin de hablar, las únicas palabras que puedo pronunciar durante mucho rato son: «Lo lamento».

—Sé que no es una disculpa, Dan —reconozco al fin—, pero a veces creo que esto me viene grande. Al no haber tenido nunca una familia, no sé cómo llevarlo.

—Pero siempre has dicho que era lo que querías.

—Lo sé. Y es verdad. Pero me está costando más tiempo del que esperaba adaptarme. Tienes que darme tiempo. —Respiro hondo—. Nunca he tenido una madre de verdad, y sé que ella está tratando de hacer ese papel, pero yo no sé cómo comportarme con una madre, y aunque era eso lo que creía querer, es más difícil de lo que pensaba.

Dan asiente.

—Lo comprendo —dice por fin—. De verdad. Y sé que ella puede ser difícil, pero solo es porque nos quiere.

—Te quiere a ti —le señalo con suavidad.

—Pero está tratando de quererte también a ti —dice él.

—Lo sé. —Suspiro mientras miro el reloj del pasillo—. Oh, mierda, Dan. Se supone que tenemos que estar en su casa en cinco minutos.

—No. Lo he cancelado.

—¿Y sigues con vida?

—Ja, ja, ja. No desafíes a la suerte. Después de nuestra acalorada conversación por teléfono he decidido que cenar con ellos sería excesivo.

—¿Le ha molestado?

—No, por supuesto que no. Además, si antes no estaba agotado lo estoy ahora.

—¿Eso quiere decir que vamos a acostarnos pronto? —Sonrío, con los ojos por fin brillantes.

—Depende de lo que entiendas por acostarte pronto —replica él. Me hace señas para que me siente a su lado en el sofá, me abraza y me siento segura y querida.

—Entonces, ¿me has perdonado? —pregunto, levantando la cara para besarlo.

—Casi —dice él, sonriendo mientras me aparta—. ¿Por qué no me llevas a la cama y haces que lo olvide todo...?

Al día siguiente, cuando estoy a punto de irme de la oficina, empiezo a sentir dolores menstruales. Solo son unos ligeros calambres, el indicador habitual de que va a venirme el período. No podía ser en mejor momento, porque eso significa que no lo tendré el día de la boda. Cojo un Tampax del último cajón y corro al lavabo, pero aún no me ha bajado.

De modo que me marcho y, mientras trato desesperadamente de conseguir un taxi en Marylebone High Street —lo sé, es ridículo intentarlo en la hora punta, pero estoy agotada y esta noche no me veo con fuerzas para enfrentarme al metro—, se me pasa por la cabeza que tengo la sensación de que ha transcurrido un montón de tiempo desde mi último período.

De hecho, ¿cuándo lo tuve?

Un taxi dobla la esquina y se detiene; me acerco corriendo a él mientras una persona baja y paga. Una vez dentro, en el semáforo de Gloucester Place, me invade una sensación de inquietud que no es ni agradable ni familiar. Revuelvo en el bolso en busca de mi agenda y paso las páginas hasta cuatro semanas atrás.

Puede que sea totalmente desorganizada, pero en mi agenda tengo toda la información que necesito saber, y soy obsesiva en cuanto a apuntar los períodos. Durante casi veinte años he anotado meticulosamente cuándo empiezan, cuánto duran y cuándo me toca el siguiente.

Pero está claro que los preparativos de la boda y la actividad febril de mi vida actual me han alterado, porque parece que hace cuatro semanas no lo apunté. ¿Me olvidé? ¿Es posible que me olvidara? Qué raro..., claro que nunca he estado tan ocupada ni tan distraída, y sería comprensible...

Retrocedo más páginas hasta el período anterior, que está apuntado. Eso significa que el siguiente me tocaba hace dos semanas.

Un momento. No puede estar bien. Si me hubiera tocado hace dos semanas, lo habría tenido, pero recuerdo perfectamente lo que hicimos hace dos semanas y estoy segura de que no lo tenía.

Debe de haber algún error...

Media hora después estoy en el cuarto de baño de casa, sentada en el inodoro con una bolsa vacía a mis pies, mirando fijamente una prueba del embarazo que muestra dos líneas azules muy definidas.

—Mierda —susurro una y otra vez. El miedo, la felicidad y la incredulidad se mezclan mientras empiezo a esbozar una sonrisa—. ¿Qué va a decir Dan?

—¿Embarazada? ¿Estás embarazada? —Dan se detiene en seco y me mira fijamente, lo que no es exactamente la reacción que yo esperaba.

Dan tenía una cena de trabajo, de modo que he pasado el resto de la tarde navegando por páginas webs de bebés y soñando con que Dan me levantaba por el aire y derramaba lágrimas de felicidad.

Solo hace unas horas que sé que estoy embarazada y ya se ha abierto un nuevo mundo para mí. Me he pasado el resto de la tarde en babyzone.com y en ParentsPlace.

Ahora sé que saldré de cuentas el 30 de agosto. Sé que no es raro tener retortijones al principio —de ahí mis ligeros dolores menstruales, que no eran tales—, y que eso no significa necesariamente que vaya a perder el niño. También sé que probablemente es mejor no decírselo a nadie hasta estar de doce semanas y fuera de peligro.

Naturalmente, también he tenido que entrar en nombresdebebés.com. Hasta ahora el que más me gusta si es niño es Flynn, y, si es niña, me encanta el nombre de Tallulah, aunque conociendo a Dan, querrá algo mucho más prosaico, como Tom o Isabel.

Al cabo de un rato ya he leído todo lo que había que leer, de modo que he empezado a mirar qué cochecito es el mejor —parece ser que el más moderno es uno llamado Bugaboo Frog—, si debería utilizar pañales Huggies o Pampers, y cómo decorar la habitación para el pequeño príncipe o princesa.

¡Hay tanto que aprender! ¡Hay tantas cosas que no sabía!

Hacia las once sigo conectada a internet, navegando aún por páginas webs de bebés, pero la sorpresa ha empezado por fin a remitir y ha sido reemplazada por una gran emoción. Dan ha estado todo el día llamando, pero no he sido capaz de contestar al teléfono porque sabía que no podría contenerme, que acabaría soltándoselo, y quiero decírselo en persona, y ver la alegría y la emoción en sus ojos.

¡Dan va a ser padre! ¡Yo voy a ser madre! ¡Vamos a ser padres!

Por fin él está en casa, y yo estoy de pie en el pasillo, viendo cómo se van al traste mis fantasías de Dan cogiéndome en sus brazos fuertes y masculinos y cubriéndome de besos.

—Sí, estoy embarazada. —Mi euforia da paso inmediatamente a un arranque de cólera, seguido de ganas de llorar. Está claro que las páginas web no mentían cuando explicaban qué les pasaba a tus hormonas—. ¿No estás contento? —Empieza a fallarme la voz.

Se produce un silencio.

—Pero ¿no tomabas medidas? —pregunta Dan por fin.

—¡Por Dios, Dan! —La cólera toma de nuevo el relevo. Caray. Espero no sufrir estos altibajos emocionales los próximos nueve meses—. Sí que tomaba medidas, pero está claro que no son totalmente efectivas; probablemente es por esos malditos antibióticos que tomé. Pero eso no viene al caso. Estoy embarazada, Dan, y vamos a casarnos dentro de cuatro semanas, y pensaba que te alegrarías.

Ahora ya estoy al borde de la histeria; Dan se da cuenta de su error y sale por fin de su aturdimiento.

Trata de rodearme con sus brazos en un gesto conciliador —sí, estoy tensa y rígida, ¿no lo estaríais vosotras?— y me planta un beso paternal en la coronilla.

—Lo siento, cariño —dice—. Es que estoy cansado, y, la verdad, algo sorprendido. No me lo esperaba.

—Pero ¿estás contento?

—¿Lo estás tú?

—Estoy como loca de contento. —La cólera desaparece tan deprisa como ha aparecido, y un segundo después lo estoy abrazando y riendo sin poder controlarme—. Quiero decir que al principio me he quedado de piedra, pero ahora no puedo creerlo. ¡Voy a tener un niño, Dan! ¡Vamos a tener un niño!

Me aprieto contra él, y ni siquiera me importa que él se ría nerviosamente y diga:

—Por supuesto que estoy contento. Es que no esperaba que sucediera tan pronto.

Oh, pobrecillo. Sigue trastornado. Y está en su derecho; yo también lo he estado las primeras horas. De modo que lo llevo al sofá y preparo té para los dos —¿teína? ¿Qué pasaba con la teína? Tendré que volver a conectarme a internet tan pronto como termine con Dan. De todos modos, una taza no puede hacer daño—. Lo llevo a la sala de estar, me siento a su lado y sonrío con indulgencia ante el estupor que refleja claramente su cara.

—Ya sé que querías que pasáramos glamurosos fines de semana en Europa —digo con suavidad—, y que hablamos de esperar un año antes de empezar a ponernos a ello, pero esto es una bendición. Además, podremos hacer todo lo que queríamos, solo que tendremos a alguien más con quien hacerlo.

—Lo sé. —Dan asiente, ceñudo—. Pero ¿cómo vamos a decírselo a mi madre?

—¿Tu madre? —Miro a Dan con incredulidad. Por el amor de Dios. No puedo creer lo que acaba de decir—. ¿Qué demonios tiene que ver esto con tu madre?

—Vamos, Ellie. —Dan me mira, molesto—. Va a pagar toda nuestra boda. Creo que tiene derecho a saberlo, ¿no?

—No, Dan, la verdad, no lo creo. En primer lugar, como bien sabes, si hubiéramos podido pagar nosotros la boda, lo habríamos hecho...

—Eso no fue lo que dijiste entonces.

—No, por supuesto que no fue lo que dije entonces. Pensé que se ofrecía a pagarla por generosidad, no porque quería hacerse cargo de todo.

—No se ha hecho cargo de todo —balbucea Dan.

—Ah, ¿no? Corrígeme si me equivoco, Dan, pero hace un montón de tiempo, cuando me pediste que me casara contigo, ¿no hablamos de celebrar una boda tranquila? Algo discreto e íntimo son las palabras que recuerdo. ¿No dijimos que solo queríamos a los amigos y a la familia?

Dan se queda callado, y con razón. Sabe que no va a ganar esta discusión; es más, sabe que yo sé que él lo sabe. Pero ha vuelto la cólera, y cuanto más callado está, más me enfurezco yo.

—¿Crees sinceramente que quería que en mi boda hubiera trescientos invitados a los que apenas conozco? —grito—. ¿Crees que quería una maldita langosta o esos malditos lazos blancos gigantescos en los respaldos de las sillas?

—¿Y por qué no has dicho nada si no te gustan? Has tenido tiempo de sobra.

—Porque no quería parecer desagradecida, y porque hace tiempo que me he dado cuenta de que esta no es mi boda, es la boda de tu madre, y lo mejor que puedo hacer es rendirme y dejarle hacer. Pero que ella dirija cada detalle de nuestra boda —continúo—, no significa que vaya a dirigir nuestra vida, y esto no tiene nada que ver con ella. De modo que, respondiendo a tu pregunta, no tenemos por qué preocuparnos de cómo vamos a decírselo, porque no vamos a decírselo, por lo menos no hasta que hayamos vuelto de la luna de miel. Y la razón por la que no vamos a decírselo hasta entonces no es porque vaya a quedarse helada al enterarse de que estoy, ¡horror!, embarazada el día de mi boda, sino porque esto no tiene nada que ver con ella.

—Por supuesto que tiene que ver con ella. —Dan sacude la cabeza—. Es mi hijo, su primer nieto. Tiene derecho a saberlo.

—Dios, Dan. —Sacudo la cabeza, horrorizada—. ¿Quieres que también la llame cada vez que hacemos el amor? Solo por si hay alguna faceta de nuestra vida de la que se siente excluida... Aunque —continúo sintiéndome furiosa y al mismo tiempo triunfal, porque sé que Dan tiene poco que decir—, probablemente ya lo haces, ¿no?

—No seas cría, Ellie. —Su tono de voz se ha endurecido—. ¿Por qué no seguimos hablando cuando recuerdes que eres adulta?

—No. ¿Por qué no hablamos cuando tú recuerdes que eres adulto y que no tienes que ir corriendo a mamá para que te ayude en todo, y que mamá no tiene que saber todo lo que pasa en tu vida?

—Siempre me estás acusando de tener una familia complicada —espeta Dan—, pero no estás exactamente en condiciones de hablar de una relación normal con tu madre, ¿no?

—Cabrón —susurro de pronto, con lágrimas en los ojos—. ¿Cómo te atreves a meter en esto a mi madre?

—¿Sabes una cosa, Ellie? Estoy harto de que tú puedas decir lo que te dé la gana de mi madre, pero Dios nos libre de que alguien se meta con la tuya.

—Yo no tengo madre —digo con tono imperioso mientras giro sobre mis talones para marcharme, asombrada de que Dan pueda caer tan bajo, de que sepa darme exactamente donde más me duele—. Tal vez recuerdes que murió cuando yo era niña. Te ruego encarecidamente que esta noche duermas en la habitación de invitados. Encontrarás sábanas en el armario del cuarto de baño.

Y dicho esto salgo de la habitación con la cabeza alta, me desplomo en el cuarto de baño hecha un mar de lágrimas y lamento haber dejado de fumar cuando conocí a Dan.

El domingo todo está perdonado, y los dos compartimos la emoción de tener un niño. Pero a tan pocos días de la boda hemos decidido no decírselo a nadie, de modo que la comida del domingo en casa de los Cooper, por divertida que resulte de vez en cuando, es algo que no sé manejar en mi delicado estado.

Ante todo, sé lo irritable que he estado últimamente. Y, en segundo lugar, tengo el desagradable presentimiento de que Linda podría adivinar que voy a ir al altar embarazada, y quiero que nos lo guardemos para nosotros hasta que hayamos vuelto de la luna de miel. De modo que creo que en estos momentos lo más seguro es estar lo más lejos posible de ellos.

Además, Linda me ha estado volviendo loca, aunque al menos ahora sé por qué he estado tan irritable últimamente. Si creía que la tensión premenstrual era mala, no es nada comparada con las primeras semanas de embarazo.

Cuanto más pienso en ello, más me convenzo de que es una cuestión de espacio vital. Conozco a muchas chicas que tienen problemas con sus suegras porque estas creen que no son lo bastante buenas para su hijo perfecto, y que el hijo podría haber escogido mucho mejor. Así que me he dado cuenta de la suerte que tengo de no tener que enfrentarme a eso.

Mi problema es lo contrario. Linda quiere ser mi madre. Se está esforzando mucho; me telefonea tres veces al día, me propone ir a comer juntas, me compra regalos. Sé que su intención es buena, y sé lo desagradecida que puedo parecer al resistirme, pero es sencillamente demasiado para mí.

Antes pensaba que sería la chica más afortunada del mundo si mi futura suegra, quienquiera que fuera, me tomara bajo su protección y me reclamara como la hija que nunca había tenido. Pero ahora veo que soy demasiado independiente. No quiero cualquier madre, quiero a mi madre, pero eso sencillamente no va a ocurrir. Nadie puede ocupar su lugar.

Estoy haciendo todo lo posible por impedir que Linda tome

las riendas de mi vida. Comprendo que sus intenciones son buenas, pero es innegable que cree que los límites están para traspasarlos. Parece incapaz de aceptar un no por respuesta. Este fin de semana le he explicado a Dan que necesito un poco de espacio vital, necesito recordar quién era antes de convertirme en una mitad de la pareja formada por Ellie y Dan.

Con suerte, encontraré la forma de convertir a Linda en mi aliada y amiga, y ella encontrará la forma de aceptarme como nuera y no como hija. Con suerte, solo necesitaremos un poco de espacio vital y cierta firmeza para establecer los límites, y seremos capaces de volver a jugar a la familia feliz.

De modo que este fin de semana Dan irá a comer a casa de sus padres, naturalmente. No quiero que me echen la culpa si faltamos los dos. Además, Fran me ha invitado a comer y, aunque me encanta estar en pareja, hay ciertas tradiciones que echo de menos, y una de ellas es comer de vez en cuando con Fran, Marcus, sus hijas y unos cuantos amigos desamparados.

Cuando estoy a punto de salir de casa suena el teléfono. Tengo el tiempo justo para pararme de camino a comprar flores.

—¿Diga?

—Es evidente que eres más lista de lo que pareces. —La voz de Emma resuena a través de su móvil—. No puedo creer que hayas logrado escaquearte de la comida de hoy. Ahora estoy aquí y no tengo a nadie con quien hablar.

Me río.

—Tienes a Dan y a Richard.

—Pero tú eres la única que hace soportable esta ridícula tradición del domingo. ¿Cómo lo has conseguido? —gime Emma—. Es más, ¿por qué nadie me lo ha dicho antes de venir? Podría haberme quedado en la cama.

—Lo siento —digo, consultando el reloj y esperando no llegar tarde—. Pero tenía otro compromiso y, para tu información, a tu madre no ha parecido importarle mucho.

—No, porque ahora tiene a su precioso Dan para ella sola.

Arqueo una ceja y digo con malicia:

—Por favor, dime que no lo ha dicho.

—Por supuesto que no. Pero si ella no te echa de menos, yo sí.

—Algo es algo. Mira, tengo que irme, ¿podemos hablar después?

—Claro, te pondré al corriente de lo que te has perdido.

—No me digas nada que no quiera saber.

—No te preocupes. Sé que mi familia cree que no conozco el significado de la palabra tacto, pero soy mucho más diplomática de lo que cree la gente.

Cuelgo, sin querer saber qué ha querido decir exactamente.

—¡Ellie!

—¡Sally! ¿Qué estás haciendo aquí?

—¿No te ha dicho Fran que venía?

—No, pero a mí también me ha invitado en el último minuto.

Sally se da la vuelta frente a la puerta antes de tocar el timbre.

—¿Qué tal estoy?

—Encantadora, como siempre —respondo, y es la pura verdad. Sally tiene un aspecto lozano y fresco, y siempre parece llevar el pelo recién lavado y con olor a flores, aunque jura que es su perfume. Sonrío cuando veo lo que lleva debajo de su largo abrigo de piel: sus sexys vaqueros Seven que asegura que son su amuleto de la suerte y que se pone siempre que quiere impresionar. O ligar—. Entonces, ¿vamos a conocer a algún soltero cotizado?

—¿Cómo lo has adivinado? —Sonríe dulcemente.

—Pero creía que Fran había dejado de presentarte a hombres. ¿No se quejaba de que nunca había nadie lo bastante bueno para ti?

—Bueno, sí, pero eso fue antes de que Fran mencionara que Marcus era amigo de Charlie Dutton.

—¿Charlie Dutton?

—¡Eres incorregible, Ellie! —Sacude la cabeza ante mi ignorancia. Sabe que yo no leo las revistas *Heat*, *OK!* y *Hello!* como lo hace Fran, y que nunca me habría enterado de que había un famoso en la casa a menos que ellas me lo dijeran—. No puedo creer que no sepas quién es Charlie Dutton.

Se abre la puerta y nos dejamos llevar por una ola de cariño y ruido, jaleo y bullicio. Fran y Marcus nos saludan con un beso, nos cogen el abrigo y nos acompañan a empujones a la cocina, donde tratamos de reanudar nuestra conversación en susurros apresurados mientras ellos se llevan los abrigos.

—¿Quién es?

Sally mira al cielo.

—No me digas que no has visto *Whispers in the Dark*...

—Por supuesto que he visto *Whispers in the Dark* —digo—. ¿No la ve todo el mundo? ¿Por qué, sale en la serie?

—No sale —dice Sally, mientras resuenan los pasos de Fran y Marcus por la escalera—. La ha producido.

—Ah —digo encogiéndome de hombros.

Cuando Marcus y Fran están entrando en la cocina veo a un hombre ancho de espaldas y despeinado.

—¿Estáis bien? —pregunta Fran, mientras se acerca corriendo a los fogones para rescatar la sopa que borbotea y que está a punto de desbordarse de la cazuela—. Me temo que hoy no nos hemos organizado muy bien. ¿Conocéis a Charlie?

—Hola, Charlie. Soy Sally. —Sally se acerca pavoneándose con el brazo extendido.

—Encantado.

La sonrisa de Charlie es afectuosa y afable, y su apretón de manos es firme. Sally se enamora inmediatamente de él, y se queda mirándolo mientras él le suelta la mano y se me presenta. Por una vez Sally tiene buen gusto. No llama la atención hasta que sonríe, pero cuando lo hace se le transforma la cara, y tengo que decir que me quedo bastante impresionada. Cuando me da la espalda, le guiño un ojo a Sally con disimulo y levanto el pulgar en señal de aprobación; ella sonríe. Luego él nos mira y las dos fingimos estar muy ocupadas admirando las baldosas de la cocina.

—¿Dónde están las niñas? —pregunto cuando todos tenemos

ya una copa en la mano y a cada uno se nos ha encomendado una tarea para terminar de preparar la comida.

—Fuera.

Fran señala con la cabeza hacia el jardín mientras yo farfullo, asombrada.

—¿Fuera? ¿Estás loca? Pero si estamos en enero. ¡Hace un frío que pela!

Fran se encoge de hombros.

—Intenta decírselo a dos gemelas de cuatro años. Han insistido.

Me acerco a la ventana y veo cómo se persiguen por el jardín y ríen dos muñecos Michelin, envueltos con anoraks acolchados de color naranja y escarlata.

—Ojalá mi hijo insistiera en salir de casa en invierno —comenta Charlie—. O en cualquier época del año. Es adicto a la televisión, lo que estaría bien, aunque un poco antisocial, si fuera mayor, pero a los cinco años es bastante preocupante.

—Sería más preocupante si viera *¿Quién quiere ser millonario?* —comenta Marcus secando una cacerola.

—No, sería mucho más preocupante si viera *Tom y Jerry* —dice Fran—. Es increíble lo violentos que son esos dibujos.

—Pero nosotros los veíamos y hemos salido bastante normales —dice Marcus.

—Sí, pero aun así. —Fran sacude la cabeza—. Sabemos mucho más sobre psicología infantil que nuestros padres y no queremos cometer los mismos errores.

—¿Tan horribles son *Tom y Jerry*? —Hasta ahora siempre me he sentido perdida en conversaciones sobre niños o sobre cualquier tema relacionado con niños, pero ahora que estoy a punto de casarme y que llevo en secreto un niño dentro, me siento totalmente capacitada para intervenir, hacer preguntas o incluso dar mi opinión, llegado el caso.

—A saber —dice Marcus—. A mí me pegaban con regularidad cuando era pequeño, pero no conozco a una sola persona que pegue a sus hijos hoy en día.

—Yo he pegado a Finn —reconoce Charlie haciendo una mueca mientras habla; sabe que está diciendo algo tan políticamente incorrecto que podría ser la última vez que lo invitaran a esta casa.

—¡No! —Todos lo miramos con ojos como platos, boquiabiertos.

—Lo sé. Es horrible, y os juro que me sentí fatal, pero él sabía que no podía pintar las paredes; nos miró mientras le decíamos que no lo hiciera y luego cogió los rotuladores y lo hizo.

—¿Crees que estuvo realmente justificado que le pegaras? —pregunta Fran.

—Es la única vez que lo he hecho, pero sí, creo que esa vez estaba justificado, aunque prefiero considerarlo el último recurso y no algo que haces cuando pierdes los estribos.

—Entiendo lo que quieres decir —dice Fran, diplomáticamente—. Pero yo nunca he necesitado hacerlo con las niñas. Si fueran desobedientes tal vez lo haría.

—Bah, no lo harías —dice Marcus riendo—. Antes me pegarías a mí que a ellas.

Fran le pega.

—Ay. ¿Lo veis? —Marcus se frota el brazo y finge mirarla con una expresión dolida.

Sally se vuelve hacia Charlie Dutton.

—¿Tienes más hijos? —pregunta con su tono de voz más educado.

Yo trato de contener una sonrisa, porque sé perfectamente que Sally lo sabe todo acerca de Charlie Dutton; seguro que se ha pasado toda la tarde del viernes consultando su vida en Google en lugar de trabajar en la inauguración del nuevo Calden.

—No. Solo a Finn.

—¿Y dónde está Finn hoy? —dice Sally, todavía echando el anzuelo.

—Este fin de semana le toca estar con su madre. Es una pena, porque le encantan Annabel y Sadie.

Fran se vuelve desde el fogón.

—No es por restregártelo, Charlie, pero cuando las niñas han preguntado quién venía y les he dicho que el padre de Finn, se han emocionado mucho porque creían que ibas a venir con él.

Charlie se encoge de hombros, con una expresión de tristeza que no tenía unos minutos antes.

—Es uno de los problemas de divorciarte. Es horrible para los hijos, y es muy difícil organizar algo cuando su maldita madre cambia de planes en el último minuto.

Fran rompe el violento silencio que amenaza con producirse aplaudiendo y haciéndonos sentar a todos a la mesa; luego, abre las contraventanas y llama a las niñas.

Las niñas se portan de forma ejemplar. Se sientan una al lado de la otra en un extremo de la mesa y picotean la comida mientras se ríen de bromas que ninguno de los adultos puede aspirar a entender.

Fran y Marcus se ríen, discuten, se contradicen, y yo me limito a disfrutar de todo ello, feliz de volver a estar allí, aliviada de comprobar que estas comidas no han cambiado en mi ausencia. Me doy cuenta de que hacía siglos que no me reía tanto. Charlie trata de intervenir en nuestra conversación, aunque Sally cada vez lo monopoliza más. Parece que se han caído bien; hacia el final de la comida salta a la vista que hay química entre ellos. Es fantástico; se lo merecen.

Cuando los platos ya están recogidos, aparece en la mesa una tarta de merengue y limón.

—No preguntéis —dice Fran—. Es la preferida de las niñas.

Charlie, con quien apenas he cruzado una palabra, se vuelve hacia mí.

—Marcus me ha comentado que dentro de unas semanas te casas. ¿Estás emocionada?

Me pongo a reflexionar. ¿Emocionada? No creo que refleje lo que he estado sintiendo durante lo que me parecen meses. ¿Nerviosa? Sí. ¿Temerosa? Totalmente. ¿Increíblemente estresada? Sin duda ninguna.

Pero ¿emocionada?

—Os parecerá una locura, pero, con franqueza, se nos ha ido

todo tanto de las manos que creo que no he tenido la posibilidad de emocionarme.

—Además —dice Fran por mí—, Ellie tiene una futura suegra pesadísima, que cree que esta es su boda. Aunque nosotros no sabemos nada de suegras pesadas —añade mirando de reojo a su marido, que frunce el entrecejo.

—Creía que mi madre y tú os llevabais a las mil maravillas últimamente —dice Marcus mientras parte la tarta.

—¿A las mil maravillas? ¡Ja! Digamos que nos soportamos. De todos modos, no hablemos más de suegros tóxicos. Hace tiempo que decidimos que es un tema tabú en esta casa.

—Bueno, lo has sacado tú —dice Charlie, sonriendo.

—Lo sé. Muchas gracias. ¿Querías que volviera a invitarte?

Sally y yo ayudamos a recoger la mesa mientras los hombres llevan a las gemelas al parque del barrio. Sally bombardea a Fran con preguntas sobre Charlie; cuando por fin se toma un respiro para ir al cuarto de baño, las dos la observamos salir, sacudimos la cabeza y sonreímos.

—Es una causa perdida —digo suspirando—, pero él al menos parece un buen tipo.

—Lo sé. El problema no es él sino ella. Otro desengaño amoroso en ciernes, pero ¿qué quieres que le haga? Prácticamente me ha suplicado que se lo presentara.

—He echado de menos esto. —Recorro con la mirada la cocina, los armarios amarillos de anticuario, las cazuelas anaranjadas Le Creuset amontonadas en los estantes, el perfecto centro de un hogar feliz—. No puedo creer el tiempo que hace que no venía, y lo lamento mucho.

—No seas ridícula. Ahora tienes a la familia de Dan, y tienes que pensar en ella.

—Cielos, no me lo recuerdes.

—¿Sabes una cosa? Cuando tengáis hijos todo cambiará. Tú concéntrate en el premio. De eso se trata, de formar tu propia familia. Créeme, yo he aprendido a base de cometer errores, pero cuando tienes tu familia no te importa nadie más, ni tus padres, ni los suegros, nadie. Eso es lo importante, lo que te permite soportar el resto de la mierda.

—Entonces, ¿me estás diciendo que debería quedarme embarazada? —digo sonriendo, no muy segura de si podré seguir guardándomelo para mí.

—En cuanto salgas de la iglesia. No tienes nada que decirme, ¿verdad? —Fran vuelve a escudriñarme y yo titubeo; estoy a punto de decir que no, pero ella me abraza y grita—: ¡Lo sabía! ¡Lo sabía!

Ya es demasiado tarde.

—Shhhhh —advierto, encantada de tener por fin a alguien con quien compartirlo—. Solo estoy de unas semanas, de modo que aún no queremos decirlo.

—No te preocupes. —Solemnemente, se lleva una mano al corazón y vuelve a abrazarme—. Puedes confiar en que guardaré el secreto.

8

Echo un vistazo desde la puerta del salón al grupo de gente que se ha reunido para brindar por nosotros y desearnos buena suerte en nuestra boda, para la que solo faltan dos días, y sonrío porque disfruto viendo mi piso lleno de gente y de ruido.

Siempre he llevado una vida tan solitaria, tan poco sociable, que nunca he sabido lo que me perdía al no tener amistades íntimas. Me encanta haber adoptado a los amigos de Dan y que con ello se haya abierto un mundo nuevo para mí.

Lily está sentada en el sofá y Tom en el suelo, entre las piernas de ella. Anna está en el regazo de Rob, en el sillón grande. Richard, el hermano de Dan, también está sentado en el suelo, recostado en el sofá, y Dan está en el otro sillón, con una cerveza en la mano y los pies en la mesa de centro.

—¿Ya te has hecho a la idea de que te casas dentro de una semana? —Lily se levanta y se reúne conmigo en la cocina; me aparta a codazos mientras se pone a lavar las cazuelas y las sartenes.

Me río, porque todavía no me he hecho a la idea, y sin embargo hay veces, como hoy, que tengo la sensación de que Dan y yo ya estamos casados, que llevamos años casados. Tal vez así sabes cuándo has conocido a tu pareja ideal; tal vez es esta sensación de comodidad lo que te asegura que es él, porque nunca has experimentado lo mismo con nadie más.

Echo los restos de comida al cubo de basura y amontono los platos con cuidado en el fregadero.

—Es una sensación muy extraña. Al principio me concentré tanto en el día en sí, en la fiesta, que no me paré a pensar en el compromiso, y ahora que... —arqueo las cejas— mi suegra se ha hecho cargo de todos los preparativos, en lo único que puedo pensar es en el compromiso. —Miro hacia la puerta y bajo la voz—. Y, si te soy sincera, estoy aterrada.

Anna entra y se reúne con nosotras, y las dos se ríen, como yo, para suavizar el efecto de las palabras.

—En serio —continúo—. Estoy segura de que he tomado la decisión acertada, que Dan es el hombre perfecto para mí, pero todavía me aterra pensar que ya está, que se han acabado los hombres, los coqueteos. El mismo hombre durante... ¿cuántos años? ¿Cuarenta, cincuenta?

—Dios —gime Lily—. Dicho así, haces que resulte horrible.

Las tres nos echamos a reír.

—¿Crees que los hombres piensan lo mismo? —pregunta Anna—. ¿Crees que lo piensan?

—Probablemente —responde Lily—. Mi mayor preocupación fue deshacerme de las ex novias.

—¿Todavía revoloteaban a su alrededor? —Miro a Lily, sorprendida.

—Tom seguía siendo el mejor amigo de una de ellas. ¡Tuve que poner fin a eso! —añade riendo, luego me mira—. ¿Qué hay de Dan?

—Esto nunca ha sido un problema —digo, y es cierto, pero aunque él siguiera siendo amigo de una de sus ex, no estoy segura de que fuera un problema para mí, nunca he sido celosa.

Sé que está en contacto con Sophia, su novia de los años de universidad y los dos siguientes, pero ella está casada y vive en España, y cuando envía algún que otro e-mail, él me los lee en voz alta. Nada de qué preocuparme por ese lado.

Después, hubo los consabidos ligues de los veintitantos años, y una relación de tres años que terminó hace un par de años porque no se veía pasando el resto de su vida con ella. Fue unos meses antes de conocerme, y la chica era Lainey, que se fugó con un actor.

Todo el mundo, al llegar a los treinta años, tiene un pasado, y eso nunca me ha molestado. Me habría preocupado más que nunca hubiera tenido una relación larga.

—Solo está en contacto con una de ellas —digo—, Sophia, pero salieron juntos hace años y ella vive ahora en el extranjero. No me preocupa en absoluto. Y, la verdad, me alegro de que haya tenido relaciones largas. Eso al menos demuestra que sabe comprometerse.

Anna se apoya contra la encimera de la cocina.

—Yo nunca me paré a pensar en el compromiso cuando me casé con Rob. Ni pasado ni presente. Estuve tan absorta en la boda que no creo que me diera cuenta de qué sucedía realmente hasta que volvimos de la luna de miel.

Lily sonríe.

—Entonces eres una de esas chicas sobre las que leo continuamente que se casan por la ilusión de casarse.

—Supongo —dice Anna—. Menos mal que ha funcionado.

—¿Cuánto tiempo lleváis juntos? —me aventuro a preguntar.

—Juntos llevamos seis años, y casados, cuatro.

Estoy sorprendida. La mayoría de la gente que conozco que lleva casada más de dos años tiene al menos un hijo.

—No sabía que hacía tanto —digo diplomáticamente—. ¿Habéis pensado en tener hijos?

—Creo que ahora ya estamos preparados. Queríamos hacer muchas otras cosas antes, pero ya hemos ido prácticamente a todos los lugares que queríamos conocer, hemos estado en todos los hoteles en los que queríamos estar y seguramente empezaremos a intentarlo pronto. Lily es mi inspiración. —Mira a Lily, que se ríe burlándose de sí misma—. ¿Y tú, Ellie? ¿Tienes planes?

¡Caramba!, es dificilísimo mantenerlo en secreto; cada vez que alguien me lo pregunta —alrededor de nueve veces al día— tengo que contenerme las ganas de decirlo, y no puedo evitar preguntarme si ya lo han adivinado.

Porque, para vuestra información, estoy enorme. En serio. No puedo creer lo enorme que me siento. La semana pasada hice

97

la última prueba del traje de novia y hasta la dependienta se sorprendió.

—Qué extraño —dijo con el entrecejo fruncido—. La mayoría de las novias adelgazan antes de la boda.

Yo me limité a fulminarla con la mirada mientras me tomaba las medidas para ensanchar el traje.

Dan me ha dicho que no paro de acariciarme la barriga. Lo hago mientras hago cola para pedir un bocadillo, o de pie frente al espejo del cuarto de baño del trabajo cuando entro a retocarme el pintalabios, o tumbada en el sofá tratando de leer mientras Dan ve su dichoso partido de fútbol o de rugby. Cada vez que me acaricio la barriga, no puedo evitar pensar en la vida que crece dentro de mí.

Pero no puedo decirlo. Aún no. No hasta que vuelva del viaje de novios.

—Queremos tener hijos —digo—, pero no nos hemos sentado a hablar de cuándo exactamente. En teoría estoy preparada, pero sé que no tengo ni idea de cómo te cambia la vida con hijos.

—Cambia, y tienes que hacer un gran reajuste —dice Lily—, pero ahora no puedo imaginarme sin hijos, son el centro de nuestra vida.

—Por esa razón no los trajiste el pasado sábado cuando quedamos para comer —dice Anna riendo inocentemente.

—Créeme, para eso están los abuelos. Se quedan un día a la semana con los niños.

—¿Son tus padres o los de Tom? —pregunto.

—Los de Tom. Los míos viven en Yorkshire, pero los de Tom viven tan cerca que se los dejamos en algún momento cada fin de semana. Por mucho que los queramos, es un placer tener un respiro de vez en cuando.

—¿Cómo son los padres de Tom?

—Magníficos —responde Lily—. No podría haber deseado tener mejores suegros.

Anna y yo gemimos a la vez.

—Lo sé —dice Lily riendo—. Es la reacción que tiene todo el

mundo, pero, de verdad, son encantadores. Quieren a los niños y me quieren a mí. En serio, considero a Sandra, mi suegra, una de mis amigas.

—Está bien —dice Anna—, ¿cuál es el secreto?

—¿Con sinceridad? Creo que es sencillamente la aceptación. En vez de intentar cambiarnos mutuamente o desear que la otra sea distinta, nos aceptamos como somos, y funciona.

—Ya —dice Anna entre dientes—, eres mucho mejor persona que yo.

—Odio decirlo —añado—, pero estoy de acuerdo con Anna. No creo que pueda ser ni de lejos tan tolerante como tú.

Lily se encoge de hombros.

—Solo he intentado encontrar la fórmula para qué funcione.

—¿Para que funcione qué? —Richard entra en la cocina—. ¿Hay chocolate en esta casa, Ellie?

—Por supuesto —digo sonriendo; ya conozco la afición de mi futuro cuñado por lo dulce—. ¿Podría ser la mujer con la que se casaría tu hermano si no tuviera siempre reservas de chocolate?

Triunfal, me acerco al armario y lo abro, dejando ver paquetes de Aeros, Kit Kats, Double Deckers.

Richard se lleva una mano al corazón.

—Ellie, hasta ahora no me había dado cuenta pero creo que eres la mujer de mis sueños.

Sonrío, encantada por el halago.

—Coge los que quieras —digo mientras Richard se abalanza sobre ellos.

—¿Y de qué estabais hablando aquí dentro? —pregunta antes de salir por la puerta.

Y Anna, sin pensar, dice:

—Suegras malvadas.

—Oh. —Richard se vuelve y me mira arqueando las cejas mientras yo noto que me pongo colorada, totalmente avergonzada, pero, para mi sorpresa, él no está sorprendido, solo dice con bastante frialdad—: Entonces, ¿ya has descubierto lo malvada que es mi madre?

Se produce un silencio incómodo que Anna interrumpe soltando un taco y poniéndose roja.

—Mierda. Vaya por Dios, menuda metedura de pata. Me he olvidado totalmente, quiero decir que no he caído... Mejor me callo... —Su voz se va apagando lentamente.

—En realidad —interviene Lily, salvando la situación mientras yo le sonrío agradecida—, les estaba contando el secreto de llevarse bien con los suegros, y, para tu información, Ellie no ha dicho nada de tu madre.

—¿No? —Richard ahora sí está sorprendido—. Bueno, es evidente que no ha pasado suficiente tiempo con ella.

Contengo el impulso de abrazarlo, y de pronto me doy cuenta de que en él tengo a un aliado. Del mismo modo que Linda me fastidia, parece hacerlo aún más a Richard y a Emma; ahora sé que si las cosas se ponen realmente difíciles, Richard me apoyará.

Lo observo mientras sale por la puerta. Es curioso, si no los conociera tan bien, y me encontrara en una habitación frente a Dan y Richard, probablemente escogería a Richard. En muchos sentidos somos mucho más parecidos, y tal vez hacemos mejor pareja. Pero Dan representa una estabilidad que siempre he anhelado. Miro a Dan y veo mi futuro. En sus brazos veo a nuestros hijos, en su sonrisa veo años de amistad y risas, en su voz oigo seguridad. Richard es más voluble, probablemente se parece más a mí, y sin duda se parece más a los hombres con los que he estado hasta ahora; en cambio, Dan es una roca, y sé que mientras permanezca a su lado estaré a salvo.

Es maravilloso saber que Richard puede hartarse de su madre tanto como yo, sobre todo porque Dan se niega a implicarse. Aunque no creo que continúe así; estoy segura de que mejorará. Fran siempre dice que casarse es uno de los momentos más estresantes de la vida, equiparable a mudarse de casa. Por cierto, la casa de nuestros sueños es un gran piso con jardín —catalogado por la agencia inmobiliaria como sótano, pero no importa— en la frondosa Primrose Hill. Gracias al reciente premio de Dan y a la tasación sorprendentemente elevada que hicieron de mi piso, de pronto nos encontramos con que teníamos mucho más dinero de lo que creíamos, lo que significa que Primrose Hill ya no es un lugar adonde ir de paseo los sábados por la tarde y donde sueñas poder vivir. Parece que la firma de contratos se hará mañana, y nos entregarán las llaves un par de semanas después de que hayamos vuelto de la luna de miel.

Así pues, ¿es de extrañar que me crispen los nervios ciertas cosas o la gente?

9

—Vamos, Ellie, toma aire. —Linda resopla mientras me aprieta el corsé del traje de novia, maldiciendo porque no se cierra—. Oh, por el amor de Dios. —Finalmente se rinde; probablemente le preocupa que el sudor estropee su inmaculado maquillaje—. Esto es ridículo —exclama, sentándose en la que era la cama de Dan—. Creía que habías ido a probártelo hace unas semanas. ¿Por qué no te cabe ahora?

Estoy tentada de decirle a Linda lo del niño, utilizarlo para echárselo a la cara, pero aunque pensábamos decírselo en algún momento antes de casarnos, una hora antes de entrar en la iglesia no es el momento adecuado, por no hablar de que Dan me mataría si se lo dijera a su madre sin que estuviera él delante.

—Últimamente tengo bastante más apetito —digo con naturalidad tratando de explicar así el rápido ensanchamiento de mi cintura.

—¿Más apetito? —exclama Linda, horrorizada—. La mayoría de las novias adelgazan, Ellie, no engordan, por el amor de Dios. ¿Qué vamos a hacer?

Su voz se acerca peligrosamente a la histeria mientras yo la observo, perpleja. Porque, aunque todo el mundo habla de los nervios de organizar una boda, aunque he leído prácticamente todos los artículos que se han escrito sobre cómo controlarlos, la verdad es que no los he experimentado, dejando aparte las inevitables discusiones con Dan sobre Linda. En las ocasiones en que he logrado distanciarme de lo que ocurría, me ha fascinado ver que Linda se ponía cada vez más nerviosa a medida que se acercaba la fecha.

Y ahora que el traje no da muestras de querer cerrarse, Linda parece al borde de las lágrimas.

—No puedo creerlo —dice con voz temblorosa—. ¿Sabes cuánto ha costado este traje, Ellie? Podría haber cogido el dinero y haberlo tirado por el retrete. —Empieza a fallarle la voz—. ¿Cómo has podido hacerme esto? ¿Cómo has podido engordar el día de tu boda? Dios mío, qué drama. Casi me entran ganas de reír.

Emma, que ha montado un salón de peluquería móvil en un rincón, se saca el último pasador de la boca, se lo clava en el moño y se vuelve hacia su madre.

—¡Cállate, mamá! —recrimina. Se levanta y se acerca con su traje de dama de honor de seda color champán—. Es la boda de Ellie. Sé un poco más sensible.

—No me hables así. —La voz de Linda vuelve a alzarse—. No me digas que estoy siendo insensible cuando me he gastado una fortuna en esta boda y el maldito traje no cabe porque a la novia le importa un comino el aspecto que tenga.

Encantador.

—¿Podéis tranquilizaros? —Emma coge los lazos del corsé y los estira, juntando los lados un centímetro más, pero siguen viéndose un par de centímetros de piel bronceada a través de los lazos. Bueno, pienso, con la sensación de que soy la protagonista de una farsa, al menos he tenido el sentido común de apuntarme a unas sesiones de bronceado—. Está bien, Ellie —dice Emma, haciéndose cargo de la situación—, pásame esas medias.

Emma dobla en dos, en tres y en cuatro las medias hasta que se ven opacas, y las coloca con cuidado debajo de los lazos mientras Linda resopla, sin querer admitir lo impresionada que está ante la habilidad de su hija.

—Ya está. —Emma termina de atar los lazos y retrocede, admirando su rapidez mental y los resultados finales, que son, si no perfectos, al menos muy adecuados. Siempre que no me quite el velo nadie se enterará.

—Está bien. —Linda respira hondo—. Deberíamos calmarnos.

—Querrás decir que deberías calmarte —me susurra Emma.

—Gracias, Emma —digo sonriendo agradecida—. Eres asombrosa.

—Vuélvete, Ellie, deja que te veamos. —Linda ha logrado recuperar la compostura y añade alegremente—: Estás preciosa. —Luego mira el reloj y salta—: Cielos, son casi las cuatro. Voy a bajar a ver si ya está el coche.

—¿Y bien? —Emma me mira de arriba abajo—. ¿El apetito?

—Ajá. —Finjo estar ocupada alisándome la falda, pero, por supuesto, estoy haciendo lo imposible por evitar su mirada.

—Creía que habías dicho que no habías probado bocado últimamente —insiste Emma, arqueando una ceja.

—¿Cuándo he dicho eso?

—La semana pasada cuando hablamos por teléfono.

—Bueno, es cierto, pero esta semana he pasado al otro extremo. Creo que son los nervios.

—Pero si dijiste que no comías cuando estabas nerviosa.

—Mentí —tanteo de forma poco convincente.

No puedo evitar sonreír, porque Emma lo ha adivinado, por supuesto, y ya no me importa guardar el secreto. Quiero que lo sepa alguien más.

—Estás embarazada, ¿verdad? —grita Emma.

—Shhhh. —Señalo nerviosa la puerta abierta—. No se lo digas a nadie. Queremos guardarlo en secreto hasta que volvamos de la luna de miel, y solo estoy de diez semanas.

—Lo sabía, lo sabía. —Emma me echa los brazos al cuello, con cuidado de no aplastarme el velo—. ¡Oh, Ellie, voy a ser tía!

—Lo sé —digo sonriendo—. Pero ¿prometes que no se lo dirás a nadie? A tu madre le dará un ataque si sabe que no ha sido la primera en enterarse.

—Me lo vas a decir a mí. No te preocupes, no diré nada.

—Emma —digo con tono de advertencia, porque sé que la discreción nunca ha sido una de sus mejores cualidades—, ¿lo juras firmemente?

—Lo juro.

La boda tal vez no fue como yo quería, o más bien puede que no tuviera nada que ver conmigo, pero fue encantadora. Las flores, peonías y lirios, espectaculares en su simplicidad; la comida, exquisita, y el grupo musical —Dan y yo preferíamos un disc-jockey, pero Linda y Michael insistieron— fue lo bastante ruidoso y animado para asegurar que la gente bailara casi toda la noche.

Como espectadora, que francamente es como me sentí, tengo que admitir que fue espectacular. La boda más espléndida y lujosa a la que he asistido. Como novia, en cuanto terminó la ceremonia me sentí totalmente al margen, como si viera una película y al mismo tiempo flotara en el aire; no tenía la menor sensación de vivir el presente.

La ceremonia fue otra cosa. Era el único aspecto que Linda no había podido controlar, ya que Dan y yo habíamos escrito personalmente los votos. Yo me eché a llorar cuando vi a Dan lloroso; su emoción y su amor eran palpables y verdaderos mientras pronunciaba sus palabras.

Annabel y Sadie llevaron las flores; las dos estaban absolutamente encantadoras con sus trajes de dama de honor, el pelo recogido en coletas, muy serias cuando empezaron a caminar por el pasillo y riendo bobamente a mitad de camino, cuando todos los invitados cogieron las cámaras para hacerles fotos.

Antes de que tuviera tiempo de asimilarlo todo, éramos marido y mujer; la intimidad y la sinceridad de nuestra ceremonia fueron arrolladas por la grandiosidad de la fiesta.

Los pocos invitados que podíamos considerar amigos de verdad, como Fran y Marcus, Sally, Lily y Anna, fueron un refugio en medio de la tormenta. Mientras daba vueltas por la pista de baile, me encontraba cara a cara con alguien que reconocía, que me sonreía y se deshacía en cumplidos; entonces volvía a caer en la cuenta de que era el día de mi boda. ¡Mi boda! La realización de todos mis sueños.

Pero la mayor sorpresa me la dio mi padre.

No esperaba que acudiera; en realidad, para ser sincera, ni siquiera había querido invitarlo. Fue Dan quien insistió en enviarle una invitación, aunque yo recalqué que ya no tenía el menor interés por mí, que era malgastar un sobre, que solo nos unía la sangre y que eso no era suficiente. Traté de explicarle que ya no quedaba nada entre nosotros, ni cariño, ni amistad, nada.

Estaba segura de que era tirar una invitación, pero acudió.

Mi padre y su mujer se sentaron en el cuarto banco de la iglesia; iban de punta en blanco, pero tenían un aspecto aburrido y anticuado al lado de los glamurosos amigos de Linda y Michael. Cada vez que los miraba, parecían incómodos, abrumados y —¿eran imaginaciones mías?— orgullosos.

Por supuesto, ya en la recepción me acerqué a él y lo abracé con torpeza; ambos sabíamos que ya no nos unía gran cosa.

—Hola, papá —dije, retrocediendo sorprendida al ver lágrimas en sus ojos.

Me quedé allí parada mientras él se ahogaba de la emoción y repetía:

—Lo siento tanto, lo siento tanto... —Me cogió la mano y la sostuvo con fuerza mientras su mujer se retiraba a un segundo plano y nos dejaba solos—. Siento tanto no haber estado a tu lado para apoyarte.

Yo no supe qué decir, de modo que no dije nada; suspiré aliviada cuando alguien me arrancó de allí para hacerme más fotos.

Más tarde, después de los discursos, todo el mundo dejó de hablar cuando un hombre de mediana edad, medio calvo y con un traje que había visto tiempos mejores, cogió el micrófono y, nerviosamente, le dio unos golpecitos.

—Sé que no esperaban otro discurso —dijo mi padre mientras yo me encogía. Aquello no estaba previsto y me moría de vergüenza por lo que podía seguir.

Él carraspeó nervioso y sacó de su bolsillo dos trozos de papel.

—Pero Ellie es mi hija y quisiera decir unas palabras. A las tres y veintisiete del 2 de septiembre de 1970 vino al mundo Eleanor Sarah. Mi mujer estuvo de parto doce horas y catorce minutos mientras yo me paseaba por el pasillo. —Hizo una pausa—. En aquellos tiempos los hombres éramos muy hombres y esperábamos fuera. —Se oyeron unas risas que le dieron confianza; cuando continuó, el temblor de su voz había desaparecido—. Salió una enfermera y puso en mis brazos un pequeño bulto, y cuando miré a esa pequeña criatura que berreaba, ella dejó de llorar y me sostuvo la mirada; en ese momento comprendí a qué se refería la gente cuando decía que nunca quieres a nadie como quieres a tus hijos.

Se interrumpió y miró hacia las mesas, a los invitados que sabían de qué hablaba y a los invitados más jóvenes, que no habían tenido hijos y tenían aún que descubrirlo; me encontró y nos miramos, y de pronto me invadió una insoportable sensación de pérdida y de pena. Pena por el padre que no había conocido, por esos sentimientos que no había sabido que existían, y por el inesperado placer y orgullo que me producía que hablara en mi boda.

—No he sido el mejor padre para Ellie —dijo. Se me hizo un nudo en la garganta y una lágrima se deslizó por la mejilla izquierda—. Su madre murió cuando era muy pequeña. —Los invitados se miraron unos a otros, pues pocos lo sabían; apenas conocían nada de mí aparte de que me casaba con el hijo de Linda—. Y viéndola hoy, recuerdo el día que me casé con su madre. Ellie, tú no te acordarás, pero eres clavada a ella. Tienes su belleza, su luminosidad, su amor por la vida. —Hizo una pausa mientras la gente aplaudía, sin darse cuenta del impacto que tenían en mí sus palabras—. Yo no sabía qué hacer con una hija de trece años —admitió con tristeza—. La quería muchísimo, pero no sabía cómo ayudarla. Pero lo que entonces no sabía lo sé ahora, Ellie, y quiero transmitiros esta lección a ti y a Dan, quiero que sepáis todas las cosas que he aprendido demasiado tarde. Sé que no basta con querer. Que tienes que valorar a la gente que quieres. Que decir te quiero nunca es suficiente, tienes que demostrar ese amor cada día, aunque la vida a veces se interponga.

»Si me permiten citar a alguien mucho más elocuente que yo: "La mayor debilidad de la mayoría de los seres humanos es su incapacidad de decir a los demás cuánto los quieren mientras estos están vivos". Te quiero, Ellie. Puede que no te lo haya dicho demasiado a menudo, pero te quiero. Y a los dos os digo que os queráis y os demostréis ese amor cada día de vuestra vida.

Tras decir esas palabras bajó de la tarima y se acercó a nuestra mesa.

—¿Estás bien? —Dan se inclinó hacia mí y me secó las lágrimas; yo asentí, todavía demasiado emocionada para hablar.

Entonces mi padre se detuvo entre los dos, y yo me levanté y le abracé como es debido; me sentía unida a él, sentía su amor por mí por primera vez en muchos años.

—Gracias, papá —susurré mientras me apartaba—. Gracias, y no vuelvas a pedirme perdón, no debes hacerlo nunca más.

—Sí debo —dijo él sonriendo con tristeza—, pero te agradezco que lo digas. —Se volvió hacia Dan—. Tal vez cuando volváis de la luna de miel, ¿podríais venir unos días a casa? ¿Pasar unos días con nosotros?

Dan me miró y yo asentí.

—Nos encantaría.

Dan sonrió y le estrechó la mano a papá.

—Padre.

Linda se acercó con gran revuelo.

—¡Hola! ¡No sabíamos que iba a pronunciar un discurso! —Me apartó para presentarse a mi padre—. Soy Linda, la madre de Dan. Y este es Michael. Ni siquiera sabíamos que había venido. —Me lanzó una mirada que daba a entender que no le había gustado que no los hubiera presentado—. Estoy tan avergonzada de que no nos hayamos conocido antes... —continuó—. Pero me alegro muchísimo de que esté aquí. ¿No está guapísima su hija? ¿Verdad que parece una princesa?

Yo hice lo que siempre hago cuando Linda se da cuenta de que se ha excedido y empieza a cubrirme de elogios o regalos para compensarlo: me ablando y perdono inmediatamente todas sus faltas.

—¿Sabe? —dijo Linda, inclinándose con complicidad y asegurándose de que Emma no andaba cerca—. No debería decirlo, pero me siento muy afortunada de tener a su hija en la familia. Dicen que las nueras son las hijas que siempre has querido tener, y en el caso de Ellie es cierto. Oh, no es que no quiera a Emma —se apresuró a decir cuando vio que Dan y Michael la miraban como si se hubiera vuelto loca—, pero es tan difícil y discutimos tanto, y Ellie en cambio es una chica tan encantadora, tan fácil... —Y me miró orgullosa—. Salta a la vista que hizo un gran trabajo criándola, y soy afortunada de tenerla.

—Y parece que ella lo es de tenerlos a ustedes —dijo mi padre, conquistado por el encanto y los cumplidos de Linda.

—Vamos —dijo Linda cogiendo a mi padre del brazo—. Tiene que presentarme a su encantadora esposa, y luego quiero que conozca a todos nuestros amigos. Tal vez —le oí decir antes de que se alejaran— podrían venir a cenar con los chicos cuando vuelvan de su luna de miel.

Me volví hacia Dan gimiendo, porque, por precioso que hubiera sido el discurso de mi padre y por mucho que creyera que quizá podríamos tener una relación mejor, no estaba preparada para que Linda se entremetiera y se convirtiera en su mejor amiga, ni mucho menos.

Dan me rodeó con el brazo, se rió y me plantó un beso en la mejilla.

—No te preocupes, encantadora esposa. Ya sabes que mi madre habla por los codos.

Arqueé una ceja y me volví para mirarlo.

—¿Por qué tú puedes decir eso y yo no?

Dan siguió sonriendo.

—¿Has oído lo que he dicho? ¿Encantadora esposa?

Yo solté una risita.

—¡Lo sé! Y tú eres mi marido. ¡Dios mío, qué extraño!

—¿Sabes lo que es aún más extraño? —Dan señaló mi barriga y bajó la voz hasta susurrar—: ¡Que ahí dentro hay un bebé! ¿Puedes creerlo? ¡Nuestro bebé!

—Lo sé. Parte de nosotros.

—Sí. Un pequeño Cooper —dijo Dan.

Nos miramos y nos echamos a reír.

Una hora más tarde, Dan me encuentra hablando con Fran y Marcus, y me lleva a un aparte.

—Supongo que no podemos escaparnos de nuestra boda.

—No si no quieres que te deshereden.

—Maldita sea. Busquemos el contador y apaguemos todas las condenadas luces. Quiero llevarte arriba.

—Calma, calma —le susurro al oído—. Tenemos el resto de nuestra vida para eso.

Nos quedamos allí sonriendo como tontos, sin poder creer que ahora somos marido y mujer.

Dos horas después logramos marcharnos por fin. Los invitados forman una hilera y pasamos por delante, despidiéndonos con abrazos de los amigos y estrechando la mano a mucha gente que no he visto en mi vida.

Solo cuando subimos la escalera arrastrando los pies, me doy cuenta de lo agotada que estoy y de lo ceñido e incómodo que es el traje. Lo único que quiero hacer es desplomarme en la cama y dormir cien años seguidos.

Por suerte para Dan, recupero las fuerzas cuando abrimos la puerta de lo que esperamos que sea una habitación corriente y descubrimos que el hotel nos ha dado la suite más lujosa que he visto en mi vida. Dejad que os diga que trabajando para el Calden he visto muchas suites lujosas, pero no eran nada comparadas con esta.

—¡Dios mío! —Me quedo boquiabierta en el umbral—. ¿Es esta nuestra habitación? —Recorro con la mirada las alfombras, los enormes sofás, las titilantes lámparas de cristal, el champán y los bombones que nos esperan.

—Nuestra suite —me corrige Dan, mientras me lleva hacia el

dormitorio, donde han esparcido pétalos de rosa sobre la cama y hay un camisón de seda de La Perla encima de la almohada—. Ven aquí.

Me atrae hacia él y, abrazándonos y riendo, nos dejamos caer sobre la cama.

Linda y Michael llaman al día siguiente a las ocho de la mañana. Primero suena el teléfono del hotel y me niego a dejar que Dan conteste; sé que solo pueden ser mis suegros y también sé que querrán que vayamos a verlos para despedirnos. Luego suena el móvil de Dan y por último el mío.

No les hacemos ningún caso.

A las nueve, mientras Dan sale de la ducha y yo termino de maquillarme, llaman de la recepción para decirnos que tenemos visitas abajo. La verdad es que no me sorprende. Estamos hablando de una mujer que no tiene reparos en sacarme de reuniones cuando quiere hablar conmigo, de modo que dudo que desista porque no contestemos el teléfono. Y, en efecto, abajo nos esperan Linda y Michael. ¿Dónde iban a estar si no, por el amor de Dios?

No es que me moleste. ¿Cómo puede molestarme, sabiendo cómo es ella y la maravillosa boda que nos ofreció el día anterior?

Porque, la verdad sea dicha, aunque mi boda apenas tuviera que ver conmigo, aunque yo solo fuera una participante y no especialmente importante, hasta yo tengo que reconocer que Linda hizo un trabajo asombroso.

De modo que hablamos por teléfono con Linda y Michael, y diez minutos después bajamos para desayunar con ellos por última vez antes de irnos de luna de miel.

Mientras damos cuenta de la última taza de café y el último cruasán, Linda me sonríe.

—Algún día tendrás una hija y se casará, y entonces, si Dios quiere, podrás organizar su boda.

—¿Me estás diciendo que he tenido razón todo el tiempo? —Sacudo la cabeza riéndome con incredulidad, no porque me sorprendan sus palabras, sino porque no tenga reparos en confesarlo—. ¿No era mi boda sino la tuya?

—Por supuesto que tenías razón. —Linda sonríe—. Al igual que como yo tampoco había tenido una boda hasta ahora. Cuando me casé con Michael, ¿de quién crees que fue la boda? No seas boba. Fue la boda de mi madre. Pero ya te llegará el turno. —Y me abraza.

—¿Y si solo tengo hijos? —musito en alto, tratando de atraer la mirada de Dan mientras me pregunto si ese podría ser el momento apropiado para decirles lo del niño, ahora que ha terminado la boda y como por arte de magia han desaparecido los nervios y la presión de los meses anteriores.

Es más, quiero hacerle un regalo a Linda, quiero darle las gracias por todo lo que ha hecho, quiero encontrar una manera de disculparme por no haberme mostrado todo lo agradecida que debía. Y su primer nieto es el mejor regalo que puedo hacerle.

—Si solo tienes hijos —dice Linda mientras bebe un sorbo de café y me guiña un ojo—, entonces harás como yo y te ofrecerás a correr con todos los gastos.

—Mamá. —Dan sacude la cabeza—. Siempre consigues lo que quieres, ¿verdad?

—¿Ves lo que tengo que soportar? —dice Michael sonriendo y encogiéndose de hombros. Sabe que él solo tiene un papel secundario en su matrimonio, que solo le está permitido hacer algún que otro comentario como ese; él adquiere protagonismo en la sala del tribunal y debe contentarse con eso.

—Linda. Michael. —Atraigo por un instante la mirada de Dan y sé que él sabe lo que estoy pensando; asiente de modo casi imperceptible y me coge la mano por debajo de la mesa—. Tenemos algo que deciros —continúo mientras los dos sonreímos.

Ahora sí que parece una película. Linda está paralizada; su mirada va de Dan a mí mientras Michael se limita a arquear las cejas y esperar.

Dan sonríe.

—Vamos a tener un hijo.

Linda grita, se echa a llorar de alegría y abraza a Dan y luego a mí.

—No puedo creerlo —dice a través de las lágrimas—. ¡No me extraña que engordaras tanto!

—Muchas gracias, Linda. —Nunca se podría acusar a mi suegra de no saber qué decir.

—Pero debería haberlo sabido —dice Linda, secándose las lágrimas con una sonrisa en los labios—. No puedo creer que no lo haya adivinado. No puedo creer que lo hayáis mantenido en secreto. ¡Cielo santo, Michael! —Se vuelve hacia Michael, que ha terminado de abrazarnos y que puede que no tenga nada que decir, pero sonríe tanto como Linda—. ¡Michael! ¡Vamos a ser abuelos! —Y vuelven a brotar las lágrimas.

—Eh, mamá. ¿Estás segura de que te alegras? —dice Dan, dudando.

—¿Contenta? ¡Es el día más importante de mi vida! —Linda se ríe—. Pero no esperaba que fuera tan pronto. ¿De cuánto estás, Ellie?

—De diez semanas —digo sonriendo.

—¿Y cómo te encuentras? ¿Tienes mareos?

—No. Nada. Solo me muero de hambre.

Linda se recuesta y sacude la cabeza.

—No puedo creer que no lo haya adivinado. ¡Cielos, un bebé! ¡Un nieto! ¿Qué crees, Ellie? —Se vuelve hacia mí emocionada—. ¿Será niño o niña?

Me encojo de hombros.

—Creo que es demasiado pronto para saberlo.

—Pero debes de tener un presentimiento —dice Linda—. Yo acerté con mis tres hijos. Dime, ¿qué crees?

—La verdad, Linda. —Sacudo la cabeza—. Si tuviera algún presentimiento te lo diría, pero no tengo ninguno.

Linda se recuesta y me observa; luego, asiente.

—Niña. Seguro que es niña.

—Mamá, es imposible que lo sepas —dice Dan riendo—. Es ridículo.

—Lo sé. Créeme. Nunca me equivoco.

Veinte minutos más tarde nos despedimos fuera del hotel. Dan y yo nos subimos a un taxi que nos llevará a Heathrow, donde cogeremos el avión de la una y media a Antigua.

—¡Cuidad de mi nieto! —exclama Linda, agitando frenéticamente la mano en la acera—. Tened cuidado y manteneos alejados del ron.

—¿Qué tal si nos deseas que lo pasemos bien, mamá? —grita Dan por la ventanilla mientras cierra la puerta.

—No seas tonto, por supuesto que quiero que os lo paséis bien —dice Linda.

Ella y Michael se quedan de pie en la calle abrazados, todavía perplejos, mucho después de que el taxi haya tomado la curva y haya desaparecido.

Dan y yo nos acurrucamos en el asiento trasero del taxi; sonreímos y hablamos en voz baja de la reacción de mis suegros, y de ese nuevo niño que vamos a traer al mundo.

Me doy cuenta de que puede que haya personas que tardan un tiempo en asimilar que van a ser abuelos, sobre todo cuando son tan jóvenes como Linda y Michael, demasiado jóvenes sin duda para hacer el papel de abuelos de pelo gris, pero Linda está impaciente por serlo. Es maternal y afectuosa por naturaleza, y sé con absoluta certeza que está impaciente por sostener en brazos a la pequeña criatura, ocultar la cara en su delicado y tembloroso cuello y oler ese incomparable olor a bebé. Está impaciente por empujar orgullosa el cochecito por el barrio, por convertir su habitación de invitados en el cuarto de los niños y llenarlo de móviles. Después de todo, ya hace décadas que sus hijos caminaban dando tumbos, chocando con las paredes y dejando huellas pegajosas en todas las ventanas de la casa, y aun así sigue diciendo que le parece que fue ayer.

Mientras nuestro taxi baja por la calle, me vuelvo y veo algo que nunca he visto hasta entonces: Michael rodea a Linda con el brazo. De pronto caigo en la cuenta de que nunca veo demostraciones de cariño o amor entre ellos. Estoy tan acostumbrada a oír a Linda reñir a Michael —porque no le gusta cómo come, o cómo se sienta, o quiere que sea más así o menos asá— que resulta increíblemente extraño, y conmovedor, verlos tan felices juntos.

Tal vez, pienso mientras el taxi se dirige por la Westway camino del aeropuerto, tal vez un nieto es exactamente lo que necesitan. Tal vez todos empezaremos una nueva vida.

10

¿Puedo decir únicamente que me encanta estar embarazada? Adoro cada segundo. Al principio, cuando volvimos de nuestra luna de miel, me daba pánico acabar como un tonel, y el primer trimestre me pareció tan agotador y tan debilitante que estaba deseando que se acabara.

Pero a la decimotercera semana empecé a sentirme fenomenal. Contribuyó a ello, por supuesto, que comenzaran a brotar los narcisos y los azafranes de primavera, y que el sol se dejara ver después de un largo y frío invierno. Pero sobre todo fue porque por fin pude decir a todo el mundo que estaba embarazada. Por suerte casi todos pensaron que era fruto de la luna de miel, de modo que se convirtió en la versión oficial. Dejé de sentirme gorda e incómoda, y empecé a sentirme agradablemente voluptuosa y femenina.

Por primera vez tengo la sensación de que mi cuerpo está cumpliendo exactamente la función para la que ha sido creado. Me encantan mis pechos hinchados como globos y mi barriga redonda y protuberante. Tan orgullosa estoy de mi nuevo cuerpo que en mi armario no hay vestidos amorfos; lejos de intentar ocultar mi figura en constante aumento, la exhibo, y me siento sexy y atractiva con mis jerséis ceñidos y los pantalones premamá con la cintura baja.

La aureola del embarazo parece ser contagiosa. Allá donde voy todo el mundo me sonríe, me comenta que estoy «fantástica» y, para mi sorpresa, parece que estoy recibiendo más atención que nunca. Jamás he sido de esas mujeres a las que los hombres hacen mucho caso. Nunca me ha molestado pasar por delante de una obra porque lo peor que me han dicho los albañiles ha sido un educado «buenos días». Pero de pronto me silban en todas partes. Al principio pensé que debía de haber por allí alguna belleza rubia que acaparaba la atención, pero enseguida me di cuenta de que era yo, y me encanta ser por fin la clase de mujer que atrae a todos esos hombres.

En realidad no me interesan; tengo a mi maravilloso Dan, pero es extraño y maravilloso el poder que puede tener el embarazo.

—Seguro que a todos esos hombres les deben de dar morbo las embarazadas —comenté a Fran un día que Dan y yo fuimos a comer con ella y Marcus.

Los hombres se habían adelantado y nos habían dejado atrás disfrutando del sol de mayo, mirando escaparates y charlando.

—De eso nada —dijo Fran muy seria—. Estás preciosa. De verdad. Estás... —hizo una pausa buscando la palabra exacta— ¡exuberante! ¡Esa es la palabra! ¡Exuberante! Lozana, atractiva y maravillosa. Además, tienes la aureola del embarazo de la que todo el mundo habla. Estaría loco el hombre al que no le gustaras.

—Eso, eso —se hizo eco Marcus. Los habíamos alcanzado y había oído la última parte de la frase de Fran.

Fran se rió.

—En serio —dijo—, tienes mucha suerte. Yo me puse horrible con las dos niñas. Pelo grasiento, cubierta de acné. Vomité durante casi los nueve meses y me encontré fatal. A juzgar por tu aspecto, es niño. ¿No dicen que cuando es niño estás fantástica mientras que cuando es niña te chupa la energía?

Froto mi bombo de veintisiete semanas.

—Mi suegra asegura que voy a tener una niña y parece ser que nunca se ha equivocado —dije muy seria.

—Bueno, cuando estaba embarazada de las gemelas todos me dijeron que serían niño y niña, y curiosamente tampoco se habían equivocado hasta entonces.

Me reí.

—¿Y qué dijeron cuando tuviste a dos niñas?

—Que la próxima vez seguro que tenía un niño. —Fran también se echó a reír.

Dan está convencido de que es niño, pero yo no tengo ni idea. He preguntado a todas las personas que conozco que tienen hijos si ellas lo supieron y, si fue así, cómo lo hicieron; pero yo sigo sin tener ni idea. Algunos días me despierto y tengo un fuerte presentimiento de que llevo un niño en mis entrañas y otros días estoy igual de convencida de que es una niña.

Cuando estoy de siete meses, empieza a despertar mi sentido hogareño y de pronto lo único que quiero hacer es pintar y decorar. Me siento pletórica de energía y paso horas en Homebase escogiendo el color de la pintura, y aún más horas en John Lewis mirando muebles de habitaciones para niño y ropa de bebé. Sin embargo, no me atrevo a comprar nada; soy muy supersticiosa y prefiero comprar el primer conjunto en cuanto vuelva del hospital.

Pero ya he hecho todo lo que está en mi mano; todas las paredes están pintadas y he cambiado los muebles de sitio. Como todavía me queda energía que gastar, Dan propone que demos una fiesta para estrenar la casa.

Hay que reconocer que es un poco tarde, pero comprar la casa nos llevó mucho más tiempo del previsto; en el último momento aparecieron otros dos compradores y nos vimos enzarzados en una guerra de ofertas que no podíamos permitirnos. Al final Dan se sentó con el vendedor y lo acusó de no tener integridad y de comportarse de forma inaceptable, puesto que ya había acordado con nosotros el precio y la venta, y que si era un caballero debía obrar en consecuencia. Subrayó la palabra caballero. Es una de las cosas que me encantan de Dan. Tiene una noción tan clara del bien y del mal que no le asusta enfrentarse a la gente si cree que ha actuado de forma inmoral o ha sido injusta con él. Y funcionó; Dan hizo que se avergonzara de tal manera que al final nos vendió la casa por menos dinero del que era evidente que quería. Pero, como dijo Dan, todo se paga en esta vida, y si él hubiera vendido el piso a uno de los otros compradores, el karma le habría pedido cuentas.

El caso es que cuando por fin nos mudamos, los dos estábamos tan agotados por la tensión acumulada de la boda, el riesgo que habíamos corrido de perder el piso de nuestros sueños y la mudanza en sí, que apenas tuvimos fuerzas para deshacer las cajas, y no digamos decorar la casa.

Linda se ofrecía a hacerlo cada vez que venía; miraba con desesperación los libros amontonados contra la pared, las cazuelas y las sartenes que rara vez utilizábamos, que todavía estaban guardadas en cajas en un rincón de la cocina. Yo siempre declinaba su ofrecimiento educadamente pero con firmeza, diciendo que tenía que hacerlo yo o nunca encontraría nada.

De modo que nadie se ha alegrado más que Linda de que haya aflorado mi sentido hogareño y el piso esté por fin a la altura de sus grandes posibilidades. Y nadie ha podido emocionarse más que yo ante la perspectiva de organizar una fiesta de inauguración de la casa.

Invitamos a los amigos que asistieron a la boda, a vecinos que hemos conocido sorprendentemente deprisa y a gente que, como dice Dan, son amigos en ciernes, como la pareja que solemos encontrarnos paseando a su perro a última hora de la tarde —solo nos hemos sonreído y saludado con un hola, pero ambos estamos de acuerdo en que parecen simpáticos—; la chica que trabaja en la tienda de ropa interior y que siempre sale a saludarme cuando paso por delante y me pregunta qué tal estoy; los demás clientes del café polaco al que vamos los sábados por la mañana; personas que nos caen bien a pesar de que no las conocemos en realidad, con quienes no hemos podido trabar una verdadera amistad por falta de tiempo y energía. ¿Y qué mejor manera de iniciarla que invitarlos a una fiesta?

Yo estoy a cargo de la iluminación, y, después de consultar algunos libros, decido decorar el borde de los caminos con luces —bolsas de papel marrón sujetas con arena en las que hay una pequeña vela dentro—, colocar grandes antorchas por todo el jardín, extender entre los dos manzanos del fondo una ristra de luces de colores y colgar farolillos japoneses sobre el patio.

Dan consigue por internet un montón de recetas de cócteles; cuando hemos escogido los que más nos gustan, prepara grandes jarras de mojitos y caipiriñas, y monta en una esquina del jardín una barra con un enorme cubo de hielo debajo.

Yo quería cocinar. De verdad que quería, pero aun estando en pleno auge mi sentido hogareño, conozco mis limitaciones, así que prefiero ir a Sainsbury's y a Mark & Spencer, y comprar ensaladas ya preparadas, pan de ajo, que solo tengo que calentar en el horno, y unos bizcochos que tienen un aspecto delicioso. El día de la fiesta, coloco fuentes artísticamente presentadas con jamón, pollo frío, carpaccio; queso brie, camembert, roquefort y de cabra; aceitunas, pimientos rellenos y pepinillos verdes.

Dan sufre una regresión hacia la música y las discotecas a las que iba a los veintitantos años. Yo ya conocía esa antigua afición, pero no como la conozco ahora, que lo he visto pasarse horas pegado a su reproductor de discos compactos, escogiendo cuidadosa y metódicamente la música; empezará con suaves melodías de Ibiza y acelerará gradualmente el ritmo para asegurarse de que todo el mundo baila.

Estoy tan emocionada, estamos tan emocionados, que las semanas previas no podemos pensar en otra cosa. No me interpretéis mal, cuando teníamos veinte años los dos íbamos a cientos, si no a miles, de fiestas como esta, pero han ido desapareciendo poco a poco ahora que tenemos treinta; nuestros amigos nos siguen invitando pero de otro modo.

Los que no tienen hijos parecen haberse decantado por las cenas íntimas. No tan formales como las que habrían organizado nuestros padres, suelen desarrollarse en la cocina: estamos todos de pie charlando y echando una mano antes de sentarnos a la mesa de la cocina con varias botellas de buen vino.

Los que tienen hijos suelen organizar comidas, o barbacoas en verano, o simplemente no hacen nunca nada, pues la idea de alternar y cuidar al mismo tiempo de sus hijos sencillamente los supera.

Pero, en cualquier caso, la gente no bebe ni baila ni se divierte tanto o con la misma frecuencia que antes, y Dan y yo estamos decididos a cambiarlo. Sobre todo yo.

Mierda. ¿Son imaginaciones mías o están llamando a la puerta? ¿Y quién viene ahora que estoy en la bañera como la pesada ballena embarazada que soy una hora antes de que empiece la fiesta?

—¡Dan! —grito desde la seguridad del cuarto de baño—. ¡La puerta! ¿Puedes abrir?

No hay respuesta, el único sonido que me llega es la música de salsa a todo volumen del estéreo instalado en el jardín, que se oye tan alta dentro del cuarto de baño como fuera.

—¡Dan! —vuelvo a gritar mientras suena el timbre.

Al final me levanto resoplando y jadeando de la bañera, me envuelvo en el albornoz de Dan —el único que todavía me cabe— y bajo goteando para abrir la puerta. En realidad no esperamos a nadie hasta dentro de una hora... o dos si, como sospecho, nadie llega a la hora fijada.

—¡Hola, querida! —Linda me besa en el aire y pasa por mi lado, seguida de cerca por Michael—. ¿Llegamos pronto?

—Podrías decirlo así. No esperamos a nadie hasta dentro de una hora por lo menos.

Mi voz y mi expresión son sombrías. Lo único que quería era disfrutar de un baño relajante y arreglarme con calma, y ahora probablemente tendré que sentarme con ellos y darles conversación. De pronto me pongo de mal humor, por no decir algo peor. Entonces me fijo en que Michael lleva varias bolsas de Daisy & Tom.

—Verás, es que quería enseñarte lo que hemos comprado para el bebé. —Linda sonríe—. ¡Estoy tan emocionada! Michael quería que fuera una sorpresa, pero yo me muero por saber qué opinas.

Francamente, no tengo tiempo. Toda la gente que conozco, y la que no conozco, llegará dentro de —consulto el reloj— menos de una hora, y aquí estoy, goteando agua en la alfombra y con el pelo todavía empapado. Además, tengo que dar un último repaso al piso antes de que lleguen los primeros invitados, familia excluida.

—¿Por qué no salís al jardín con Dan mientras me visto? —Sonrío entre dientes mientras miro cansinamente las bolsas. Linda sabe lo supersticiosa que soy, sabe que aún no he comprado nada a propósito. ¿Qué demonios hay dentro de esas bolsas? Trato de hablar con tranquilidad—: Servíos una copa. Me reuniré con vosotros en cuanto esté lista.

—Estupendo. —Michael ya está saliendo, visiblemente incómodo en presencia de su nuera en albornoz.

—No tardes mucho —dice Linda.

Contengo mis ganas de pegarle. Ahora tendré que darme prisa para no ofenderlos, y seguro que acabo con el pelo encrespado y la sombra de ojos corrida. Ya estoy más nerviosa de lo que he estado en meses.

Pero, por alguna razón, gracias a Dios, logro no darme prisa. Metida en el agua ahora tibia —añado rápidamente más agua caliente— recupero la calma, y me tomo todo el tiempo del mundo para arreglarme. Solo miro de vez en cuando por la ventana para admirar nuestra obra, lo precioso que está el jardín cuando se pone el sol y se aprecian de verdad todos los farolillos y las antorchas, el aire festivo que tiene todo.

Linda y Michael están charlando animadamente con Dan; los dos beben mojitos, y salta a la vista que Linda está encantada de tener a su hijo para ella sola, cosa que rara vez ocurre últimamente. El resultado es que no se me encrespa el pelo, la sombra de ojos se extiende perfectamente y la camiseta bordada con cuentas me encaja a la perfección a pesar de no ser para embarazadas. Me pongo unas sandalias recién compradas —un antojo, ya que últimamente solo puedo comprarme zapatos—, me recojo el pelo con un clip con diamantes de imitación y, sintiéndome muy atractiva, salgo para reunirme con los demás.

—Bien, aquí está —dice Linda, juntando las manos, como si hubiera pasado los últimos cuarenta y cinco minutos manteniendo una aburrida conversación de cumplido mientras esperaba que yo llegara, en lugar de haber podido monopolizar a su querido hijo predilecto.

Michael le pasa a Linda las bolsas de plástico que llevaba al entrar, pero antes de sentarme me sirvo un vaso de té helado. Miro con deseo los mojitos, pero ya sé que el alcohol y el embarazo están reñidos, aunque ya falta menos para que pueda volver a beber.

En cuanto me siento, Linda se dispara. Mete una mano en una de las bolsas y empieza a sacar lo que hay dentro. Salen camisetas de todos los colores mientras ella señala encantada lo bonitas y prácticas que son. Y paquetes y más paquetes de muselinas, seguidas de toallas con capucha y patitos de goma. También hay peleles y pijamas enteros amarillos y verdes, morados y naranjas.

—Si no te gusta algo puedes cambiarlo —no deja de decir mientras aumenta el montón sobre la mesa—. No he querido comprar nada rosa o azul, pero en cuanto sepamos...

—Lo sé —digo, totalmente abrumada por la cantidad de cosas que han comprado.

Después de la ropa, los juguetes.

—Sé que no debería haberlo hecho —dice Linda—, ¡pero mira! ¿No es precioso este osito? No he podido resistirme. Y este chisme con música se cuelga de la cuna y tiene luces que les ayudan a dormir, ¿no es precioso? Lo vi anunciado por televisión, y este móvil ayuda a desarrollar...

Veo que Dan está encantado. No para de mirarme, y sé que quiere saber qué pienso.

—¿No es fantástico, Ellie? —dice mientras yo gruño—. Caray, mamá, es increíble. ¿Verdad, Ellie?

Pero yo no digo nada, no puedo. Por desagradecida que pueda parecer, todos esos regalos que tengo delante son todo lo que puede querer o necesitar un recién nacido, ¿qué me queda a mí por comprar?

¿Creen que no he comprado nada porque no quería? Me ha costado Dios y ayuda contenerme cada vez que he visto algo. Cada vez que he pasado por delante de una tienda de niños, he estado a punto de entrar corriendo y comprar todo lo que veía; pero soy supersticiosa y no he querido tentar a la suerte antes de los seis meses. Y ahora que ya he superado las veinticuatro semanas, ahora que aunque naciera el bebé en este momento tendría posibilidades de sobrevivir, he soñado con ir de compras y escoger todas las cosas que ahora están amontonadas en la mesa de mi jardín, enfrente de mí.

De modo que sí, sé que debería sentirme agradecida, y sé que debería alegrarme de que mi bebé tenga unos abuelos tan cariñosos y generosos, pero solo tengo ganas de llorar; el sentimiento que me domina en este momento es de odio, y todo va dirigido hacia Linda. Odio porque me ha robado la emoción, el entusiasmo y la alegría.

¡No es tu hijo!, quiero gritar. ¡Es mío! ¡Debería ser yo la que comprara estas cosas! ¡No tú! Pero no puedo. En lugar de ello hago un esfuerzo por contener el llanto, trato de tragarme el nudo de la garganta, y me obligo a sonreír y a dar las gracias.

No funciona. Cuando trato de tragar el nudo, se me escapa un sollozo que se convierte en llanto declarado. Me levanto de un salto y entro corriendo en la casa, sin importarme la expresión horrorizada de Linda —seguramente ante mi ingratitud—, mientras Michael parece enfadado —a saber por qué—, y Dan, el pobre, está totalmente confuso.

Me calmo y, desde la seguridad del cuarto de baño, con la ventana abierta, puedo oír lo que ocurre fuera. Contengo el aliento y escucho.

—¿Qué? —Me la imagino. Linda abriendo mucho los ojos y encogiéndose de hombros, la imagen de la inocencia.

—No empieces con tus qué —replica Michael, y su voz no es la que suelo oír, sino la voz firme y potente de los tribunales, la que utiliza en el trabajo, la que intimida y asusta, la que le ha dado la fama de ser uno de los mejores abogados del cuerpo de letrados del Estado—. Te dije que Ellie se enfadaría. Te dije que no te correspondía a ti hacerlo, que Ellie querría comprar todo esto personalmente. Pero has tenido que insistir.

Linda se pone inmediatamente a la defensiva.

—¿Cómo sabes por qué está llorando? Dudo que sus lágrimas tengan que ver con nosotros. La verdad, Michael, ¿qué chica sería tan ingrata como para llorar solo porque una abuela le ha comprado algo al bebé?

Michael sacude la cabeza en señal de advertencia.

—No me vengas con esas, Linda. Sabes que Ellie se moría por comprarle cosas al bebé, y sabes que si esperaba era porque no quería tentar a la suerte, pero tú no has podido esperar y has tenido que robarle la ilusión.

—¿Cómo te atreves? —estalla Linda—. No quería robarle la ilusión, solo trataba de ayudar, por el amor de Dios. Además, si lo veías tan claro, ¿por qué no has dicho nada?

—Lo he hecho —replica Michael con frialdad—. Y muchas veces, pero, como siempre, has preferido no hacerme caso.

—¿Qué se supone que quiere decir eso?

Linda se alegra de convertir esa discusión en algo más serio porque, por supuesto, sabe que Michael tiene razón, lo supo en cuanto escogió el primer pijama. Es la matriarca de la familia; no importa cuántos hijos tengamos, ni cuánto aumente la familia, ni quién más pase a formar parte de ella, Linda debe ser la estrella en torno a la cual giran todos y todo. Puede que el niño esté creciendo dentro de mí y sea mi hijo, pero, por lo que a ella se refiere, es su primer nieto. No os quepa la menor duda de ello.

En ese momento Dan murmura algo acerca de unos problemas de última hora con la música y se escabulle dentro de casa para manipular sus discos compactos.

—Lo que quiere decir —continúa Michael, y sé que lamenta que yo me haya disgustado porque tiene debilidad por mí; además lo veía venir, y probablemente sabe que podría haber hecho algo por impedirlo, pero está demasiado acostumbrado a someterse a Linda, a dejar que se imponga la personalidad más fuerte de ella—, lo que se supone que quiere decir eso —repite—, es que solo escuchas lo que te conviene, y que cada vez que alguien te dice algo que no te gusta te limitas a pasarlo por alto.

—A veces sales con unas cosas absolutamente ridículas —gruñe Linda con desdén—. Tal vez si no te escucho es porque no tienes ni la menor idea.

—Es exactamente lo que estás haciendo ahora; niegas lo que digo porque no es lo que quieres oír. ¿Por qué crees que la mitad de las veces ni siquiera me molesto en hablar contigo? ¿Eh? Porque es inútil. Porque eres tan intransigente, maldita sea, que es imposible hacerte entender nada.

Linda se vuelve hacia él con cólera en los ojos.

—A mí no me hables así —dice—. ¿Entendido?

Y así es como siempre termina. Linda pelea hasta que sabe que no puede ganar, y cuando se le acaban los argumentos, o parece que Michael va a decir la última palabra, le dice que no va a seguir tolerándolo. En las raras ocasiones en que Michael todavía tiene algo que decir·y las ganas de hacerlo, Linda sale cerrando de un portazo, y no vuelve hasta que Michael se disculpa.

Lo que él siempre hace.

Pero Michael —¡bendito Michael!— no va a permitir que ella estropee la fiesta, y cuando vuelve a hablar, se muestra más severo de lo que nunca le he visto, más severo de lo que le habría creído capaz de ser; tengo que contenerme para no salir al jardín y besarlo. En lugar de ello, me quedo sentada en el cuarto de baño y sonrío en silencio a través de las lágrimas.

—Vas a entrar a pedirle perdón a Ellie —dice Michael en un tono de voz tan frío y bajo que tengo que aguzar el oído para oírlo desde mi posición debajo de la ventana—. Vas a ofrecerte a devolverlo todo y vas a decirle que lo sientes hasta que te perdone.

Linda abre la boca para hablar, pero vuelve a cerrarla en señal de sumisión. Se levanta en silencio y entra para buscarme.

—¿Puedo entrar?

La puerta se abre con suavidad mientras Linda entra.

Rechino los dientes, convencida de que hoy voy a decirle exactamente cómo me siento y por qué me parece tan despreciable su comportamiento. Voy a decirle que sé exactamente a qué está jugando, que todo esto es porque se pirra por el poder, pero que no voy a seguir aguantándolo.

Estoy tan furiosa que me resulta imposible limitarme a aceptar sus disculpas. Hoy me he hartado. Voy a decirle que lo devuelva todo, y por primera vez voy a desahogarme. No me voy a contener. Ya no me importa.

—Lo siento —dice Linda incómoda, incapaz de mirarme a los ojos—. Sé que estabas deseando comprar cosas para el bebé, y que no debería haberlas comprado yo, y en fin, no quería disgustarte, no lo pensé, sencillamente me emocioné al ver todas esas cosas tan monas, pero ahora me doy cuenta de que...

No puedo creerlo. Linda se echa a llorar.

Se sienta y llora, tomando grandes bocanadas de aire; yo me quedo totalmente desconcertada. Estaba preparada para pelear. Estaba preparada para gritar si era necesario, para decirle a Linda qué pienso exactamente de ella, y lo último que esperaba era verla llorar.

Ni siquiera sabía que Linda era capaz de llorar, y es tan alarmante y tan apabullante que me quedo sin habla. Me sorprendo a mí misma rodeándole los hombros para tranquilizarla y diciéndole que por supuesto está perdonada, que sé que solo trataba de ayudar, y que no, no quiero que devuelva todas esas cosas maravillosas, que en realidad mi disgusto solo se debe a mi desajuste hormonal y que estoy encantada con su generosidad y consideración.

Son disparates, naturalmente, pero siento algo que nunca había creído que sentiría por Linda: compasión.

La compadezco de verdad, y aunque sé lo taimada y manipuladora que puede ser, y sé exactamente qué se proponía hacer hoy, una parte de mí cree sinceramente que podría haberlo hecho sin pensar, que tal vez no ha sido una maniobra maliciosa sino tan solo una falta de tacto, y toda mi cólera se disipa.

Al cabo de cinco minutos volvemos a ser amigas, y estamos tan cerca de ser madre e hija como pueden estarlo una madre y una nuera. Nos reunimos de nuevo con Dan y Michael, que se quedan visiblemente aliviados al ver lo deprisa que hemos olvidado nuestras diferencias.

Por suerte nos reunimos con ellos justo a tiempo, porque apenas nos hemos sentado cuando se oye el timbre de la puerta anunciando a Fran y Marcus, nuestros primeros invitados. A partir de ese momento parece que todos llegan a la vez, y empiezan a hablar, a llenarse de nuevo las copas y a llamar a gritos a amigos que hace meses que no ven.

A pesar del mal comienzo, todos lo pasamos en grande esa noche. Hasta Linda y Michael; Linda se siente en su elemento con los amigos de Dan, a los que ha visto crecer y convertirse en hombres guapos y fuertes; y Michael, aunque callado y discreto como siempre, parece —para mi regocijo— sorprendido y un poco halagado de encontrarse hablando con Sally, la locuaz y coqueta de Sally, quien con hábiles comentarios y el centelleo de sus ojos parece hacerle desear tener veinte años menos y estar soltero.

La gente bebe, charla, come, ríe. En un momento determinado sube el volumen de la música y la explanada de césped se convierte en una pista de baile improvisada. Es exactamente la fiesta que quería, una fiesta en la que todos recuerdan quiénes eran antes de que la vida, los hijos y las responsabilidades se interpusieran.

Lo cierto es que todos lo pasamos muy bien.

11

*... the birthday of my life
is come, my love is come to me.**

CHRISTINA ROSSETTI

Llaman suavemente a la puerta y digo en voz baja: «Adelante». Sonrío beatíficamente a Fran y Sally, que entran y sueltan un grito ahogado; inmediatamente se acercan a la cama, donde estoy sosteniendo a un diminuto Thomas Maxwell Cooper.

—Dios mío —suspira Fran—, te olvidas de lo pequeños que son.

—Es monísimo —dice Sally.

Se empujan para mirarlo más de cerca.

—¿Quieres cogerlo en brazos? —Se lo paso suavemente a Fran, que se sienta en la cama sosteniendo a Tom con cuidado mientras se maravilla de sus facciones perfectas.

—¿Cómo te encuentras? —Sally deja un gran ramo de tulipanes en el alféizar de la ventana, sin caer en la cuenta de que dentro de una hora estarán marchitos, ya que a pesar de que estamos a mediados de agosto y fuera hace un calor sofocante, siguen caldeando este maldito hospital a cien grados. No se pueden apagar los ra-

---

* «... el cumpleaños de mi vida ha llegado, mi amor ha acudido a mí.» (*N. de la T.*)

diadores —instalados seguramente en la época victoriana— ni se pueden abrir las ventanas.

—Estoy bien —digo, sonriendo radiante—. De hecho, estoy genial, lo que no es habitual después de una cesárea. Pero me muero por irme a casa.

—¿Y cuándo te vas?

—Mañana.

Han sido cuatro largos días. Pensé que aquí podría recuperar el sueño atrasado. Cada noche entrego a Tom —ya se ha convertido en Tom en lugar de Thomas— a las enfermeras y les pido que le den el biberón para poder dormir toda la noche. Pero cada noche, exactamente a la 1.33, estoy completamente desvelada; sé que debería tratar de volver a dormirme, pero en cuanto me despierto, me acuerdo de que tengo un bebé. ¡Y está aquí! La emoción amenaza con sobrepasarme, y antes de que me dé cuenta estoy recorriendo el pasillo en zapatillas para ir a reclamarlo.

Es como recibir el regalo de cumpleaños más grande que jamás me han hecho, multiplicado por mil, y apenas puedo soportar que me lo quiten de los brazos.

Yo no fui la primera en sostenerlo. Fue Dan. Ninguno de los dos habíamos previsto una cesárea, pero doce horas de parto llevaron a un diagnóstico de «fallo en el proceso», y, con franqueza, estaba tan extenuada que cuando dijeron de practicarme una cesárea, podrían haberme dicho que me amputarían todos los miembros y habría aceptado sin chistar.

No reaccioné bien a la anestesia. Cuando me sacaron a Tom, yo estaba utilizando las pocas fuerzas que me quedaban en combatir unas náuseas crecientes y tuve miedo de vomitar sobre él si me lo daban. Así que lo sostuvo Dan en brazos, y yo cerré los ojos mientras me daban un Valium, que me permitió dejar de temblar y dormirme.

Cuando volví en mí, estaba en la sala de recuperación con Dan desplomado en una silla en un rincón.

—Hola. —Arrastró la silla hasta la cama y me cogió la mano mientras me besaba la frente y me sonreía.

—Hola —murmuré—. ¿Dónde está el niño?

—Está bien —dijo—. Está en el nido. Lo han lavado y vestido.

—¿Es guapo? —pregunté.

—Es asombroso —dijo Dan, y se le llenaron los ojos de lágrimas—. Sencillamente asombroso. —Sacudió la cabeza—. No puedo... No puedo creer que hayamos creado algo tan perfecto.

—¿Puedo verlo? —pregunté.

Dan llamó a la enfermera y al cabo de cinco minutos tenía a Tom en mis brazos. Derramé cálidas lágrimas de alegría sobre su recién estrenado pijama de la marca John Lewis que, aunque era para recién nacidos, parecía tres tallas más grande.

—¿A quién crees que se parece? —susurré sin apenas moverme hasta que Tom dejó por fin de retorcerse y gritar, y se durmió en mis brazos.

—Creo que tiene tus manos. Mira qué largos tiene los dedos.

Nos inclinamos y los miramos. Yo los besé, uno por uno, con delicadeza.

—Mis padres creen que se parece a mí —dijo Dan mientras besaba a Tom en la coronilla—. Parece ser que yo también era muy peludo cuando nací. Pero estoy seguro de que cambiará. Al parecer, biológicamente todos los niños son exactamente iguales que sus padres cuando nacen para que estos no los rechacen. ¡Como si fuera a hacerlo! —Y se rió.

El corazón empezó a latirme con fuerza.

—¿Tus padres creen que se parece a ti? ¿Y cómo lo saben? ¿Lo han visto?

Se produjo un silencio sepulcral mientras Dan miraba al suelo.

—Sí —respondió con poca confianza.

Supe que trataba de buscar una salida, una forma de poner fin a esa conversación y ahorrarse decirme algo que yo no quería oír.

—¿Qué quieres decir con que lo han visto? —Yo sabía que me estaba repitiendo, y aunque hablaba con tono tranquilo, era un torbellino de emociones. ¿Cómo era posible que ellos ya lo hubieran visto cuando yo acababa de verlo? ¿Y qué hacían aquí, de todos modos?

Linda y Michael me habían preguntado hacía unas semanas si podían estar presentes en el parto, habían insistido en lo mucho que significaría para ellos, que siempre habían esperado ese momento.

Yo me quedé completamente desconcertada. Nunca he comprendido que alguien quiera que haya más testigos que su marido en el nacimiento de un hijo. ¿Creía realmente Linda que iba a ser capaz de mirarla de nuevo a la cara después de que me hubiera visto echada con las piernas abiertas y con la cabeza del bebé asomando por la vagina? Solo pensarlo me hacía sudar. Había visto documentales sobre partos, había visto a todos los familiares apiñados alrededor de la madre en la sala de partos y lo único que había sentido era horror. ¿No es el momento más íntimo de toda tu vida? ¿Quién quiere verse tan expuesta y tan vulnerable delante de alguien que no sea el médico, la comadrona, la enfermera o tu marido?

Pero cuando Linda me lo preguntó no supe qué decir, no quería parecer maleducada, después de todo lo que había llovido todavía trataba de ser una nuera sumisa, de modo que le respondí educadamente que lo pensaría y le diría algo.

—¿Se ha vuelto loca? —le dije a Dan en el coche.

Él se encogió de hombros, incómodo.

—Le he dicho que te lo preguntaría a ti.

—Fantástico. ¿Quieres decir que ya te lo había preguntado a ti?

—Sí, y le dije que no dependía de mí, que es tu cuerpo y tu parto, y que tenía que preguntártelo a ti.

—Hummm —dije, agradeciendo de mala gana su apoyo.

Dos días después —en los que había evitado las llamadas de Linda; dejaba que saltara el contestador automático y solo se las devolvía cuando me constaba por Dan que no estaba en casa—, la llamé y le expliqué que me incomodaba que hubiera alguien más, pero que Dan y yo la telefonearíamos en cuanto acabara todo, y que entonces ella y Michael podrían ir al hospital si querían.

¿No me había expresado con claridad? Que Dan y yo la telefonearíamos y entonces podrían ir al hospital.

De modo que, ¿cómo coño había visto ya a mi hijo?

—¿Cómo coño han visto a mi hijo? —espeté con voz estridente. A duras penas podía contener la histeria—. Yo acabo de verlo.

Dan empezó a sacudir la cabeza.

—Lo siento mucho, Ellie. No sé qué decir. Te juro que no sabía que estaban aquí.

—¿Qué quieres decir?

—Mi madre llamó cuando te preparaban para llevarte al quirófano. Solo quería saber cómo estábamos, y no pude mentirle y no decirle que estábamos en el hospital. Cuando me quise dar cuenta ya estaban aquí.

—¿Aquí? ¿Dónde? ¿En el quirófano? —Por un aterrador momento pensé que había estado tan inconsciente que no los había visto en algún rincón del quirófano, observando cómo me practicaban una cesárea.

Dios mío. ¿Puede haber algo peor que tus suegros echando una mirada a tu vagina o a tus entrañas?

—No, pero estaban en la sala de espera, y... —Se interrumpió, visiblemente reacio a continuar—. Después de que naciera a Tom lo llevaron al nido y la enfermera que estaba allí los felicitó, y parece ser que... —Volvió a callarse con una expresión apenada.

—¿Qué?

—Parece ser que los dejó entrar para que lo vieran y ellos lo cogieron en brazos. Un momento.

Me eché a llorar de disgusto y de rabia, y Tom se despertó y se puso a berrear. En ese momento en lo único que podía pensar era en que Tom y yo estábamos contra el resto del mundo, y los odié a todos excepto a ese diminuto bebé amorfo que pataleaba y berreaba en mis brazos.

Entró la enfermera con una expresión de preocupación e hizo salir a Dan, diciéndole que era demasiado para mí y que no debía contrariarme, que al fin y al cabo una cesárea era una operación seria. Sé que Dan, que debería haber estado contentísimo en esos momentos, se sintió como el mayor idiota del mundo.

Me alegro. Le estaba bien empleado.

Pero hoy, cuatro días después de la operación, ya le he perdonado. Aunque no estoy segura de si podré perdonar a Linda.

Sé que es ridículo. Me encanta que mis amigos sostengan a mi bebé. Pero cada vez que Linda y Michael vienen a vernos, ella se acerca inmediatamente a mí y me coge a Tom de los brazos, y yo le digo que no, que no estoy preparada para que nadie más lo sostenga en brazos. Ella se sienta con expresión desgraciada en un rincón y se queda inmóvil. Yo sé que se siente rechazada. Sigo acunando y arrullando a Tom, y no puedo evitar sentirme victoriosa. Es posible que sostuvieras a mi hijo en tus brazos antes que yo, pienso, pero no ganarás.

No es tu bebé y me aseguraré de que nunca se te olvide.

Nada podría haberme preparado para Tom, para cómo ha cambiado mi vida con su llegada, y nada podría haberme preparado para el amor abrumador que siento por esta criatura a quien solo conozco desde hace unas semanas.

Por las noches no puedo dormir. A veces estoy levantada porque Tom tiene hambre o llora, entonces vamos juntos a la sala de estar, donde lo acuno con la MTV puesta a un volumen muy bajo; otras veces me acerco de puntillas a su cuna y miro su cara mientras duerme, incapaz aún de creer que es mío y que está aquí.

He pedido tres meses de baja por maternidad en el trabajo, y ya lo echo de menos. Echo de menos el bullicio, la rutina, estar entre adultos, pero cuando pienso en volver a trabajar y dejar a Tom, dejárselo a otra persona para que lo cuide, empiezo a sentirme físicamente enferma.

Trato de no pensar en ello.

En cambio me estoy concentrando en mi nueva vida de madre, con todas las novedades que conlleva, entre ellas, para mi sorpresa, nuevas amigas.

Cada día a las tres, después de dar de comer a Tom, lo siento en su sillita y nos vamos al parque, donde tras deambular un rato me siento en la zona de los columpios, mirando a los niños mayores. Al cabo de un tiempo te das cuenta de que siempre ves las mismas caras, y las mujeres con hijos de la misma edad tienden a juntarse. Cuando Tom cumple seis semanas empiezo a hablar con Lisa, que tiene a Amy, una niña de dos meses, y con Trish, que tiene a Oscar, de cinco semanas.

Empezamos contándonos nuestros respectivos partos; luego, nos damos consejos sobre cómo conseguir que el bebé se tome un biberón cuando solo le das de mamar, y acabamos hablando de nuestros maridos y de nuestra vida.

Al principio todos los temas, incluso cuando hablamos del trabajo, que era una parte de nuestra vida increíblemente importante antes de tener un hijo, acaban derivando en los niños.

Pero al cabo de un tiempo esos encuentros diarios, que se trasladan de la zona de los columpios a la cafetería, y poco después a nuestras casas, donde decidimos montar una guardería improvisada, se convierten en la principal actividad del día.

Puede que a Lisa, a Trish y a mí nos hayan unido de entrada nuestros hijos, pero enseguida empiezo a verlas como amigas y al poco tiempo se convierten en tales. Cuando Tom está a punto de cumplir tres meses y estoy contando con terror los días que me faltan para reincorporarme al trabajo, me pregunto cómo he podido vivir sin Lisa y Trish.

¿Cómo he podido vivir, de hecho, sin amigas íntimas? Por supuesto que tengo a Fran y a Sally, y ahora a Emma, aunque Tom parece haberme distanciado un poco de ella. Sigo viéndola los domingos en casa de Linda y Michael, y nos pasamos todo el tiempo hablando, pero como ya no trabajo en el West End, ella ya no puede sacarme a comer; además, no parecen interesarle mucho los bebés, y, con franqueza, en estos momentos a mí es lo único que me interesa.

Nunca he tenido amistades femeninas íntimas, y no hace falta ser psicólogo para deducir que la única mujer a la que he estado unida fue mi madre, que murió y que por lo tanto me abandonó, aunque fuera sin querer. Supongo que es la razón más probable por la que no me he permitido intimar con nadie: por miedo a que me abandonaran de nuevo. Pero hasta ahora nunca he sabido lo que me estaba perdiendo.

Me encanta sentar a Tom en su sillita, doblar la esquina hasta la casa de Trish y llamar a su puerta sin telefonearla antes para ver si está. Me encanta tener la confianza de quitarme los zapatos y abrir las puertas de los armarios de su cocina para coger yo misma el té mientras ella está arriba cambiándole el pañal a Oscar.

Me encanta que nos sintamos tan cómodas en la casa de otra, y que hayan dado a mi vida una alegría y una luminosidad que no tenía antes de conocerlas.

Estoy segura de que parte de esa confianza se debe a que vivimos a unos minutos las unas de las otras. La vida es mucho más fácil cuando no tienes que hacer planes. Seguimos quedando con los amigos de Dan algún que otro domingo para comer —no muy a menudo desde que nació Tom—, pero salir a cenar entre semana requiere avisarnos con un par de semanas de antelación, y siempre hay alguien que llama para anular la cita porque ha surgido un imprevisto o sencillamente porque está demasiado cansado.

Durante un tiempo no se nos ocurre ni a Lisa, ni a Trish, ni a mí vernos los fines de semana o por las noches. Dan las llama mis «amiguitas», y me dice: «Tu amiguita Trish al teléfono» o «¿Vas a ver a tu amiguita hoy?», lo que me hace reír.

Durante semanas solo son nombres para Dan, pero al final mis amigas y yo urdimos un plan para reunirnos todos; un domingo por la tarde, Lisa que, a pesar de estar soltera, o tal vez precisamente por ello, es la más hacendosa de las tres, nos invita a tomar el té.

—Este es mi marido, Gregory —dice Trish, y un hombre bajo y sonriente me estrecha la mano mientras los cuatro nos apiñamos frente a la puerta de la casa de Lisa.

—Y este el mío, Dan —digo yo.

La puerta se abre y yo maniobro con pericia el Maclaren (¡hurra!, hemos pasado al Maclaren) hasta traspasar el umbral.

Entramos, besamos a Lisa, y ella nos presenta a su novio Andy. Al cabo de unos minutos Oscar y Tom están echados en el parque instalado en el centro de la sala de estar mientras Trish y yo seguimos a Lisa hasta la cocina para ayudarle a preparar el té.

Como ocurre a menudo cuando entro en casa de Lisa, huele de maravilla, y olfateo alegremente.

—¿Qué has hecho hoy? Sea lo que sea, huele muy bien.

—A veces creo que debería odiarte —dice Trish a Lisa—. ¿Cómo puedes encontrar tiempo para cocinar con un bebé? Yo apenas tengo tiempo para lavarme el pelo, y tú haces bizcochos cada dos por tres.

Lisa sacude la cabeza con timidez, pero es verdad. No solo se las arregla para hacer bizcochos y galletas un día sí y otro también, sino que además cocina para su novio cuando va a verla, lo que parece que es prácticamente todas las noches de la semana.

Su ex marido —se llama Paul pero todos lo conocen por el Desertor— la dejó tres meses antes de que naciera Amy. Por lo visto, aquel matrimonio había sido una gran equivocación. Él no estaba ni mucho menos preparado para el compromiso —algo de lo que podía haberse dado cuenta en los tres años que estuvieron juntos, y a poder ser antes de que ella se quedara embarazada—, y desde luego no estaba preparado para lidiar con un bebé. (El Desertor pertenecía a la nobleza y era uno de los chicos de sociedad de Londres, famoso por su reputación de playboy antes de conocer a Lisa.)

De modo que se largó.

Sin embargo, nunca he conocido a nadie tan competente y tan fuerte como Lisa; cada vez que se lo digo, ella se ríe y dice que Amy y ella están mucho mejor sin él. Trish y yo hemos hablado sobre ello cuando estamos solas, y, con franqueza, ninguna de las dos podemos creer que alguien pueda dejar a una mujer como Lisa. Porque no solo cocina de maravilla, también es guapísima. En serio. Si no fuera tan encantadora la odiaría, e incluso así tardé un tiempo en dejar de sentirme intimidada por ella. Es rubia con mechas aclaradas por el sol y con unas piernas que no se acaban nunca, realzadas por unas botas Manolo Blahnik de diez centímetros de tacón que lleva ¡hasta en el parque! Lisa logra que la gente se vuelva a mirarla allá a donde va. Parte de mí probablemente tendría que sentirse amenazada por ella, y se me ha ocurrido que tal vez debería estar nerviosa por presentarle a Dan. No es que no me fíe de él, confío plenamente, pero cuando Linda se enteró de que yo tenía una nueva amiga que era guapísima y que se estaba divorciando, arqueó una ceja y me dijo que tuviera cuidado.

Lo que es completamente ridículo. Por no hablar de que Lisa tiene novio.

Sin embargo, últimamente he estado esforzándome un poco más. No me considero una persona competitiva, pero Lisa va siempre tan de punta en blanco y es tan perfecta en todo que me ha obligado a volver a hacer cosas que tenía un poco abandonadas.

Cocinar, por ejemplo. Con mucha suerte, me habré acordado de comprar comida precocinada en Sainsbury's o de pasar por la charcutería si he tenido tiempo. Pero la mayoría de las noches Dan encarga la cena o hace huevos revueltos con una tostada.

Sin embargo, la semana pasada logré hacer dos recetas de Jamie Oliver y una *crème brûlée*.

En cuanto a mi aspecto antes de conocer a mis amigas..., digamos que seis meses después de haber tenido a Tom seguía llevando ropa de embarazada. Puede que haya recuperado bastante mi peso y pueda subir al ático la ropa de embarazada hasta el próximo niño, si es que lo hay, pero sigo utilizando una talla más que antes del embarazo, y solo llevo jerséis holgados y pantalones elásticos de la marca Gap. Sabe Dios qué pasaría si tratara de ponerme una prenda que no fuera elástica.

De modo que puede que aún no tenga previsto ir de compras, pero he empezado a pintarme los labios y a ponerme rímel antes de salir de casa.

Por su parte, Trish es una mujer que me gusta. Sabe que no puede competir con Lisa y le trae sin cuidado. ¡Qué envidia ser tan segura! Trish sigue llevando sus mallas premamá, como mucho se lava la cara por las mañanas, no se molesta nunca en maquillarse, y ha delegado todos los deberes culinarios en su marido, Gregory.

En muchos sentidos me encanta que las tres —Lisa, Trish y yo— seamos tan distintas; a menudo pienso en la extraña combinación que debemos de hacer. Tal vez en otras circunstancias nunca habríamos sido amigas. Lisa es refinada y elegante, Trish despreocupada y práctica, ¿y yo? Yo soy corriente, supongo.

Pero somos amigas, y, mientras las tres llevamos bandejas de té y pasteles a la sala de estar, parece que nuestros maridos, o al menos Dan y Gregory, podrían también ser amigos.

12

No debería estar sorprendida en absoluto, pero Andy, el novio de Lisa, es increíblemente guapo. Es tan guapo que me hace sentir ligeramente nerviosa, y casi soy incapaz de mirarlo a los ojos.

Él y Lisa parecen la pareja perfecta. Los dos son altos y guapísimos, y si no supiera nada más pensaría que están hechos el uno para el otro, pero él tiene algo que me inquieta.

Puede que no sea capaz de mirarlo a los ojos, pero me siento en el sofá frente a él para tratar de calarlo, sin perder de vista a Dan, que le hace pedorretas a Tom en la barriga para que se ría. Sonrío mientras los observo; son encantadores. Luego, me concentro de nuevo en Andy.

Tardo unos minutos en darme cuenta de qué es lo que no me gusta de él.

No me gusta cómo le habla a Lisa ni me gusta su arrogancia.

—Nena —dice, repantigado en el sofá, volviendo ligeramente la cabeza para que su voz llegue hasta donde Lisa está cambiando a Amy, pero sin hacer realmente el esfuerzo de mirarla—. Has olvidado el azúcar.

—¿Sí? —dice Lisa, distraída.

—Ajá —dice, sin moverse mientras se sirve una taza sin ofrecerle a nadie más—. ¿Puedes ir a buscarlo?

Trish y yo nos miramos. No decimos nada pero estamos pensando lo mismo; esperamos que Lisa responda: ¿y por qué no lo vas a buscar tú?

—Enseguida voy —dice Lisa, con lo que yo me levanto y planto un rápido beso en la cabeza de Tom.

—No te preocupes —le digo a Lisa, evitando a propósito a Andy—. Ya voy yo.

—Te ayudaré. —Trish se levanta de un salto y las dos prácticamente corremos a la cocina.

—¿Puedes creer lo que acabas de oír? —Me vuelvo hacia Trish con incredulidad tan pronto como se cierra la puerta.

—¡En absoluto! —dice ella haciéndose eco—. ¿Quién se cree que es?

—¿Qué tal un gilipollas redomado?

—Sí. Eso lo describe bastante bien.

—Dios. —Sacudo la cabeza y bajo la voz, por si hay alguien al otro lado de la puerta escuchando. Es absurdo, lo sé, pero es una paranoia mía que me hace descolgar de nuevo el auricular en cuanto cuelgo, solo para asegurarme de que oigo el tono de marcar. Aunque tengo una buena razón para hacerlo...

Fran pasó un día por casa cuando Tom tenía unas cuatro semanas y un cólico horrible. Linda llamó y yo le dije que no podía hablar en aquel momento, que la llamaría al cabo de un rato.

Colgué y Fran me preguntó qué tal me iba con mi suegra. Se lo dije. No me iba bien. Necesitaba desahogarme y ese era el momento idóneo. Dije palabras llenas de ira.

Más tarde esa noche Linda volvió a llamar. Dejé que saltara el contestador y ella dejó un mensaje en el que decía que yo no había colgado bien y que lo había oído todo.

Me quedé allí sentada, sintiéndome fatal. Dios mío, una cosa era odiarla y otra muy distinta que ella supiera hasta qué punto lo hacía, y creedme, si me había oído esa tarde, me sorprendía que no hubiera ido inmediatamente a la policía temiendo por su vida.

De modo que me quedé allí sentada sintiéndome fatal y asustada, y demasiado cobarde para llamarla. Me quedé inmóvil hasta que llegó Dan a casa; se lo expliqué con voz débil y asustada, omitiendo lo terrible que había sido mi desahogo y limitándome a decir que podría haber oído algo no muy agradable.

Entonces Dan la llamó. Lo que ella había oído, lo que había escuchado durante veinte minutos mientras Fran y yo —gracias a Dios— estábamos en la cocina preparando el biberón, eran los berridos de Tom.

Gracias, Dios. Gracias. Nunca volveré a portarme mal.

Pero desde entonces me he vuelto totalmente paranoica acerca de teléfonos mal colgados y gente escuchando detrás de las puertas, de modo que antes de seguir hablando con Trish, aunque estoy prácticamente susurrando, me cercioro de que no hay nadie fuera de la cocina.

—Tal vez estoy siendo estúpida —susurro—, o hay algo que se me escapa de Lisa, pero ¿cómo se las arregla para acabar siempre con cabrones así?

—¡Lo sé! —coincide Trish—. Después del Desertor se merecía a alguien encantador, pero solo es un gilipollas arrogante.

—Y ella es tan maravillosa... —musito—. ¿Será inseguridad?

—¿Qué está pasando aquí? —Se abre la puerta y entra Lisa sonriendo—. ¿Estáis teniendo una conversación privada o puedo unirme?

—Solo estábamos comentando lo guapo que es Andy —fanfarroneo yo.

—Lo sé. —Lisa asiente—. Es guapísimo, ¿verdad? Aunque es un poco gilipollas.

Trish y yo soltamos un audible suspiro de alivio.

—Dios mío —digo—, en realidad estábamos diciendo que es intolerable el tono con el que te habla.

—Lo sé. ¿De qué murió su última esclava? ¿De trabajos forzados?

Es un viejo chiste, pero oírlo en ese contexto nos hace reír a las dos de alivio.

—¿Y por qué lo aguantas? —pregunto—. ¿Te trata así todo el tiempo?

—Todo el tiempo no —dice Lisa— y sé que no duraré con él, pero mantiene a raya la soledad y, por horrible que pueda sonar, es mejor que no tener a nadie.

—¿En serio? —Trish parece dudarlo—. Me pareces tan auto-suficiente... Seguro que es mejor esperar a alguien realmente especial que soportar a alguien solo porque sí.

Lisa se encoge de hombros y admite:

—No se me da bien estar sola y, de todos modos, tiene sus virtudes.

—¿Como cuáles? —Yo sigo escéptica.

Lina sonríe.

—Como tratarme bien en algunos aspectos. Mirad. —Levanta un brazo cubierto de pulseras nuevas—. Me las regaló el otro día. Y me lleva a lugares bonitos. Además... —se inclina con complicidad— en la cama es sensacional.

Se produce un silencio incómodo mientras Trish y yo nos miramos, no muy seguras de qué decir. No por la revelación, sino porque no asumimos que ese sea el aspecto más positivo cuando tienes un bebé.

Trish se echa a reír.

—¡Bromeas!

—No, en serio. El mejor sexo que he tenido en mi vida.

—¿Cómo puedes pensar en el sexo? ¿No estás demasiado cansada? —Abro mucho los ojos con incredulidad. Y una pizca de respeto.

¿Demasiado cansada? ¿Estás loca? Es lo único que espero con ilusión en estos momentos.

Pienso en la otra noche. Como siempre, me sumergí en una bañera caliente a las ocho, y me acurruqué en la cama con mi pijama de franela a las nueve menos cuarto. Qué placer. Calculé que leería quince minutos y apagaría las luces a las nueve. Sabía que en dos minutos me quedaría dormida.

Pero a las nueve menos seis minutos entró Dan, se sentó a mi lado en la cama y se inclinó para besarme. Yo esperaba que solo fuera un beso en los labios, pero cuando él no retrocedió la cabeza ni medio palmo, me invadió un familiar sentimiento de terror.

Y tumbada en la cama, recostada contra las almohadas, con mi marido acercándose para darme otro beso que sospechaba que incluiría lenguas, hice un cálculo rápido.

Habíamos hecho el amor el lunes anterior, lo que significaba que habían pasado diez días. Una vez a la semana era probablemente el promedio razonable que cabía esperar de mí, no tan irrazonable para que no lo cumpliera, de modo que tenía que hacerlo esa noche. Y, si era así —miré el reloj—, ¿podría quitármelo de encima en quince minutos?

Confié en alcanzar el récord de Trish, que estaba en seis minutos.

¿O podría hacer lo que hago a menudo —pero no demasiado a menudo porque no quiero que Dan se enfade— y decirle que estoy demasiado cansada? Porque, con franqueza, estoy muerta de cansancio, estoy permanentemente agotada, y sigo dando el pecho durante el día de modo que no solo los siento como si fueran las ubres de una vaca sino que lo parecen; nunca me he sentido menos deseable, ni he tenido menos deseo, en toda mi vida.

De modo que el sexo se ha convertido en una formalidad que hay que cumplir. Algo que he de hacer para tener a mi marido contento, pero que trato que sea tan pocas veces y tan poco rato como me es humanamente posible.

—Está bien. —Respiro hondo y suelto—: Que conste en acta que no me importaría no volver a tener relaciones sexuales en toda mi vida.

—¡Eso, eso! —vitorea Trish—. Cada vez que Gregory me mira y arquea una ceja, se me cae el alma a los pies.

Me echo a reír; luego, me pongo seria y miro a Trish arqueando una ceja.

—¿Vienes a la cama, cariño? —digo, haciendo mi mejor imitación de Dan.

—¡Oh, Dios! —exclama Trish—. ¡Esa es la expresión! ¡Es la misma que pone Gregory! ¡O has estado acostándote con Gregory o todos los hombres ponen exactamente la misma expresión! —Y se parte de risa.

Se abre la puerta y entra Andy hecho un basilisco.

—¿Nena? —dice con tono severo, mirando a Lisa—. ¿Y el azúcar?

Las tres nos reímos aún más fuerte mientras él se queda confuso un segundo antes de cerrar la puerta y volver al salón.

Cuando volvemos al salón, Gregory y Dan han congeniado. Gregory es exactamente la clase de hombre que habría escogido para Trish. Es bajo y ligeramente rechoncho pero de un modo atractivo y adorable, y es extraordinariamente jovial. Siempre parece tener una sonrisa en los labios y desprende alegría por todos los poros. No me lo imagino cayéndole mal a alguien.

Tampoco me lo imagino en el trabajo, y sin embargo es director de relaciones públicas de una gran cadena de televisión, y anteriormente lo fue de uno de los políticos más destacados del país, y antes de eso, abogado.

En otras palabras, no encontrarás a nadie con un empleo de más altos vuelos que Gregory, y sin embargo es un hombre normal y humilde; estoy encantada de comprobar que él y Dan tienen muchas cosas en común, y aún más encantada, aunque suene increíblemente pueril, de ver que Andy está totalmente excluido. ¡Ja!

Saber que es un gilipollas, y que hasta Lisa lo cree, empieza a hacerme inmune a su belleza —me atrevería a decir que se está volviendo feo por segundos— y comienzo a compadecerlo ligeramente al verlo sentado solo en el sofá. De modo que me siento a su lado decidida a hacer al menos un poco de esfuerzo, tal vez incluso darle una segunda oportunidad.

—Se te ve muy a gusto con Amy —miento, dado que no le he visto mirar siquiera a la niña, pero parece un buen comienzo—. Deben de gustarte los niños. —En cuanto salen las palabras de mi boca me arrepiento de ellas, porque él me mira, sé lo que está viendo, y odio lo que está viendo.

Está viendo a una madre anticuada de clase media que no sabe hablar de nada más que de su hijo, los niños en general o variaciones sobre ese tema, como parvularios, niñeras o los pros y los contras de llevar a tu hijo a un centro de estimulación motriz.

¡Yo tenía una carrera!, me entran ganas de gritar. ¡Tengo una carrera! ¡Soy una profesional con éxito! ¡No soy solo una madre, también soy una persona!

Aunque ahora que se supone que dentro de unas semanas voy a reincorporarme al trabajo, estoy empezando a pensarlo. Nunca se me ocurrió ni por un segundo que sería la clase de mujer que se sentiría satisfecha cuidando a su bebé, pero ahora que estoy en casa, me encanta. En serio. Es algo maravilloso y que te llena, y no estoy segura de si estoy preparada para volver al trabajo. Tengo que encontrar la forma de abordar este tema con Dan.

Mientras tanto sigo leyendo los periódicos. Sigo viendo las noticias. Sigo estando al corriente de lo que ocurre en el mundo y odio que este hombre me dé a entender con su expresión que es imposible que pueda decir algo que tenga el menor interés para él.

—No estoy muy acostumbrado a los niños —dice. Parece aburrido—. Por suerte Lisa se ocupa de todo eso.

Ya lo creo que lo hace.

—Lisa dice que eres fotógrafo —intento—. ¿Qué clase de fotos haces?

—Hago sobre todo trabajo editorial. Aunque estoy pensando en diversificarme y hacer trabajos publicitarios. He estado hablando con un complejo turístico del Caribe sobre hacerles su folleto, y parece que va a dar resultados.

—¿En serio? Suena muy bien. Nosotros siempre andamos buscando nuevos fotógrafos cuando hacemos nuestras campañas. ¿Tienes una tarjeta?

Vamos, pienso. Pregúntame a qué me dedico. Deja que te diga lo interesante que soy, que soy mucho más que solo una madre.

—Claro —dice—. Tengo algunas arriba. Te daré una antes de que te vayas.

No puedo evitarlo. En ese momento debería haberlo dejado, debería haberme dado por vencida ante semejante egocentrismo, pero me he embalado, y estoy decidida a demostrarle a ese arrogante que estamos en pie de igualdad. Qué coño, que soy incluso mejor que él.

—Nuestra última campaña nos la hizo Bruce Weber —digo—. Probablemente la viste. Calden. Recibimos tres premios por ella. Hizo un gran trabajo.

Por fin aguza el oído.

—¿Calden? ¿Los hoteles?

—Sí. —Me toca a mí parecer indiferente y aburrida.

—¿Qué haces allí? —Tiene la lengua prácticamente fuera, de pronto quiere hablar. La campaña de Calden es muy importante; todo el que vale, e incluso los que no valen, la conocen, y toda la gente creativa se muere de ganas de participar en la siguiente.

—Soy directora de marketing —digo, y antes de que él pueda hacerme hablar más, me levanto—. Uy, huelo a pañal que hay que cambiar. Vamos, Tom. —Cojo a Tom en brazos y me acerco al cambiador—. Vamos a solucionarlo.

Cuando terminamos, veo que Andy sigue mirándome con esa expresión entusiasta y ansiosa de hacer contactos. Me siento a propósito al lado de Trish y Lisa y empiezo a hablar de los métodos para enseñar a dormir.

Paso el resto de la tarde evitando con éxito los intentos de Andy de reanudar nuestra conversación.

—¿Qué te han parecido?

Dan, Tom y yo estamos de nuevo en casa. Tom duerme profundamente después de haberse bañado, cenado y escuchado un cuento. Dan lee el *Sunday Times* sentado a la mesa de la cocina, y yo estoy abriendo la nevera, el congelador y los armarios buscando inspiración para preparar algo para cenar.

Dan baja el periódico.

—Me han parecido encantadores —dice—. Realmente encantadores.

—¿Y Gregory? Parecía que congeniabais.

—Sí. Estuvo en esa comida a la que fui la semana pasada y conoce muy bien al conferenciante. Ha sido muy interesante hablar con él. Trish también me ha caído muy bien.

—¿Y Andy? ¿No era horrible?

—Casi no he hablado con él, pero he oído vuestra conversación. —Dan sonríe y yo le devuelvo la sonrisa, la viva imagen de la inocencia.

—¡Se moría por congraciarse contigo y tú no le has dado una sola oportunidad! —exclama riendo—. Así me gusta. —Yo me encojo de hombros y me río—. ¿Ha logrado darte su tarjeta? —añade. Asiento, la saco del bolsillo y la rompo sobre el cubo de la basura.

—Como si fuera a trabajar con alguien tan arrogante —digo, tapando el cubo.

—Tienes toda la razón —dice Dan—. Arrogante y demasiado guapo.

—Sí, pero a medida que hablas con él lo ves menos guapo. ¿Qué me dices de Lisa? ¿No es encantadora?

—Si te soy sincero —dice Dan encogiéndose de hombros—, tampoco he hablado mucho con ella. Estaba demasiado absorto en Gregory.

—Oh —exclamo decepcionada. Quería, y quiero, que a Dan le gusten mis nuevas amigas tanto como a mí, quiero que se muestre tan entusiasmado con ellas como yo, que me dé su aprobación.

—Bueno, la próxima vez hablarás con ella y te encantará. Es fantástica.

—Hablando de gente encantadora... —Dan se levanta de la mesa y se acerca a mí, me rodea los hombros con los brazos y me atrae hacia él—. ¿Te he dicho últimamente cuánto te quiero?

—Hummm. No estoy segura de haberlo oído desde hace un tiempo. —Levanto la vista hacia él y sonrío.

Dan ha arqueado una ceja. Tiene la expresión.

Esa noche dejo que me bese. Esa noche hago más que dejar que me bese, le devuelvo el beso. Vamos al dormitorio, y cuarenta minutos después —no es una noche para récords mundiales— Dan se está vistiendo para ir a buscar un curry, y yo me quedo en la cama, sabiendo que acabo de ganarme otra semana de gracia.

13

Estos momentos de cariño, ternura y delicadeza, en los que sabemos exactamente por qué nos casamos y por qué tenemos previsto estar juntos hasta que la muerte nos separe, parecen escasear últimamente.

No esperaba que los primeros meses después de tener un niño fueran tan duros, ni que el niño se interpusiera entre nosotros en lugar de unirnos.

Supongo que si alguien me hubiera prevenido, me hubiera advertido del agotamiento, la soledad, la pérdida de identidad, habría pensado que mentía o que eso les ocurría a otras mujeres, a otras parejas, no a nosotros.

Pero me ocurre a mí, a nosotros. Las primeras semanas son tan horribles que casi cada noche me acuesto dando la espalda a Dan por culpa de otra discusión, de resentimientos no expresados que estallan entrada la noche en un despliegue de palabras desagradables y voces alzadas.

Porque soy yo la que se levanta cada noche para atender a Tom. Varias veces cada noche. Soy yo la que no puede salir a la calle hasta la hora de comer, la que no puede ni quitarse el pijama, porque tiene que subir y bajar la escalera con su hijo con un cólico en brazos para que pare de berrear.

Soy yo la que lo deja en brazos de su padre los fines de semana para tener un respiro, y la que enseguida lo reclama en cuanto ve con creciente exasperación que no tiene ni idea de calmar a su hijo.

Y soy yo la que acaba llena de ira, resentimiento y agotamiento. ¿Quién ha empezado a echar desesperadamente de menos ir a trabajar, pero no puede reconciliarse con la idea de dejar a su hijo una tarde, y no digamos toda una semana, y ha tomado la decisión de quedarse en casa con Tom y trabajar de consultora independiente para el Calden, en lugar de volver como directora de marketing?

Dan no lo entiende. No puede entenderlo. Porque se va cada mañana de casa y se pasa el resto del día entre adultos hablando de temas de adultos, y no tiene que responsabilizarse de nadie más que de sí mismo. Porque todos los que le conocen siguen viéndolo como el Dan Cooper de siempre, un productor fuera de serie, que casualmente ahora tiene un hijo.

Él nunca entendería qué es perder tu identidad, pasar de ser una buena profesional con éxito a ser alguien a quien gritan porque está al volante de un todoterreno.

Nunca entendería qué es maniobrar la sillita de un bebé que berrea porque está cansado por los estrechos pasillos del supermercado, tratando de esquivar a la gente que os mira con asco a ti y a tu bebé, que incluso te para y te dice que no deberías ir con el bebé a un supermercado.

Los pocos domingos por la mañana que Dan saca a pasear a Tom, la gente corre a echarle una mano, encantados con la imagen de un padre con un bebé.

Nunca lo entendería, y no debería echarle la culpa a él, pero lo hago.

Le echo la culpa a él y a su madre.

«¿Cómo está mi querido nieto?», oigo cada día en el contestador automático, varias veces. «¿Cómo está mi querido bebé?», canturrea mientras yo sacudo la cabeza: no es tu bebé, estúpida. Es mi bebé.

Y hace unos días: «Hola, guapísimos». Trato de contener la cólera que crece dentro de mí, porque soy la madre de su querido nieto, la mujer de su querido hijo mayor, pero parece que soy totalmente irrelevante. Para ella todo se reduce a sus chicos, y ahora sé lo difícil que es para Emma, la hija que Linda nunca ha querido tener en realidad.

Porque, diga lo que diga de su hija, por mucho que afirme adorarla, sé, y todo el mundo lo sabe, que el verdadero amor de la vida de Linda son sus chicos, que vive por Dan y Richard, y que por lo que a ella se refiere, Tom es otro de sus chicos.

Y yo no pienso permitirlo.

Linda telefonea, y cuando no contesto o no le devuelvo las llamadas, pasa por casa sin avisar, lo que se está convirtiendo en una costumbre. He tratado de fingir que he salido, pero sabe qué coche buscar en la calle, y yo nunca he sabido mentir, de modo que la dejo pasar de mala gana.

—He llamado —dice inocentemente— pero no estabas, y como pasaba por aquí...

Siempre da la casualidad de que pasa por aquí, y siempre da la casualidad de que trae un paquete. Últimamente sus visitas sin anunciar significan un regalo para Tom: un conjunto de ropa, un juguete, algún objeto decorativo que acaba de ver y no ha podido resistir comprar.

Sé lo ingrata que puedo parecer, pero siempre aparece con esas ridiculeces que no necesitamos. La semana pasada fue un abrigo de invierno, cuando ya tengo un bonito abrigo de invierno que compré en las rebajas de Selfridges, y la semana anterior un acuario Fisher-Price que Rob y Anna ya le habían regalado a Tom cuando lo trajimos a casa.

Ojalá me preguntara. Si me preguntara si necesita algo, si necesitamos algo, al menos tendría la oportunidad de decirle que no, o de decirle que sí, que necesitamos más toallas, o más biberones, o lo que realmente necesitemos.

En lugar de ello sé qué está haciendo: me está diciendo que no aprueba mi gusto. Las cosas que compro. La forma en que visto a mi hijo. Me está diciendo que ella sabe hacerlo mejor, que es una competición —no tengo ninguna duda de que para ella lo es— y que ella está ganando.

No ganará.

Les digo a Lisa y a Trish que estoy en guerra con mi suegra. Cada vez que me niego a aceptar uno de sus regalos, le digo que se vaya o que ya tenemos ese juguete, o ese abrigo, o ese móvil, gano esa batalla y estoy dispuesta a ganar la guerra.

También se lo digo a Dan, trato de explicarle cómo me siento, que sé que ella está compitiendo conmigo y que esos gestos no son fruto de la generosidad sino de la competitividad, y que me niego a dejarla ganar.

Discutimos por ello. Por ella. Mucho. Mucho más de lo que lo hacíamos antes de la boda, que ahora me parece que fue hace un millón de años, como si le hubiera ocurrido a otra persona en otra vida.

Dan odia verse entre las dos. Me dice continuamente, como siempre ha hecho, que si tengo algún problema con su madre que hable con ella. Lo que, naturalmente, es algo que nunca haré.

Me dice que me estoy dejando dominar por mis hormonas, que son las que sin duda me provocan esa cólera ciega, y que se niega a mezclarse; a veces, se limita a levantarse y salir de la habitación.

Sin embargo, a pesar de mi creciente odio hacia ella, hay veces que parece que consigamos un poco de paz. Hay veces que logro dejar a un lado el odio. Entonces me siento culpable y pienso que es posible que esté dejándome llevar por la imaginación; quizá Linda solo es una abuela que adora a su nieto. Entonces trato de compensarla: la invito a quedar con Tom y conmigo en alguna parte, o la invito a tomar el té, o sencillamente pongo a Tom en sus brazos en cuanto entra, algo que suelo ser reacia a hacer.

Porque Linda se muere por hacerlo. Está muy necesitada. No sabe cuándo parar, no sabe dónde están los límites. Si sostengo a Tom en brazos cuando ella entra, intenta quitármelo, o si duerme se inclina sobre la cuna, pone la cara a unos milímetros de la de él y lo arrulla y acaricia hasta que se despierta y llora, con lo que trata inmediatamente de cogerlo en brazos.

Aunque yo suelo llegar antes.

Hablo con otras mujeres acerca de sus suegras y el problema siempre es el mismo: no creen que las esposas sean lo bastante buenas para sus queridos hijos.

Pero yo no tengo ese problema con Linda. Mi problema es que ella no sabe cuándo retirarse y darme, o darnos, un poco de espacio vital. Así, aunque a veces llegamos a una especie de acuerdo, nunca dura. Linda siempre logra decir o hacer algo que me hace enfurecer de nuevo, y yo no puedo decírselo, nunca podré, de modo que me retiro de nuevo furiosa, rezando en silencio para que nos deje a todos en paz.

«¿A que no quieres a nadie tanto como a tu abuela?», le canturrea a Tom cada dos por tres. Y yo quiero matarla.

«Cuando mamá y papá sean malos vendrás y te quedarás en casa de tu abuela», es otra frase escogida que me deja temblando de rabia.

Hay veces que desearía plantarle cara, solo para airearlo todo, pero ese nunca ha sido mi estilo, así que me callo todos mis sentimientos y los descargo en Dan, lo que no es justo ni está bien, pero parece que no puedo evitarlo.

¿Creéis que no sé que Dan ha empezado a temer volver a casa? Por supuesto que lo sé. Sé exactamente cuánto odia entrar cuando he tenido un mal día y me desquito con él, del mismo modo que sé lo aliviado y feliz que se siente cuando he tenido un buen día, cuando Linda ha logrado no alterar mi serenidad, y estoy cariñosa y afectuosa con él.

Pobrecillo.

Cuando logramos hablar con calma de ello, Dan reconoce que su madre puede ser autoritaria, que a veces no sabe dónde está el límite, pero cree sinceramente que sus intenciones son buenas y que solo está tratando de ayudar.

Incluso admite que no se le da bien aceptar un no por respuesta, pero me dice que todo lo que tengo que hacer es defenderme. Sin embargo, he tratado de explicarle que quiero que sea él quien me defienda.

Cuando Linda revolotea a mi alrededor mientras le doy el biberón a Tom y trata de cogérmelo de los brazos, ¿qué hace Dan? ¿Qué dice Dan? Absolutamente nada.

—Ya lo sostengo yo para que saque el aire, si quieres —me dice

Linda, tratando de coger a Tom por encima de mi hombro. Y yo tengo literalmente que volverme y decir:

—No, gracias, ya lo hago yo. —Y Dan de nuevo calla.

Lo último, ahora que Tom tiene más de tres meses y duerme casi toda la noche seguida, es que se ofrezca a quedárselo toda la noche en su casa para darnos un respiro a Dan y a mí.

A Dan le pareció una idea excelente, dijo que veía lo agotados que estábamos y que el ofrecimiento era sincero. Estaba dispuesto a tomarle la palabra.

—No es que no me encante pasar los fines de semana con míster T. —dijo arrojando a Tom al aire y soltando gritos—, pero sería muy agradable tomarnos una noche libre. Piénsalo. Una cena romántica, levantarnos tarde... A Tom le parece una gran idea, ¿verdad, míster T.? —Y le plantó dos besos en el cuello.

Ni hablar. De ninguna manera. No me importa lo agotada que estoy o lo bueno que sería dormir una noche seguida en estos momentos; no dejaré que esa mujer tenga a mi hijo cuando yo no estoy cerca.

Con el tiempo las cosas parecen empeorar.

—La odio —digo cansinamente a Fran después de ponerla al corriente mientras comemos.

Fran ha aparecido con su niñera para que cuide a Tom mientras sus hijas están en la guardería, y me ha sacado de casa para disfrutar de una comida de adultos en Marylebone High Street.

—¿Tan grave es? —Hace una mueca.

Hago un gesto afirmativo.

—No creía que fuera posible odiar tanto a alguien, pero te juro que es una suegra infernal.

Fran vuelve a fruncir el entrecejo.

—Está bien, hay que reconocer que dice cosas poco acertadas, pero creo que probablemente es solo porque es tan insensible que no sabe dónde están los límites. Porque, seamos realistas, se ha portado extraordinariamente bien contigo.

—¿Estás loca? Solo porque quería controlar mi vida —replico con vehemencia, elevando la voz mientras la miro con incredulidad.

—Suena fatal, pero no va a irse a ninguna parte —dice Fran—. Mira, sabe Dios que sé mejor que nadie por lo que estás pasando, pero es tu suegra. Mientras estés casada con Dan tendrás que soportarla.

Respiro hondo y digo algo que no le he dicho nunca a nadie. Ni a Fran, ni a Sally, ni a Trish, ni a Lisa. Algo que me asustaba demasiado confesar, por miedo a que se hiciera realidad, a que se hiciera más real.

—¿Sabes? —digo despacio, incapaz de mirar a Fran a los ojos—. Por la noche, echada en la cama, pienso en dejarle. Me pregunto si podríamos salir adelante Tom y yo solos. —Me sorprende haber podido expresar en alto mi mayor secreto, pero Fran, en lugar de parecer horrorizada como esperaba, se limita a reírse.

—¿Y crees que yo no soñé con eso noche tras noche después de tener a las niñas? Me quedaba echada en la cama odiando a Marcus y soñando con divorciarme de él. De modo que no te preocupes, es totalmente normal.

Me siento inmensamente aliviada.

—¿En serio?

Fran vuelve a sonreír.

—Totalmente. Pero, Ellie, ¿te has planteado ver a alguien?

—¿A qué te refieres?

—A un terapeuta.

—No. Eso no es para mí. No podría sentarme y hablarle de mí misma a alguien durante una hora. Además, no encontraría tiempo, y ¿quién cuidaría de Tom?

—Siempre puedes pedir a tu suegra que te haga de canguro —dice Fran con una sonrisa maliciosa.

—Ja, ja, ja. Por cierto, el otro día le dejé un mensaje a Sally y no me ha contestado. ¿Está bien?

Fran mira al cielo.

—Sí, pero se ha enamorado perdidamente de Charlie Dutton, y creo que no está yendo a ninguna parte.

Charlie Dutton. Charlie Dutton. El nombre me suena pero no sé de qué. Sacudo la cabeza mientras miro a Fran y me encojo de hombros.

—El productor de cine. Estaba en casa el día que vinisteis Sally y tú a comer, ¿te acuerdas?

—Ah, sí. —Ya me acuerdo—. Guapo. Con un hijo.

—Exacto. Bueno, pues Sally se las arregló para salir con él y es evidente que ha decidido que es el hombre adecuado.

—¿Quieres decir que por fin ha encontrado a un hombre que es lo bastante bueno para ella?

—Solo porque apenas lo conoce. La invitó a cenar al Isola y luego la llevó a Soho House, donde parece ser que acabaron sentados con Hugh Grant, de modo que ahora está embobada y soñando con una boda.

—¿Quieres decir que no ha cambiado de bando y se ha enamorado perdidamente de Hugh Grant?

Fran se ríe.

—Creo que hasta Sally conoce sus limitaciones. Además, iba con una morena bastante guapa. Aun así, Sally ya está haciendo planes de boda.

—¿Y Charlie Dutton?

Fran se encoge de hombros con una expresión apurada.

—No la ha llamado. Sally me ruega continuamente que Marcus lo llame y averigüe qué pasa, pero, como dijo Marcus, ya no tenemos dieciséis años, y yo no quiero ir con el rollo de «a mi amiga le gustas».

Me río.

—Sé que debería decir que me alegro de no estar ahí fuera, y, por supuesto que no cambiaría a Tom por nada en el mundo, es tan maravilloso, pero echo de menos estar soltera. Echo de menos todas las aventuras. Echo de menos estar sentada en Soho House y conocer a gente como Hugh Grant.

—Tonterías —dice Fran—. Te olvidas de cómo es en realidad. Tienes una aventura el cinco por ciento de las veces que sales, si tienes suerte, y el resto del tiempo haces lo que Sally, esperar al lado del teléfono a que te llame el príncipe azul y pasarte los meses siguientes convenciéndote de que ha salido mal porque no eras lo bastante guapa, o lo bastante delgada, o lo bastante moderna, o sencillamente lo bastante nada. Eso es lo que tendrías que soportar si volvieras a estar soltera.

»Además —continúa—, si rompieras con Dan te convertirías en una madre soltera, lo que no solo sería tremendamente duro sino que reduciría automáticamente el número de hombres que se interesarían por ti.

—De acuerdo, de acuerdo —murmuro—. Solo quería decir que a veces lo echo de menos. Y es cierto.

—Lo sé. Perdona. Y lo comprendo, pero también sé que Dan es un hombre estupendo, y que creo que, sea lo que sea lo que estás aguantando, pasará; en estos momentos no debes actuar, solo esperar. Las cosas mejorarán, te lo aseguro. ¿Cuánto tiempo tiene Tom?

—Seis meses y medio.

—Menos mal. Empezarás a recuperar las fuerzas y pronto te sentirás una mujer nueva. Confía en mí.

—¿Estás segura?

—Ya te lo he dicho. Yo también he pasado por eso. En cuanto a tu suegra, tienes que confiar también en mí. No es la encarnación del demonio, solo trata de encontrar la forma de encajar en tu vida, y tú tienes que encontrar la forma de hacerle un sitio.

—Lo sé. —Suspiro. Fran, aunque odia a su suegra, probablemente tiene razón—. Lo intentaré, te lo prometo.

Lo intento. Cuando más tarde aparece el nombre de Linda en el teléfono, sonrío —una vez leí que si te obligas a sonreír cuando hablas por teléfono, inmediatamente pareces contenta— y contesto con tono simpático y jovial.

—Hola —dice Emma.

—¡Oh! Creí que era tu madre. —Siento un gran alivio, pese a mi resolución.

—No. Ha salido. He pasado por casa para coger un libro que me dejé el fin de semana pasado y me preguntaba si estabas en casa. ¿Puedo ir a veros?

—Me encantaría. —Sonrío, pues echo de menos a Emma—. Parece que está saliendo el sol, de modo que podemos sentarnos en el jardín y jugar con Tom. Pondré agua a hervir.

—Estoy de acuerdo, la pobre es una pesadilla —dice Emma acunando a Tom y cubriéndolo de besos ruidosos que le hacen gritar y reír—. Pero creo que sus intenciones son buenas. —Se hace eco de las palabras de Fran y me pregunto si es buena idea confiar en ella. Al fin y al cabo, Linda es su madre, y dicen que la sangre siempre tira—. Solo quiere implicarse, y este es su primer nieto —añade.

—Pero no me deja en paz —protesto—. Me llama cada día, al menos dos veces, y no para de presentarse sin avisar.

Emma se encoge de hombros con una sonrisa de resignación.

—Sé que es insufrible. Deberías guardar las distancias como yo.

—Lo intento —digo—, pero ella no lo pilla. Cada día, por el amor de Dios. ¡Cada día! ¿De qué quiere hablarme cada día? Ya ni contesto el teléfono. Si veo su nombre dejo que salte el contestador, y aun entonces, si deja un mensaje y no se lo devuelvo, sigue llamando sin parar hasta que contesto. Te lo juro, está completamente loca.

—Me lo vas a decir a mí —dice Emma riendo—. Y tú que creías que ibas a entrar en la familia perfecta.

—No me lo recuerdes. —Hago una mueca. Emma no sabe lo cerca que esas palabras están de la verdad. Veo cómo le hace cosquillas a Tom con su pelo largo mientras él ríe descontroladamente y alarga una mano para tocarle la cara—. Se te dan muy bien los bebés. —Sonrío—. Otra faceta que no conocía de ti.

—Me encantan los bebés. —Emma planta un ruidoso beso en el cuello de Tom, lo que le hace reír aún más—. Cuando quieras que te haga de canguro, dímelo.

—¿Lo dices en serio?

—Totalmente.

—Porque nos han invitado a cenar nuestros nuevos amigos el jueves, pero no tenemos canguro, de modo que iba a decir que no, pero si tú pudieras...

—Oh, Dios, me encantaría, pero ¿este jueves?

Asiento.

—Lo siento, pero tengo un compromiso ineludible. Si me lo hubieras dicho antes... ¿Qué hay de mi madre? ¿Por qué no se lo pides a ella? Lo sé, lo sé —dice riendo al ver la expresión de mi cara—. Sé que no quieres, pero, reconozcámoslo, necesitas una canguro y ella se muere por hacerlo. Seguro que aceptaría.

—Tal vez.

Me encojo de hombros, sabiendo perfectamente que no voy a pedírselo. En fin. A lo mejor Trish, Gregory, Lisa y Andy puedan venir a casa.

14

Ya no salimos mucho, y la idea de unas vacaciones es algo que no consigo imaginar en estos momentos. La primavera fue lluviosa y deprimente; a finales de mayo tuvimos dos semanas espléndidas en las que todo el mundo se quedó en ropa interior en el parque para tratar de aprovecharlo al máximo, y ahora que estamos en junio vuelve a lloviznar y hace bochorno. La verdad, se me ha olvidado lo que es ver el sol.

Pero hoy es un gran día, y no solo porque el sol ha logrado salir de detrás de las nubes. Hoy es un día que quisiera que se repitiera más a menudo. Esta mañana me he despertado emocionada y he sabido que hoy pasaría algo, pero no pensé que hubiera algo planeado, que hoy sería distinto de cualquier otro sábado.

Dan se ha llevado a Tom a ver a Linda y Michael esta mañana. Ha empezado a convertirse en una rutina, y confieso que nos va bien a todos. Yo por fin puedo perder de vista un rato a Tom, y Dan puede pasar tiempo con sus padres sin preocuparse por que Linda y yo tengamos alguna confrontación que nos lleve a acudir a él con nuestras quejas.

Para vuestra información, Dan nunca admitiría que su madre se queja de mí, pero estoy segura de que lo hace. Por supuesto que lo hace. Solo que es demasiado listo para decírmelo.

Esta mañana Dan ha despertado a Tom para desayunar, le ha preparado el biberón, le ha dado de comer sus cereales mientras leía en alto el *Guardian* con voz cantarina e infantil y añadiendo algún que otro comentario de su cosecha cuando lo creía oportuno.

—Escucha esto, míster T. —dice, leyéndole la crítica de una película—. ¿Vamos a verla? Parece buena.

Y Tom hace gorgoritos de placer.

De modo que mis sábados por la mañana son muy parecidos a los de antes. Desayuno una taza de té y vuelvo a la cama con todos los periódicos. Cuando acabo de leerlos, suelo desconectar el teléfono y volver a dormirme, y cuando me despierto de nuevo, normalmente a media mañana, me siento como un ser humano.

Dan vuelve a casa con Tom hacia la hora de comer. Linda y Michael ya han convertido el antiguo dormitorio de Dan en una habitación para los niños totalmente equipada, con una bonita cuna nueva que está esperando a que Tom duerma en ella, pero aunque yo estuviera dispuesta a dejarlo, no creo que él durmiera en una cuna que no sea la de su habitación.

Hoy Dan trae a Tom a casa a tiempo para que duerma su siesta del mediodía, y, en cuanto entra por la puerta, veo que está de buen humor. Mejor dicho, de muy buen humor. Cuando Tom está acostado, me coge y me da vueltas como hacía meses que no hacía; me planta un enorme beso en los labios y me pregunta si me gustaría tomarme unas vacaciones.

¿Si me gustaría tomarme unas vacaciones? ¡Menuda pregunta! Me encantaría, gracias, pero nuestro piso de Primrose Hill nos ha dejado pelados, por no decir algo peor, y, como yo ya no trabajo a tiempo completo, sabemos que las vacaciones son un lujo que no vamos a poder permitirnos en un futuro próximo.

Aunque tampoco es un drama, ya que no es algo en lo que piense a menudo. La única vez que he echado de menos unas vacaciones, e incluso pensé en ellas, o pensé que me gustaría tomarme unas, fue hace unas semanas cuando fui al médico.

Me hicieron esperar cuarenta minutos y cogí, distraída, un número de *Condé Nast Traveller* —lo sé, sabe Dios qué hace una revista así en la consulta de un médico—; cuando terminé de hojearla, solo podía pensar en playas de arena blanca y agua de color azul turquesa y caliente.

Por suerte, cuando salí de la consulta a Finchley Road casi me atropelló el autobús 113, lo que me hizo volver rápidamente a la realidad, y todas las fantasías de sol y arena quedaron totalmente olvidadas.

¿Si me gustaría tomarme unas vacaciones? Si creyera que existe la más remota posibilidad de que ocurra, diría que casi más que cualquier otra cosa en este mundo.

—Siéntate —dice Dan, sonriendo como un loco y empujándome hacia el sofá, donde procede a informarme de lo que ha ocurrido en casa de sus padres esta mañana.

—Hay algo de lo que tu padre y yo querríamos hablarte.

Dice Dan que se le ha caído el alma a los pies. Cualquier conversación que empiece así hace que se sienta inmediatamente como un adolescente culpable. A pesar de ser adulto, marido y padre, esas palabras, eco de su niñez, siguen dándole miedo, esa desagradable sensación de que lo han cogido in fraganti.

«Hay algo de lo que tu padre y yo querríamos hablarte.» Dan sorprendido robando unas monedas de la cómoda de su padre.

«Hay algo de lo que tu padre y yo querríamos hablarte.» Dan y Emma pillados fumando un porro en el tejado al que se podía acceder desde la ventana del dormitorio de Emma.

«Hay algo de lo que tu padre y yo querríamos hablarte.» Agitando frente a él el boletín de notas, en el que siempre se leían las terribles palabras: «Podría esforzarse más».

Pero, por supuesto, no pueden haber descubierto nada. ¿Qué puede haber hecho él que no quiera que se enteren sus padres? ¿Qué secretos ilícitos pueden haber descubierto?

Dan ha compuesto sus facciones en una expresión de interés para ocultar la ligera ansiedad que supone que debe ser un vestigio de su juventud descarriada.

Porque su juventud fue bastante descarriada, teniendo en cuenta sus circunstancias privilegiadas. Como casi cualquier alumno de un colegio privado del aburguesado norte de Londres, Dan fumaba a los trece años, se liaba porros a los catorce y hacía cosas innombrables con chicas de los colegios vecinos en dormitorios oscuros en las fiestas en las que se colaba. A los dieciséis años conducía sin permiso de conducir el Mini que sus padres tenían de reserva y que se suponía que era para la *au pair* de turno, y celebró su graduación de la Universidad de Manchester con una juerga de cinco días con cocaína y champán.

Jamás lo creeríais viéndolo hoy, esa apuesta y responsable figura de la comunidad. Pero en la casa en la que creció, con sus padres sentados a la mesa de la cocina frente a él, Dan dice que se ha sentido exactamente como si todavía tuviera dieciséis años y estuviera en un serio aprieto.

Su padre se ha aclarado la voz de un modo que no presagiaba nada bueno.

—Queremos hablarte de Francia.

¿Francia? No parecía tener sentido. ¿Por qué querían sus padres hablarle de Francia?

—Sabes que este verano hemos alquilado una villa en el sur de Francia —ha dicho Linda—. La idea era que tu padre y yo pasáramos los meses de julio y agosto en ella. El caso es que un amigo nos ha invitado a ir en barco las dos últimas semanas de agosto, y hemos pensado que, como la casa se quedará vacía, Ellie, tú y Tom podríais instalaros en ella. Los dos parecéis nerviosos y agotados, y unas vacaciones os vendrían de perlas.

Michael ha añadido entonces:

—Sabemos que andáis un poco justos de dinero, con la casa nueva y demás, de modo que hemos pensado que sería un cambio agradable, y solo tendríais que pagar los billetes de avión.

—Hasta podríais invitar a algunos amigos si queréis —ha dicho Linda—. La casa es bastante grande. Hay... ¿cuántas? —Se ha vuelto hacia Michael—. ¿Cuatro habitaciones? ¿Cinco?

Michael ha asentido.

—Cuatro habitaciones en la planta baja y una pequeña para el servicio detrás de la cocina, de modo que en teoría podrías llevar a todo un grupo.

—Aunque no estoy segura de que deban invitar a todo un grupo. —Linda ha lanzado a Michael una mirada de advertencia—. Puede que a otra pareja. Estoy segura de que eso estaría bien.

Michael se ha encogido de hombros.

—No importa, querida —ha dicho con suavidad—. Dan ya es adulto. Me cuesta creer que vaya a repetirse el incidente de la fiesta que organizó cuando estábamos fuera.

—Mamá, papá —ha interrumpido Dan rápidamente—. No sé qué decir. —Y en sus labios se ha dibujado una sonrisa que ya no se ha movido de allí.

Quince días en el sur de Francia en una villa de lujo en las afueras de Mougins. Además, nos morimos por tomarnos unas vacaciones, y no tenemos planes de ir a ninguna parte este año ni los siguientes.

A la mente de Dan han acudido visiones de piscinas, crema bronceadora con olor a coco y tumbonas bajo un cielo azul y despejado, pero no podía decir que sí sin hablar antes conmigo, aunque estaba bastante seguro de lo que yo diría.

—Me parece genial —ha dicho con calma—. Estoy seguro de que estará encantada, pero dejad que se lo pregunte antes a Ellie. Hablaré con ella y os diré algo. Pero gracias, es muy generoso de vuestra parte.

Michael se ha reído.

—No, lo increíblemente generoso sería que me hubiera ofrecido a pagaros los billetes de avión.

—¿Hay alguna posibilidad? —ha preguntado Dan esperanzado.

—No tientes a tu suerte —ha dicho Michael riendo.

Dan se ha marchado, y de regreso a casa apenas ha podido contener la emoción de darme la buena noticia.

—¡Sí! —Bailo con Dan por la sala de estar, los dos riéndonos como colegiales—. ¡El sur de Francia! ¡Siií!

—Entonces, ¿quieres ir? —Dan se desploma por fin en el sofá, encantado de verme tan emocionada.

—¡Llámalos ahora mismo! —Cojo el teléfono y marco el número antes de pasarle el auricular—. Deprisa. Diles que sí antes de que cambien de opinión.

Más tarde esa noche, acostados en la cama, hablamos de Francia. Dan me enseña fotos de la casa: un viejo *mas* de piedra enclavado en las colinas, con una bonita piscina desde la que se domina el valle y las colinas a lo lejos, una pérgola cubierta de glicinas que da a la piscina, y enormes macetas de terracota rebosantes de pelargonios que cuelgan sobre la terraza de piedra.

Parece idílica. Es idílica. Como sacada de una película. La clase de lugar al que nunca habría creído que iría, y aún menos vivir en él.

—¡Cielos! —susurro pasmada, estudiando cada fotografía—. ¡Míralo! ¡Es un palacio!

Dan se encoge de hombros, mucho más acostumbrado a esa clase de lujo que yo, porque, aunque no es el estilo de vida que llevamos ahora, me consta que ha crecido en la opulencia.

Sé que las pocas veces que vamos a restaurantes elegantes o a hoteles de lujo, Dan se siente cómodo como yo jamás me sentiré. Habla con los encargados y gerentes con la seguridad de quien se ha criado con lo mejor de lo mejor. Sé que Dan probablemente pasó la mayor parte de su niñez en lugares muy parecidos a ese, mientras que yo solo los he visto en las páginas de revistas como *Condé Nast Traveller.*

—¿Vamos con alguien más? —aventura Dan—. ¿O quieres que sea una romántica escapada de los dos solos?

—Aunque eso sería maravilloso —digo, volviéndome hacia él y besándolo—, creo que resultaría mucho más divertido ir con amigos.

—Creo que tienes razón. Y ahora que Tom ya tiene casi diez meses probablemente se divertirá más con otros niños. Así que...

—Arquea una ceja mirándome—. ¿Tengo realmente que preguntar quién quieres que venga?

Hubo un tiempo en que Dan habría propuesto a sus amigos: Simon, Rob, Tom y Cheech, y sus respectivas parejas. Pero, aunque me caían bien, y me caen, nuestras amistades parecen haber cambiado; no los vimos mucho después de la boda y apenas hemos quedado con ellos desde que nació Tom.

Estos últimos meses Trish y Gregory se han convertido en nuestros mejores amigos. Tenemos lo que siempre decimos que es muy poco frecuente, una relación totalmente equilibrada, que creo que era lo que faltaba en la amistad con los «chicos». Me caían bien las mujeres, Anna y Lily, pero nunca tuve la sensación de poder hablar con los hombres del mismo modo, sabía que si me hubieran dado a elegir, no los habría elegido a ellos.

En cambio en nuestra nueva amistad, Gregory me gusta tanto como Trish, y Dan siente lo mismo.

Si llama Trish y Dan contesta al teléfono, los dos hablan durante horas, y yo hago lo mismo si contesta Gregory cuando la llamo a ella.

Los cuatro nos hemos vuelto, en muy poco tiempo, prácticamente inseparables, y a menudo me cuesta acordarme de qué hacíamos antes de que entraran en nuestra vida.

—¿Los llamo yo o tú?

—La llamaré mañana —digo, frunciendo de pronto el ceño—. ¿Y qué hay de Lisa y Andy? No podemos invitar a Trish y a Gregory sin Lisa y Andy.

Dan se encoge de hombros.

—Eres tú la que tiene problemas con Andy. No es amigo mío, pero no me molesta, así que si quieres que vengan no tengo inconveniente.

—¿Y tu madre? Ha dicho que solo otra pareja. ¿Crees que le importará que vengan dos?

—No. Creo que no le importará. Ya no somos adolescentes, por mucho que ellos lo crean. No vamos a poner patas arriba su villa alquilada.

—No lo sé —digo sonriendo—. Me atrae bastante la idea de organizar un fiestorro.

—Eh. —Dan me mira arqueando una ceja—. Esta no es la mujer reposada y conservadora que conozco y quiero. —Y se coloca sobre mí mientras yo me río.

Ahora ya sabéis por qué hoy ha sido un gran día.

El jueves es la noche que se supone que vamos a salir con Trish, Gregory, Lisa y Andy. He contenido el impulso de hablarles de Francia porque quiero preguntárselo personalmente, y como íbamos a estar los seis, me ha parecido que el jueves sería la ocasión perfecta.

Ni que decir tiene que no llamo a Linda para solicitar sus servicios de canguro, y aunque he previsto un menú delicioso, me siento fatal cuando los llamo a todos para decirles que tenemos que suspender el plan por problemas de canguro y para pedirles que vengan a cenar a casa.

—Menos mal —dice Trish.

—¿Menos mal? —repito desconcertada.

—Menos mal que no vamos a ir. He tenido una crisis de vestuario toda la semana; la única razón por la que iba a ir era porque creía que todos os moríais de ganas. Odio los restaurantes modernos. Siempre me intimidan y hacen que me sienta inferior.

Me echo a reír.

—¿Y por qué no lo dijiste cuando Lisa propuso que fuéramos?

—Pensé que aun así lo pasaríamos bien, pero prefiero mucho más ponerme unas mallas e ir a cenar a tu casa.

—Sé qué quieres decir —admito a regañadientes—. Siempre me siento un poco mal porque no me gusta ir a los restaurantes y discotecas de moda. La mitad de las veces no sé ni de qué habla Lisa.

Trish se ríe.

—Lo sé. No estoy criticándola, pero...

Sonrío porque, por supuesto, esas palabras siempre anteceden a alguna crítica. Las tres hemos hablado del peligro de los tríos.

No, no de esa clase de trío, sino de los triángulos de amistad entre mujeres en los que inevitablemente se excluye a una de ellas, o se convierte a una en el blanco de las críticas y las otras dos son las criticonas. Trish y yo nos resistimos durante mucho tiempo, pero Lisa —y eso que me cae genial— es increíblemente superficial.

Al principio me hizo gracia. Lisa se obsesionaba con unos vaqueros Chloé supercaros, hasta que los conseguía y entonces se obsesionaba con un bolso de Prada, hasta que Andy le compraba uno con sus contactos en algún país extranjero, y entonces ella se obsesionaba con un anillo Cartier.

Repito, me cae fenomenal, pero llevamos un estilo de vida muy diferente. A mí no me interesa frecuentar el restaurante Embassy, o llevar el último abrigo de Gucci, o aparecer en un artículo de *Tatler* sobre «mamás modernas», aunque el último que leí hizo que, por asociación, me sintiera maravillosa.

Pero la realidad es que a Trish, a Gregory, a Dan y mí no nos gustan las mismas cosas que a Lisa, y hay veces que Trish y yo no podemos evitar hablar de ello, aunque nuestras conversaciones siempre están salpicadas de «me cae estupendamente, pero...» para tratar de aliviar nuestros remordimientos.

—No estoy criticándola... pero apuesto a que Lisa no viene a cenar.

—¿Cómo? ¿Crees que aprovechará la reserva e irá con Andy?

—Sí. Te apuesto lo que quieras.

—Creo que te equivocas —digo yo—. Sé que es superficial, y lo digo con cariño porque me encanta, pero somos sus amigos y el objetivo de la noche es estar con amigos, no ir a un restaurante de moda.

—Créeme, irá al restaurante. —Trish se ríe—. Vamos, llámala. Está en casa, acabo de hablar con ella. Y llámame luego.

—Bueno, pero sigo creyendo que te equivocas.

Cinco minutos después vuelvo a llamar a Trish.

—¡Eres tan lista!

—¡No! —Oigo una brusca inhalación—. ¿Va a ir al restaurante?

—Sí. Y no finjas que te sorprendes.

—¿Qué te ha dicho?

—Se ha quedado callada un buen rato, y luego me ha preguntado si me importaba que aprovechara la reserva porque se están muriendo por ir y ya sabía lo difícil que era coger mesa, y bla, bla, bla...

—Bueno, entonces seremos los cuatro. Aún mejor. Al menos no tendremos que soportar a Andy.

—Gracias a Dios porque podría haber sido peor.

—¿Qué traigo?

—¿Y si haces un budín?

—Muy bien. Hasta el jueves.

Me encantan mis amigos, pienso acurrucada en el sofá al lado de Dan mientras Gregory se sirve una copa y Trish se quita los zapatos para dejarse caer en el sofá de enfrente.

Me encanta invitarlos a cenar e ir con vaqueros y zapatillas, y no tener que hacer cumplidos. Puede que no haya crecido en una familia unida, pero estoy formando la mía propia, y estoy segura de que aquí hay tanto amor, si no más, que en los lazos de parentesco.

—Bueno. —Gregory se sienta y bebe un sorbo de su copa—. Habéis dicho que queríais hablarnos de algo.

Dan mete una mano debajo de la mesa de centro y saca un álbum de fotos de la casa de Francia.

—Sí. —Se lo pasa a Trish y Gregory—. Echad un vistazo y decidnos qué pensáis.

—¿Qué es?

—Echad un vistazo.

Sonrío mientras empiezan a hojearlo.

—A ver si lo adivino —dice Gregory, pasando las páginas—. Os ha caído dinero del cielo, habéis comprado esta villa en la Toscana y nos vais a invitar a pasar unas vacaciones con vosotros.

—Casi —dice Dan riéndose—. No es la Toscana sino el sur de Francia, y no hay dinero caído del cielo, pero si os apetece es nuestra las dos últimas semanas de agosto.

—¿Nuestra? —Trish me mira y se le ilumina la cara—. ¿Qué quieres decir?

Dan explica lo de la casa y dice que nos encantaría que se apuntaran.

—¡Hecho! —Gregory se da una palmada en la rodilla y le estrecha la mano a Dan—. Cuenta con nosotros.

Trish se levanta de un salto y me abraza.

—¡Oh, Dios mío! ¡Eso es con lo que siempre hemos soñado! ¡Compartir una villa con amigos! ¡Van a ser las vacaciones más maravillosas del mundo! ¡Tenemos que organizar un baile!

—Pensábamos decírselo también a Lisa y Andy —digo cuando volvemos a sentarnos—. ¿Qué os parece?

—¡Por supuesto! —exclama Trish.

—A menos que Lisa tenga una invitación mejor —dice Dan, con una malicia poco habitual en él.

—Caray. —Gregory se ríe—. Te estás volviendo tan malo como nuestras mujeres.

—¡Eh! ¡Eso no es justo! —interviene Trish—. Nosotras queremos a Lisa.

—Por eso la estáis criticando continuamente. —Dan arquea una ceja.

—No la criticamos —digo con calma—. Solo hablamos de ella, y, de todos modos, no decimos nada que no le diríamos a la cara. —Esta última afirmación no es estrictamente cierta, pero queda bien, y, lo que es más importante, parece sincera y es un buen atenuante.

—Calma, calma. Por mí, cuantos más seamos mejor.

—Hay cinco habitaciones, así que si llevamos cunas de viaje los niños podrían dormir juntos.

—O con nosotros —dice Trish–. Como sea. Pero ¡qué emocionante! ¡Unas vacaciones! ¡Y en el sur de Francia!

Vuelve a pasar las páginas del álbum y yo me siento a su lado en el sofá mientras estudiamos las fotos con atención, tratando de memorizar cada postigo, cada pared de piedra, cada vieja cama en forma de *bateau* de madera de cerezo en los dormitorios.

—¿No es idílica? —suspira Trish.

—Desde luego. Y lo mejor es que solo faltan ocho semanas.

—Dios. —Trish parece alarmada—. ¿Ocho semanas? Todavía no me he quitado los kilos del embarazo. ¿Cuántos kilos puedes adelgazar en ocho semanas?

—Seis. Fácilmente —digo—. Pero tendrás que esperar a mañana para ponerte a régimen, porque llevo toda la tarde matándome en la cocina y esta noche tienes que comértelo todo.

—De acuerdo. —Trish sonríe—. Trataré de no pensar en biquinis.

—¿Biquinis? —La miro horrorizada—. ¿Bromeas? No he llevado un biquini desde que tenía dieciséis años.

—Lo sé. Yo tampoco. Pero soñar es gratis. —Parece entristecida—. Apuesto a que Lisa lleva biquini.

—Sí. Y apuesto a que le queda fantástico. —Me desplomo a su lado y las dos nos miramos nuestra protuberante barriga.

—¿Crees que puedo deshacerme de ella en ocho semanas?

Me miro la mía.

—Creo que sería mucho más fácil salir y comprar un Miraclesuit.

—¿Un Miraclesuit?

—Es lo último en bañadores. Te garantiza cinco kilos menos solo con ponértelo.

Gregory, que nos está escuchando, se echa a reír.

—Si te garantiza cinco kilos menos solo con ponértelo es realmente un milagro. Querrás decir que garantiza que parezca que has perdido cinco kilos.

—Oh, no seas tan pedante —digo bufando—. Sabes lo que quiero decir. Bueno, ¿vamos a comprarnos uno la semana que viene?

—Cuenta conmigo —dice Trish mientras entramos en la cocina para cenar.

15

¿Por qué nadie me ha advertido nunca que no haga maletas cuando hay niños por medio, sobre todo niños que acaban de cumplir un año y parecen necesitar que todo vaya a parar al fregadero de la cocina?

Antes tardaba media hora en hacer la maleta. Garabateaba una lista, para asegurarme de que no olvidaba el desodorante o la ropa interior, lo sacaba todo del armario, lo embutía en una maleta y listos.

Esta vez —nuestras primeras vacaciones desde que tenemos un hijo— hacer las maletas me ha llevado tres semanas. He hecho listas y más listas y más listas. He tenido que hacer maletas para las vacaciones propiamente, y preparar una bolsa aparte para el viaje en avión. Me he despertado en mitad de la noche empapada en sudor frío y me he levantado de un salto de la cama para coger el paracetamol del botiquín y meterlo en la bolsa que vamos a llevar a bordo.

He tenido que meter en las maletas juguetes, pañales, toallitas, comida para picar. He metido libros, protector solar para bebés, toallitas antibacterias, mudas de ropa.

Tenemos la cuna de viaje, el asiento del coche, la sillita hamaca, la trona portátil. No he estado más cansada en toda mi vida.

Si antes no necesitaba unas vacaciones ahora me urgen.

Estoy en la habitación de Tom, recorriéndola con la mirada por enésima vez en el día de hoy. Nos vamos mañana y he estado repasándolo todo, pero no puedo quitarme de encima la persistente sensación de que olvido algo, aunque, como Dan no para de decirme, nos vamos al sur de Francia, no a la remota Mongolia. Si hemos olvidado algo podemos comprarlo allí.

Suena el teléfono y oigo a Dan contestar mientras trato de adivinar con quién habla; suelo saberlo por el tono de su voz.

Es su madre. Seguro. Levanto la mirada hacia el techo, aunque la única persona que me ve es Tom, que se echa a reír porque cree que le hago caras, y me pongo a hacerlas mientras cierro la puerta. No me interesa en absoluto lo que ella tenga que decir.

Cinco minutos después Dan abre la puerta del cuarto de juguetes y entra suspirando.

—Bueno, qué. —Lo miro—. ¿Qué tenía que decirte tu madre?

—¿Quieres oír primero las buenas noticias o las malas noticias? —pregunta; se me cae el alma a los pies.

Mierda. Me veo venir algo horrible.

—Oh, Dios. Son las vacaciones. No pueden suspenderlas. Nos vamos mañana, por el amor de Dios. No puedo creerlo —empiezo a murmurar sacudiendo la cabeza—. Los voy a matar.

—No, no. Relájate —dice Dan—. Vamos a ir igualmente, esa es la buena noticia.

—¿Y la mala?

—Que ellos también estarán allí.

Resulta que el yate en el que iban a hacer el crucero ha tenido un accidente y se ha encallado en algo, de modo que estarán en la casa. Pero no debemos preocuparnos, porque no se inmiscuirán. Y, piénsalo, ¿no será divertido tener unas vacaciones familiares como es debido?

—¿Bromeas?

Dan sacude la cabeza con tristeza.

—Pero es una locura. Eso no son unas vacaciones sino una pesadilla. No quiero coincidir con tus padres. Tenemos que encontrar otro lugar. Ir a otra parte. ¡Lo que sea!

—No sé qué decir —dice Dan—. No podemos cambiar los vuelos y, la verdad, no podemos permitirnos ir a otra parte, por no hablar de las pocas probabilidades que tenemos de encontrar algo para las dos últimas semanas de agosto en el sur de Francia. Seguramente todo está reservado.

Me echo a llorar; me siento terriblemente decepcionada.

—Oh, querida. —Dan se inclina y me abraza—. Ya sé que no es lo que esperábamos, pero aun así nos lo pasaremos bien. Y, quién sabe, puede que tengan un montón de planes y que prácticamente no los veamos.

—Deja que llame a los demás —resoplo—. A saber qué dirán.

Dejo un mensaje en el móvil de Trish; luego llamo a Lisa y le dejo un mensaje en el contestador de su casa, aunque a continuación la encuentro en el móvil.

—¿Dónde estás?

—Haciendo compras de última hora en Selfridges. De pronto me he dado cuenta de que Amy no tenía bañador y cuando ya estaba aquí he visto un biquini Missoni precioso que me vendrá de perlas.

Espero a que termine de contarme sus últimas adquisiciones —¡quién tuviera un ex marido rico!— para soltarle la bomba.

—Oye, tengo malas noticias.

—¿Más malas noticias?

La semana pasada Andy le dijo que no iba a venir. En el último momento le había salido un trabajo que coincidía con el viaje, y lo sentía mucho, pero se lo pagaban tan bien que no podía rechazarlo; lo primero era el trabajo. Había una posibilidad de que se uniera a nosotros el fin de semana, dijo, pero no podía asegurar nada.

No estoy segura de quién se sintió más aliviada, si nosotras o Lisa. Trish y yo estábamos encantadas, aunque, naturalmente, no podíamos decírselo a Lisa, pero incluso ella confesó que las cosas no habían ido muy bien entre ellos y que probablemente estaría mejor sin él.

Parte del problema, dijo, además de ser un estúpido integral, era Amy. No se interesaba para nada en ella, de modo que no tenían ningún futuro; estaban en ese punto en que la relación se acerca al final.

Su única decepción era que haría de carabina, en palabras de ella.

—Seguro que te ligas a algún millonario con un yate en el puerto —dije yo medio en broma, porque Lisa es exactamente la clase de mujer que podrías ver del brazo de uno de esos millonarios playboys europeos.

—Hummmm —dijo ella—. No es mala idea. Puede que no esté tan mal, después de todo.

—No, esto sí que son malas noticias —digo ahora por el teléfono—. Los padres de Dan estarán allí. ¿Puedes creerlo?

—¿Qué quieres decir con que estarán allí? Creía que se iban en yate.

De modo que se lo explico y Lisa se echa a reír.

—Vamos, no es tan horrible. Pensé que ibas a decirme que habíais suspendido las vacaciones. Estoy segura de que los padres de Dan serán agradables y que apenas les veremos el pelo. Deben de sentirse fatal..., probablemente no pararán en la casa.

—Eso es lo que ha dicho Dan.

—¿Lo ves? Y son sus padres, los conoce mejor que nadie. Además, tu suegra no se atreverá a ejercer de sargenta con Trish y conmigo en el equipo. Si se pasa contigo le pegaré un puñetazo. ¿Qué te parece? —Me echo a reír. Puede que Lisa tenga razón. Tal vez no sea tan horrible, después de todo—. Mira el lado positivo —continúa—, tendremos canguro cada noche y podremos salir a cenar. Nos lo vamos a pasar en grande, ya lo verás. No te preocupes por nada.

Heathrow está de bote en bote, con el ajetreo y el bullicio de veraneantes nerviosos y niños excitables. Tom, gracias a Dios, se está portando excepcionalmente bien para tener un año, a pesar de que hemos tenido que levantarlo a las cinco de la mañana. Ha dormitado en el coche, pero ahora parece feliz de que lo empujemos en su sillita, agarrado a su conejo —bautizado, con muy poca imaginación, Conejo—, con los ojos muy abiertos ante todo ese estruendo.

Llevo un chándal de Gap, que os aseguro que es exactamente igual que la versión mucho más cara de Juicy Couture, y unas zapatillas de deporte Puma nuevas, y me siento maravillosamente; me siento como Victoria Beckham cruzando a zancadas el aeropuerto, aunque sin gorra de béisbol, gafas de sol y extensiones de pelo, por supuesto.

¡No puedo creer que nos vayamos de vacaciones! ¡Hacia el sol! ¡Relax! El chasco de que Linda y Michael estén allí también parece haber desaparecido de la noche a la mañana, y ahora solo estoy emocionada porque por fin nos vamos.

Las vacaciones nunca han formado parte realmente de mi vocabulario. De niña no viajaba nunca —la afición a la bebida de mi madre la convertía en una peligrosa compañera de viaje—, y nunca le he encontrado sentido a pagar cientos de libras por tumbarme en una playa cuando hay cosas mucho más importantes en las que gastar el dinero.

Aunque comprendo el concepto de necesitar unas vacaciones, nunca lo he vivido en carne propia y, rara vez, he creído necesitarlas.

Todo eso era antes de tener un hijo. Ahora que tengo a Tom y las noches en blanco no son algo que ocurre dos veces al año a consecuencia de una gran juerga, sino cada semana, y a veces cada noche, comprendo perfectamente el concepto de necesitar unas vacaciones.

Pero hasta esta mañana, hasta que he llegado al aeropuerto y he visto la agitación general que flota en el ambiente, no he sabido lo emocionada que podía llegar a estar.

De modo que me siento genial, hasta que veo a Lisa en el otro extremo de la sala de embarques, con una bolsa de deporte Louis Vuitton entre las piernas, hablando animadamente por teléfono, con unos pantalones blancos ceñidos, unas sandalias de tacón alto, una blusa Pucci con un estampado psicodélico, unas gafas de sol y unos pendientes de aro dorados.

De pronto me siento terriblemente mal. Allí estaba yo, no hace ni tres minutos, admirándome en el escaparate de una tienda, y ahora me siento como una anticuada esposa de clase media que trata de hacerse la moderna. Mierda, ojalá me pareciera más a Lisa, que en estos momentos es la viva imagen de Elizabeth Hurley, solo que rubia.

Y Amy es el accesorio perfecto; lleva un encantador vestido con un estampado de rosas anticuado y está recostada en un Bugaboo Grog, lo último en cochecitos de diseño. Las dos parecen sacadas de un anuncio de revista.

Cuando nos acercamos a ella, Trish y Gregory aparecen bruscamente por la izquierda; Trish, nerviosa, empuja el cochecito, con el brazo lleno de chaquetas mientras trata de recoger la estela de cereales Cheerios que Oscar deja a su paso.

Me abraza, besa a Dan y se vuelve hacia Lisa, que apaga el móvil y nos abraza a todos.

—¡Lisa! —Trish sacude la cabeza—. ¿Cómo demonios te las arreglas para estar tan glamurosa a estas horas de la mañana? ¿Por qué no me parezco a ti? ¡Dime cómo lo haces!

Lisa se ríe y yo me relajo, qué tonta he sido de sentirme intimidada por una buena amiga. Facturamos el equipaje y cruzamos la puerta de seguridad para hacer un poco de tiempo en la sala de espera.

Dejamos a los chicos con los niños mientras las tres entramos en la librería para comprar lecturas para la playa, luego vamos al duty-free para lo que Lisa llama los polvos de colorete de rigor, y volvemos justo cuando anuncian nuestro vuelo.

La azafata de Air France logra soslayarnos a Trish y a mí, saluda a Gregory y a Dan con una breve inclinación de cabeza, y se pone a hablar con entusiasmo con Lisa, quien parece hablar un francés más que pasable. Debería habérmelo imaginado, aunque en cuanto nos sentamos, ella jura que tiene un vocabulario limitadísimo pero muy buen acento, de modo que todo el mundo cree que habla mucho mejor de como lo hace en realidad.

Nos instalamos en nuestros asientos y ponemos cómodos a los bebés; mientras, Dan, sentado a mi lado, repasa a todos los pasajeros que suben al avión.

—¿Por qué les echas a todos el mal de ojo? —pregunto al cabo de un rato.

—Solo trato de adivinar si hay algún terrorista entre ellos.

Lo dice tan serio que farfullo:

—Ah, muy bien. ¿Y qué estás buscando? ¿Alguien con una bomba atada a la cintura? ¿O con cables delatores que le cuelguen de la camiseta?

—Ja, ja, ja. —Dan interrumpe su misión para mirarme—. Dicen que deberías saber quiénes son los pasajeros que viajan contigo.

—¿Y por qué no te presentas tú a ellos? ¿Y averiguas la historia de sus vidas? —No puedo evitar resoplar.

—Estupendo. Una gran idea. Iré a presentarme a ella. —Sonríe señalando con un gesto a una mujer despampanante con aspecto de modelo que se abre paso por el pasillo, con las gafas de sol colocadas atractivamente en el pelo.

—Tranquilo, tranquilo. —Le froto el brazo y me inclino para darle un beso posesivo—. Aún no has visto nada, pequeño. Si crees que ella es guapa, espera a ver a todas las chicas en *topless* de la playa.

Dan sonríe.

—¿Por qué crees que estoy tan emocionado con estas vacaciones?

—Entonces, ¿no es por la perspectiva de verme a mí en *topless*? —Arqueo una ceja mientras Trish se inclina por el otro lado.

—Está bien —dice—. Lo admito. Os he estado escuchando. —Me mira, sorprendida—. No dirás en serio lo del *topless*, ¿verdad?

—Lo dudo mucho. Antes de Tom tal vez lo habría hecho, pero ahora que los pechos me cuelgan hasta los tobillos necesito todo el apoyo que pueda encontrar.

—Fantástico. Entonces no soy la única. Ya sabes que Lisa se los ha retocado.

Asiento mientras a Dan se le ilumina la cara.

—¿Retocado? —dice—. ¿Quieres decir que se ha operado los pechos?

—Sí. —Asiento—. Se los levantaron y le pusieron implantes. Deja de jadear, Dan, estoy segura de que los verás.

—Me sorprende que no haga *topless* en el avión —dice Trish.

Yo me río, porque la falta de pudor de Lisa nunca deja de asombrarme.

Se operó hace dos meses, y no porque le hiciera falta, y en cuanto cicatrizaron se desnudó en su sala de estar e insistió en que los tocáramos, lo que Trish y yo hicimos, con bastante reparo. Es difícil ser objetiva cuando una de tus mejores amigas está de pie medio desnuda delante de ti insistiendo en que le toques los pechos.

Pero debo decir que sentí bastante envidia. Sus pechos eran espectaculares, aunque bastante duros. No tengo ninguna duda de que Lisa solo llevará la parte de abajo del biquini, y que Dan y Gregory disfrutarán de cada segundo.

—¡Lisa! —La chica modelo de las gafas de sol llega hasta nosotros y abre mucho los ojos al ver a Lisa.

—¡Kate! —Lisa me pasa a Amy a través del pasillo y se levanta para abrazarla—. ¡Oh, Dios mío! ¿Qué estás haciendo aquí?

—¡Vamos a instalarnos con Jonathan y Caro en Grasse! ¡Somos todo un grupo! ¡Yo y Sarah, Mark y un par más! Tienes que venir a vernos. Pero ¿qué haces tú aquí?

—Vamos a una casa en Mougins, a tiro de piedra de ti, así que también tendrás que venir a vernos.

Oigo esas palabras y siento de nuevo una oleada de cólera hacia mis suegros. Si no estuvieran ellos allí podríamos invitar a quien quisiéramos, pero estando allí es muy poco probable que quieran a un montón de gente entrando en tropel.

—Ah —dice Lisa, volviéndose hacia nosotros—, estos son mis amigos.

Nos presenta a todos. Sonreímos y nos inclinamos para estrecharle la mano, y yo lamento no llevar unos vaqueros y una camiseta, aunque debería pesar seis kilos menos para tener tan buen aspecto como Kate.

—Está bien —le susurro a Trish cuando Kate ha desaparecido por el pasillo—. Sé que resulta ridículo, pero ¿por qué siempre tengo que sentirme tan desmañada al lado de Lisa y sus amigas?

—¿Qué te importa? —Trish se encoge de hombros—. Recuerda, no debes juzgar las apariencias. Sé que Lisa parece una modelo, pero no seríamos amigas de ella si no fuera auténtica y encantadora. Y esa tal Kate probablemente también lo es.

—¿Cómo te las arreglas para ver siempre lo bueno de la gente?

Trish vuelve a encogerse de hombros.

—Soy así. Aunque también me gusta un poco de malicia. Por ejemplo, Lisa, por encantadora que sea, a veces me sorprende con su obsesión con las marcas.

—¿Estás tratando de decir que es superficial? —digo sonriendo.

—Exactamente. De todos modos, no estamos criticándola. Parte de la razón por la que la queremos es porque es superficial. Y, de todos modos, siempre nos decimos todo a la cara —dice Trish muy seria, y las dos nos echamos a reír.

—¿De qué os reís? —Lisa se inclina desde el otro lado del pasillo, con Amy sentada en sus rodillas.

—Decíamos que nos encantaría entender tanto como tú de ropa —digo, creyendo que eso es probablemente lo más cerca de la verdad que puedo llegar.

En cuanto bajamos del avión nos golpea una oleada de calor; cojo a Dan de la mano y se la aprieto con fuerza. Parece haber pasado tanto tiempo desde nuestra luna de miel, tanto tiempo desde que nos golpeó el calor abrasador de un sol implacable, que es totalmente transformador, como si el calor y la felicidad fueran una misma cosa.

Dan me sonríe, lee mis pensamientos.

—Parece que todos necesitábamos estas vacaciones.

—¿No es una sensación agradable?

—¿Llevas un poco mejor que mis padres estén aquí?

Asiento. Porque ahora que estamos aquí, estoy segura de que eso no cambiará nada. Necesito este descanso mucho más que ellos, y voy a pasarlo bien; a la porra mis suegros.

Intercambiamos los números de teléfono con Kate en el aeropuerto entre promesas de que nos reuniremos todos, y me siento vagamente desorientada cuando insiste en darnos a todos dos besos, a pesar de que no nos conoce.

—Donde fueres... —Lisa se ríe mientras nos alejamos hacia la agencia de alquiler de coches—. Al menos no estamos en París —continúa—. La última vez que estuve allí llegaban a darte hasta cinco besos. No se acababa nunca. Dios, despedirte de tres personas te llevaba una hora.

Nos esperan dos Renault, y al cabo de quince minutos hemos dejado atrás el aeropuerto de Niza y hemos empezado a bordear la costa a través de Cagnes-sur-Mer en dirección a Mougins.

—¡Mira! ¡Palmeras! —no paro de exclamar, volviéndome hacia Tom para señalárselas, aunque probablemente no tiene ni la menor idea de lo que estoy diciendo.

Leí en alguna parte que los niños más inteligentes son aquellos a los cuales sus padres les hablan mucho, incluso de cosas insignificantes, y como naturalmente Tom es un genio en ciernes, hago lo que puedo por fomentarlo charlando todo el día con él, normalmente de tonterías.

Dan una vez me pilló preguntándole a Tom su opinión sobre si me ponía los pantalones negros o los marrones. En aquel momento Tom estaba recostado entre cojines en nuestra cama mordisqueando sin piedad un anillo de dentición de goma; sin embargo, me miraba mientras sostenía los pantalones en alto.

—Hummm —dijo Dan desde la puerta, sobresaltándome—. Creo que es posible que estés pasando demasiado tiempo con Tom. Algo me dice que necesitas tratar más con adultos.

Y los dos nos echamos a reír.

Pero es un hábito difícil de romper, y no estoy particularmente interesada en hacerlo aún, de modo que señalo a Tom todo lo que vemos. Hasta le hago alguna que otra traducción del francés, que me esfuerzo por recordar del colegio.

En las afueras de Mougins viramos hacia una colina empinada mientras yo trato de seguir las indicaciones que los padres de Dan nos enviaron por fax hace unos días. Trish, Gregory y Lisa, que nos siguen en otro coche alquilado, se ríen de nosotros a través de las ventanillas bajadas, ya que no paramos de girar donde no toca y de hacer cambios de sentido en entradas de casas de desconocidos.

Por fin encontramos la rue des Oiseaux y recorremos un camino de tierra lleno de baches que no parece llevar a ninguna parte... hasta que en lo alto del camino la tierra da paso a una grava fina; avanzamos entre columnas de piedra y nos adentramos en un aparcamiento cubierto por glicina.

Bajamos y corremos por el viejo sendero hasta la fachada de la casa, donde abrimos una pesada puerta de roble y encontramos una nota en el felpudo.

> Dan, Ellie y compañía:
> Hemos ido al pueblo a comprar comida. Estáis en vuestra casa. Las toallas están en la caseta de la piscina. ¡Pasadlo bien!
> Besos,
>
> Mamá y papá

—Bueno —dice Gregory, dejando caer las bolsas en el umbral—. ¿Qué os parece un chapuzón?

Trish arquea una ceja y se vuelve hacia él.

—¿Qué tal si buscamos nuestra habitación, deshacemos el equipaje, guardamos todo en los armarios y cambiamos de pañal a Oscar, que hace horas que lo necesita?

En ese preciso momento Oscar se echa a llorar, lo que contagia a Tom y luego a Amy.

—Buena idea, Trish —dice Dan—. Quitemos a los niños de en medio para que podamos divertirnos los adultos.

—¡Encantador! —Sacudo la cabeza—. Si tu hijo y heredero entendiera lo que estás diciendo...

—Aunque lo entendiera, no podría oírlo con todos esos berridos.

—Bueno, ¿qué tal si nos ayudáis a encontrar nuestras habitaciones y deshacemos las maletas?

—Está bien, está bien. —Dan sube la escalera con unas cuantas bolsas—. Yo iré primero. Vamos a ver.

16

Debería haber imaginado que Linda y Michael se quedarían con el dormitorio principal. Llevo los dos pasados meses hojeando el álbum de fotos de la casa y fantaseando con tumbarme en la enorme cama doble con las puertas correderas abiertas mientras el sol entra a raudales y cae sobre la bandeja del desayuno que tengo sobre las rodillas, en la que hay un montón de *croissants*, *pain au chocolat* y *café au lait* humeante.

De modo que creo que tengo derecho a sentirme ligeramente disgustada, dado que en cuanto entramos en el dormitorio principal, se ve claramente que Linda y Michael no tienen ninguna intención de trasladarse para que nos instalemos nosotros.

En la estantería están amontonadas las novelas malas de Linda, sus zapatos están alineados en el suelo y sobre el sillón del rincón hay un par de batas de lana fina.

Aun así, abro la puerta del armario solo para asegurarme, y como esperaba, está lleno a reventar de la ropa de Linda y Michael.

—¡Joder! —exclamo, sentándome en la cama mientras Dan me mira preocupado.

—Lo siento —susurra, rodeándome con el brazo—. Sé que te hacía ilusión ocupar esta habitación, pero no te preocupes, aun así vamos a pasarlo en grande.

—Lo sé, lo sé. Estoy siendo muy mala, sobre todo porque son sus vacaciones y son ellos los que las pagan. Pero me hacía mucha ilusión quedarme en esta habitación.

—Bueno, vamos a ver las demás y a ocupar la segunda mejor antes de que alguien se la apropie. —Dan sonríe mientras me levanta y yo lo sigo de mala gana.

Los dormitorios se llaman la habitación azul, la habitación verde, la habitación amarilla y la habitación de servicio. Aunque poner a los niños juntos parecía de entrada una buena idea, cuando vemos la habitación de servicio nos damos cuenta de que apenas hay sitio en ella para una cuna de viaje, por no hablar de tres.

—¿No podríamos ponerlos a los tres en la misma cuna? —pregunta Lisa gimiendo, y nos echamos a reír.

—No, pero podemos hacer un trato. El que se quede la habitación más pequeña tendrá la de servicio para su hijo.

—Entonces la habitación más pequeña es para mí —dice Lisa, esperanzada.

Pero al final escribimos los colores de las habitaciones en trozos de papel y los dejamos en un cenicero; Lisa cierra los ojos y murmura «habitación amarilla», «habitación amarilla», «habitación amarilla» mientras busca a tientas su trozo de papel mágico.

A Lisa le toca la habitación azul, a Trish y a Gregory la verde, que probablemente es la más grande después de la principal, y a Dan y a mí la amarilla, que es la más pequeña, pero tiene la ventaja de tener un pequeño balcón que da a un tejado de tejas rojas con un olivar abajo.

En el balcón hay una mesa de hierro poco estable con dos sillas, y en cuanto lo hemos metido todo en el enorme armario de madera de cerezo que hay en un rincón, llevamos a Tom al balcón y nos sentamos un rato, para embebernos de la vista y del sol.

—Vamos —dice Dan por fin—. ¿Por qué no pones a dormir a Tom y vamos a nadar?

Creo que mi Miraclesuit es un verdadero milagro. Es una lástima que no llegue hasta las rodillas porque a mi celulitis no le vendría mal otro milagro. Aun así, cubro las zonas más ofensivas con un enorme sarong semitransparente y bajo corriendo a la piscina con mi crema bronceadora.

Parece ser que todos hemos tenido la misma idea. Trish está poniéndole crema a Gregory en la espalda; cuando doblamos la esquina, ella levanta la mirada y sonríe, señalando a Lisa, y oigo que a Dan se le corta la respiración.

—Está bien, respira hondo. Relájate —murmuro, dándole unas palmadas en el brazo, aunque tengo que admitir que untada de aceite y flotando por la piscina en una colchoneta con los pechos al descubierto apuntando al cielo, Lisa está realmente despampanante.

—Lisa —la llamo mientras ella flota perezosamente hacia nosotros—. Creo que tus pechos deberían llevar una advertencia de las autoridades sanitarias. Mi marido ha estado a punto de tener un infarto.

—¿Qué sentido tiene gastar tanto dinero en ellos si nadie los puede ver?

—De acuerdo —digo—. De todas maneras, harás feliz a mi suegro por lo menos. —Luego murmuro a Dan, con un tono mucho más bajo—: Pero no estoy segura de qué pensará tu madre.

—Probablemente se morirá de envidia —dice Dan—. Y exigirá saber quién es su cirujano.

Acercamos un par de tumbonas a Gregory y Trish.

—Bueno —dice Trish, levantándose y protegiéndose los ojos del sol con una mano—. Puesto que nos estamos viendo casi desnudos por primera vez, quiero hacer unas cuantas puntualizaciones. Esto —se vuelve y señala sus pantorrillas— son mis horribles varices, que son hereditarias pero que han aumentado enormemente por culpa de este pequeño monstruo conocido como Oscar. Esto —se coge un trozo de muslo cubierto de hoyos— es mi celulitis, y esto —acaricia su protuberante barriga— es, una vez más, la marca de Oscar el terrible.

—Cariño —dice Gregory, apoyándose sobre el codo—, ¿por qué insistes en señalar todas tus imperfecciones? No vas a oírme decir ninguna de las mías.

—Eso es porque eres perfecto. —Me guiña un ojo.

—Sabía que había una razón para casarme contigo. —Gregory le aprieta la mano con afecto.

—¿De verdad? —Trish frunce el entrecejo—. Solo quiero asegurarme que es del dominio público. Nunca olvidaré una vez que fui de vacaciones con mis padres y unos amigos suyos; en cuanto volvimos al hotel, mi madre no paró de hablar de lo caídos que tenían los pechos sus amigas, y que no tenía ni idea de lo ancha de caderas que era. No podría soportar imaginaros en vuestra habitación hablando de mi celulitis y mis varices, de modo que si lo declaro abiertamente supongo que no os quedará nada que decir.

Dan mira a Trish, sacudiendo la cabeza.

—Eres muy rara, ¿lo sabías?

Trish se encoge de hombros.

—Solo soy práctica.

Miro a Lisa, que está haciendo una imitación del anuncio del bronceador Hawaiian Tropic.

—¿Ya ha tenido Lisa el placer de contar tus imperfecciones?

Trish asiente.

—Por supuesto.

—Y, deja que adivine, ella no tiene ninguna, ¿no?

—¡Sí que tengo! —grita Lisa desde la piscina—. Tengo los muslos cubiertos de horribles venas. Mirad. —Se señala los muslos. Solo se ven hectáreas de piel dorada y tersa.

—No tiene, ¿verdad? —Sonrío a Trish.

—No he encontrado ni una. —Trish me devuelve la sonrisa.

—Y tengo un montón de pelos encarnados en las ingles —grita Lisa—. Y estos horribles granos morados...

—¡Está bien! —interrumpe Dan—. Creo que es suficiente por hoy.

—Eso, eso —se hace eco Gregory—. Y, para vuestra información, sois las tres mujeres más guapas que he visto nunca. ¡Ay! —Lanza una mirada a Trish mientras recibe un brusco codazo—. Aunque, y no soy parcial, tengo que decir que mi mujer es la más guapa de todas.

—Sabía que había una razón para casarme contigo —dice Trish a Gregory, inclinándose para besarlo.

—¿No es idílico este lugar? —Dejo el libro, me doy la vuelta y le doy un beso a Dan en el hombro—. Hummm. Sabes a coco.

—Es maravilloso. —Dan me sonríe—. ¿No es curioso que no te des cuenta de que necesitas unas vacaciones hasta que te las tomas y entonces te preguntas por qué demonios no lo haces más a menudo?

—Hasta que vuelves a casa y tres días después te has olvidado de que te has ido —digo sonriendo—. Voy a echar un vistazo a Tom.

—¿Puedes mirar a la mía? —grita Lisa—. Aunque debe de estar dormida aún.

—Voy contigo para ver a Oscar. —Trish se levanta de su tumbona y se estira—. ¿No sería estupendo que estuvieran tan agotados que durmieran toda la tarde y pudiéramos holgazanear fingiendo que no tenemos hijos?

—Claro que no cambiaría nada... —La miro.

—Por supuesto —dice ella riéndose—. No cambiaría nada. A no ser que tuviéramos niñeras a tiempo completo.

Oscar sigue durmiendo tranquilamente, con los brazos y las piernas abiertas, roncando y resoplando débilmente.

—¿No son preciosos cuando duermen? —susurra Trish, cerrando sin hacer ruido la puerta antes de ir a echar un vistazo a Amy, que también duerme profundamente.

Recorremos el pasillo hasta mi habitación y Trish se vuelve hacia mí, desconcertada.

—Qué raro. —Frunce el entrecejo—. Juraría que se oyen voces en tu habitación.

—¿En serio? Ya sé que mi niño es un genio, pero ¿no es un poco pronto, hasta para él? —Me echo a reír, y luego yo también lo oigo. El sonido inconfundible de la voz de Linda.

—Aquí está mi niño bonito. —Linda está sentada en la cama, dando botes a Tom que ríe cuando abro la puerta—. ¿Quién quiere a su abuela? —canturrea—. ¿Quién quiere a su abuela?

Tom me mira e inmediatamente frunce el ceño y alarga los abrazos hacia su madre.

¡Ja!

Me acerco corriendo, lo cojo, le doy unas palmaditas en la espalda y lo beso mientras miro furiosa a Linda.

—¿Lo has despertado? —Mi voz es asesina.

—¡No! —dice ella, abriendo mucho los ojos con expresión de inocencia—. Hemos vuelto y solo quería verlo; no sabía en qué habitación estaba, pero te aseguro que cuando he abierto la puerta, tenía los ojos abiertos y me miraba.

—¿Y cuánto hace que está despierto? —Miro el reloj, todavía furiosa.

—Te lo he dicho. —Michael habla por primera vez, sacudiendo la cabeza y mirando a Linda—. Te he dicho que no entraras.

—Pero no lo he despertado —insiste Linda—. Ya estaba despierto.

—Bueno —digo—. Pero ¿cuánto lleva despierto?

—He entrado hace unos diez minutos.

Michael resopla y sé que ella miente, pero no tengo fuerzas.

—Bueno —repito—. Entonces ha dormido hora y media en lugar de tres horas como siempre, lo que significa que estará pesadísimo a las cinco. Gracias, Linda. ¿Serás tú quien cuide de él cuando esté agotado y berreando?

—Sí —dice ella impaciente—. Por supuesto. Sería un placer.

Miro al cielo, salgo y regreso a grandes zancadas a la piscina.

—Tu madre es increíble. —Me planto frente a la tumbona de Dan para asegurarme de que le tapo el sol y proyecto una gran sombra sobre él.

—¿Qué? —suspira Dan—. ¿Qué ha hecho ahora?

—Está aquí, ha despertado a Tom de la siesta y ha estado jugando con él, y ya sabes cómo se pone cuando no duerme lo suficiente. Luego estará pesadísimo. Lo que ha hecho no tiene perdón. De verdad.

—Bueno, bueno. Relájate. Estoy seguro de que no era su intención. Ni siquiera sabía que ya habían vuelto. ¿Dónde están?

—Dentro. Yo tampoco lo sabía. Los he encontrado jugando con Tom en nuestra habitación.

—Tú quédate aquí y tranquilízate. Voy a saludarlos. Probablemente saldrán para conocerlos a todos. Dame a Tom, iré con él.

—¿Para que tu madre vuelva a ponerle las manos encima? —casi grito—. Creo que no. Tom se quedará aquí conmigo. —Empiezo a revolver en la bolsa de playa en busca del Factor 30—. Vamos, vete. Estaremos bien.

Al cabo de veinte minutos, durante los cuales me calmo considerablemente, aunque empieza a ser agotador correr detrás de Tom que intenta desesperadamente gatear hasta la piscina, Dan, Linda y Michael salen para saludar.

Tengo que admitirlo. Disfruto enormemente viendo la cara de Linda cuando Lisa sale de la piscina y se acerca a ella para estrecharle la mano llevando solo una gran sonrisa y la parte de abajo de un biquini minúsculo.

Linda, que lleva un bañador entero con un estampado de leopardo a juego con el sarong, está visiblemente incómoda y no sabe dónde mirar.

—Encantada —dice formalmente, mientras estrecha la mano de Lisa y la mira fijamente a los ojos, fingiendo que ni ha notado ni le incomoda que Lisa esté prácticamente desnuda.

Michael, por otra parte, sonríe encantado.

—¡Hooola! —exclama arqueando las cejas mientras Linda se vuelve hacia nadie en particular y mira al cielo—. Encantado de conocerte. —Estrecha la mano de Lisa sin dejar de sonreír y la repasa de arriba abajo—. ¿De modo que eres amiga de Ellie? Siempre es un placer conocer a los amigos de Dan y Ellie.

Casi me caigo de espaldas. Es el padre de Dan. ¡Su padre! Su padre calzonazos, medio calvo y poco sociable. Su padre, que no despliega ni pizca de encanto o carisma fuera de las paredes de los tribunales, y que parece haberse metamorfoseado de pronto y bastante inesperadamente en Leslie Phillips. Casi espero que diga con su entonación: «Diría que para ser madres jóvenes habéis dado en el clavo, chicas».

No lo dice, por supuesto. Se vuelve y estrecha la mano a Trish y a Gregory —«Me han entrado ganas de disculparme y decirle: lamento no ser una rubia de metro ochenta con unas tetas enormes», me dice Trish más tarde—, aunque a la primera oportunidad, mi suegro se excusa y se zambulle en el agua, sospecho que para tener una mejor perspectiva del cuerpo de Lisa mientras ella se instala de nuevo en la colchoneta.

Trish me mira arqueando una ceja.

—¡Es un poco infantil tu suegro!

Lo observamos haciendo largos, deteniéndose en cada extremo para respirar hondo y examinar a Lisa.

—¡Lo sé! —Me echo a reír—. ¡Quién lo hubiera dicho! ¡Mi viejo y gris suegro se ha quedado prendado de Lisa! No conocía esa faceta suya.

—Oh, vamos, no es tan viejo ni tan gris —dice Trish, sorprendida—. De hecho, es bastante atractivo. Tal vez tu suegra debería vigilarlo.

—Puaf. —Hago una mueca, pero me sorprendo mirando a Michael con otros ojos. ¿Podría parecerme atractivo si no fuera mi suegro? Nunca me han atraído los hombres mayores, pero supongo que si me atrajeran, y él no fuera el padre de Dan, y yo no supiera lo calzonazos que es, podría encontrarle cierto atractivo a lo Michael Douglas.

Y aunque no pienso darle la razón a Trish, es cierto que ves a la gente de otra forma cuando no lleva casi nada encima.

Nunca me había parado a pensar en el aspecto que tenía mi suegro sin ropa, pero debo decir que, con bañador, me sorprende bastante ver que está en buena forma. Para estar rondando los sesenta años, tiene el físico de un hombre mucho más joven.

—¿Crees que está flirteando en serio? —digo, mientras veo que Michael se detiene de nuevo después de nadar otro largo y mira hacia Lisa, que sigue flotando ajena a todo—. Es tan raro pensar que podría estar flirteando con una amiga mía...

—No —dice Trish—. No creo que flirtee. Creo que solo está disfrutando del paisaje. Probablemente no había visto nada parecido hasta ahora. O tan de cerca.

—Te refieres a los famosos picos del sur de Francia.

—Esos. —Y las dos sonreímos.

Dan se acerca y se sienta en el borde de la tumbona.

—Ellie, ¿me pones crema en la espalda?

Me incorporo, le masajeo con la crema y le planto un beso en cada lado del cuello cuando termino.

—Hummm. Gracias. Voy a bañarme con Tom. ¿Quieres venir?

—Deja que vaya a buscar la máquina de fotos. Enseguida vuelvo.

—Buena idea. —Trish se levanta conmigo—. Iré a ver qué hace Oscar, y si está despierto podemos hacer fotos de grupo.

Hacia media tarde ya he perdonado a Linda. Ha sido una tarde agotadora. Dan y yo nos hemos turnado para correr detrás de Tom, que ahora gatea a la velocidad de la luz, y que aunque lleva constantemente el flotador, me hace sufrir cada vez que consigue estar a menos de cinco metros de la piscina.

—¿No dijimos que iban a ser unas vacaciones relajadas? —le digo a Trish, jadeando, en un determinado momento.

—Pide a tu suegra que lo coja —ha murmurado ella, señalando con un gesto a mi suegra que finge leer un libro mientras mira con anhelo a Tom cada pocos segundos.

—No —he dicho, pero cuando Tom forcejea en mis brazos, no puedo contenerme—. ¿Linda? ¿Quieres coger a Tom?

Linda casi ha tropezado en su impaciencia por llegar hasta nosotros, como si tuviera que alcanzarlo antes de que yo cambiara de opinión.

—Me lo llevo dentro a jugar —ha dicho—. Vamos, cariño. La abuela te va a enseñar lo que te ha comprado.

Se lo ha llevado, y yo, por una vez, no he protestado, me he tumbado con una sonrisa lánguida en los labios y he dejado de lado todas las preocupaciones del día.

—¿Qué posibilidades crees que hay de que podamos salir a cenar esta noche? —pregunto a Dan cuando estamos solos en nuestra habitación.

Mientras uno de nosotros cuida a Tom el otro se ducha.

—¿Quiénes? ¿Tú y yo?

—¡No, tonto! ¡Todos! ¿Crees que les importará a tus padres?

Dan frunce el entrecejo.

—Creo que sí. Es la primera noche que estamos aquí y probablemente querrán conocer a nuestros amigos. Además, ya sabes cómo es mamá, probablemente se ha matado para prepararnos una cena deliciosa.

—Eso es un no, ¿verdad? —gruño con expresión desgraciada.

—La verdad, prefiero no preguntárselo —dice Dan—. Hay tiempo de sobra. Ya saldremos mañana. Seguro que no les importará quedarse y podremos salir a buscar un restaurante encantador en el pueblo. ¿Qué me dices?

—De acuerdo —acepto, dejando a un lado mis nuevos vestidos de gasa y optando por unos pantalones cortos—. Supongo que mis mejores trapos pueden esperar otro día.

Por la noche, nuestra primera noche aquí, pienso que si el día de hoy es una muestra de lo que nos espera, parece que mis temores acerca de Linda y Michael eran infundados, y que a pesar de que están aquí, vamos a pasarlo en grande.

Casi me atrevería a decir que Linda ha sido extraordinariamente hospitalaria hoy, por no hablar de lo que me ha ayudado con Tom. Luego, mientras las mujeres bañábamos a los niños, les dábamos de cenar y los acostábamos, Linda ha reunido a los hombres y entre todos han preparado una de esas cenas deliciosas que a veces comemos en casa, pero que por alguna razón nunca sabe tan bien como en una terraza en el sur de Francia.

Aparecemos en el salón hacia las siete y media y encontramos fuentes de comida esparcidas por toda la mesa de centro: crujientes baguetes calientes, jamón, salami; queso brie, camembert, reblochon; pepinillos, pimientos asados, patés y aceitunas.

Y esto solo son los entrantes.

Lisa está a la altura de su reputación y lleva un vestido cruzado de Diane von Furstenberg con un estampado retro años sesenta que deja al descubierto sus piernas cuando se sienta. Trish y yo nos damos un codazo y nos reímos como colegialas cada vez que vemos que Michael recorre rápidamente sus piernas con la mirada.

—Con esta son seis —me susurra Trish.

Las dos tenemos los ojos clavados en los de Michael, quien gracias a Dios no se da cuenta de nuestro comportamiento infantil.

—Siete —susurro yo cuando él lanza una mirada al escote de Lisa, y las dos nos reímos bobamente.

Dan sacude la cabeza con fingida severidad.

—¿Cuántos años tienen exactamente nuestras mujeres? —pregunta a Gregory.

—Creo que esta noche están volviendo a los tres —responde Gregory sonriendo.

—¡Cinco y medio! —grita Trish petulante.

—¡Y yo cinco y tres cuartos! —grito yo, y volvemos a partirnos de risa mientras los demás sacuden la cabeza.

Creo que estamos un poco achispadas.

Cuando nos sentamos alrededor de la mesa de la terraza, los patés y las baguetes, que Dan ha insistido en que Trish y yo comiéramos en gran cantidad, parecen haber suavizado el efecto del alcohol.

—Papá —dice Dan mirando a Michael, que está sentado a la cabecera de la mesa—. Te agradecería que no emborracharas totalmente a las mujeres esta noche.

Michael se ríe.

—Vamos, relájate —dice—. Estás de vacaciones. Deberías probarlo.

Dan mira a su madre.

—¿Es realmente mi padre o ha venido un extraterrestre y me lo ha cambiado durante la noche?

Linda sacude la cabeza, exasperada.

—Parece que las chicas no son las únicas que están experimentando una regresión. Tu padre parece creer que es joven, libre y soltero.

Dan se ríe.

—Es inofensivo, mamá. Y, tienes que admitirlo, Lisa está despampanante. No te preocupes. —Baja la voz para que los demás no lo oigan, salvo, por supuesto, yo, que estoy sentada a su lado y atenta a la conversación, y añade—: Cuanto más la conoces menos atractiva te parece.

—Oh, no es él quien me preocupa —dice Linda—. Sencillamente no estoy tan segura sobre ella. —Mira fijamente a Dan, mientras yo sacudo la cabeza y bebo otro sorbo de vino.

—¡Un brindis! —exclama Michael desde el otro extremo de la mesa—. ¡Por las vacaciones! ¡Y por los nuevos amigos!

—¡Por las vacaciones y por los nuevos amigos! —repetimos todos, alzando las copas y bebiendo.

Sentados a la mesa, charlando y riendo, olvido que alguna vez ha habido cierta discordia entre algunos de los presentes y siento cómo me inunda la satisfacción y una agradable sensación de serenidad.

Como era de esperar, Linda ha preparado un auténtico *cassoulet* francés, seguido de una tarta tatin caliente con helado de vainilla.

Sentados en la terraza, bajo las glicinas, con los faroles proyectando una luz tenue y romántica, olvido durante un par de horas el mal rollo que tengo con Linda, y cuando ella hace algún comentario sobre su nieto o cuenta una anécdota dando a entender lo unidos que están, me limito a asentir y sonreír, demasiado contenta, y seguramente demasiado borracha, para decir nada.

O para que me importe.

17

¿No es extraño cómo la suma de personas puede dar una nueva dinámica a la ecuación? Cuando comemos los domingos con Michael y Linda, comentamos lo que ha pasado durante la semana pero sin llegar a hablar de nada en realidad, terminamos de comer en media hora y nos levantamos de la mesa contando los minutos para irnos sin parecer maleducados.

Sin embargo, esta noche, con Trish, Gregory y Lisa, me parece que estoy disfrutando de una maravillosa velada con un grupo de amigos.

En lugar de hablar de trivialidades, contamos historias en las que cada uno de nosotros trata de ser más gracioso o más escandaloso que el anterior.

Después, mientras ayudo a Linda a lavar los platos, se vuelve hacia mí en la cocina, con las mejillas encendidas por el sol y el vino.

—No sabía que tuvieras unos amigos tan encantadores.

Me encojo de hombros.

—No me lo has preguntado nunca. Pareces sorprendida... ¿Te sorprende que sean encantadores?

—En absoluto —dice ella—. Me alegro por ti. Siempre he creído que ser madre por primera vez es lo más duro del mundo. Yo siempre me sentía muy aislada y sola, y creo que la única forma de sobrellevarlo es tener amigas que están en tu misma situación. Creo que es magnífico que os llevéis tan bien y que vuestros hijos tengan la misma edad.

—Sí, tienes razón. Es estupendo. No sé qué habría hecho sin ellas.

—Y Trish es un encanto —dice Linda—. Se nota que sois muy amigas.

Ajá. Ya sé adónde quiere ir a parar. Antes de que abra la boca sé que está a punto de decir algo contra Lisa, aunque Lisa ha sido el encanto personificado durante la cena, y se ha desvivido por hacer saber a Michael y Linda cuánto les agradecemos su hospitalidad.

—Háblame de Lisa —dice Linda por fin—. ¿Cómo es su vida?

—¿Qué quieres saber?

Linda se encoge de hombros, fingiendo indiferencia.

—Me sorprende que alguien como ella no tenga pareja.

—Sí que tiene. Andy. Aunque probablemente no le durará mucho. Pero con su físico estoy segura de que habrá muchos más.

—Es despampanante —dice Linda—. Ha mencionado que estaba divorciada. ¿Sabes qué pasó?

—No estoy segura —digo. No quiero traicionar a mi amiga y no quiero dar más información a Linda, aunque estoy segura de que cree que Lisa tuvo una aventura..., lo juraría—. Sea cual sea la impresión que produzca, es encantadora —digo a la defensiva—. Muy auténtica y realista. No es lo que parece.

—¿Quieres decir una fulana? —dice Linda tratando de bromear.

—¡Linda! —Estoy sinceramente enfadada—. Es una de mis mejores amigas. Te agradecería que no hablaras así de mis amigas.

—Tienes razón —dice arrepentida—. Lo siento. No quería decir eso. Y es cierto que parece encantadora. —Hace una pausa mientras coge una copa y se concentra en secarla—. ¿Qué tal se lleva Dan con ella?

Ahora sé adónde quiere ir a parar.

—Dan se lleva bien con Lisa —digo con un tono helado—. ¿Por qué? ¿Qué tratas de insinuar?

Linda suspira.

—Mira, Ellie, no me malinterpretes. Siempre tengo mucho cuidado cuando hablo contigo porque me preocupa ofenderte, pero he visto más mundo que tú y he conocido a cientos de chicas como Lisa. Solo digo que deberías andarte con cuidado.

—¿Cómo? ¿Cuidado con qué? ¿Crees que quiere robarme a Dan?

Linda se encoge de hombros con un gesto que dice exactamente lo que piensa.

—Solo creo que es peligroso tener una amiga tan guapa y divorciada, sobre todo si tiene un hijo. Muchas de esas chicas, chicas como Lisa, están buscando seguridad, un hombre con dinero que les permita mantener el tren de vida al que están acostumbradas.

Suelto una carcajada.

—¿Con dinero? Bueno, eso descarta a Dan, ¿no?

—Puedes reírte —dice Linda, sin un atisbo de sonrisa—, pero créeme, conozco a las de su clase, y yo en tu lugar tendría cuidado. No estoy diciendo que no seáis amigas, solo que lo seáis sin dejar que se acerque demasiado a tu familia. Estas vacaciones, por ejemplo..., puede que no quieras repetirlas.

Respiro hondo y sacudo la cabeza ante la ridiculez de toda esta conversación, tan grotesca que es casi imposible que me ofenda. Como mucho, me parece divertido. Por supuesto que Lisa es guapísima, solo tienes que mirarla para darte cuenta, pero también es una buena amiga.

—Mira, Linda, aunque agradezco tu interés —digo con una clara nota de sarcasmo en la voz— y agradezco todo lo que has hecho por nosotros estas vacaciones, creo que deberías... —me interrumpo pensando en una forma agradable de decir: no te metas en lo que no te importa, bruja— ... reservarte tu opinión sobre mis amigas.

—Perdona si te he ofendido. No era mi intención y trataré de no volver a hacerlo.

—De acuerdo.

Dejo el trapo de cocina y salgo para buscar a Dan.

—No vas a creer lo que me ha dicho tu madre —susurro en cuanto lo encuentro, sentado en el sofá jugando a backgammon con Gregory.

—¿Qué?

—Corre, termina y vamos a la cama. Te lo contaré.

Le repito a Dan toda la conversación en la intimidad de nuestro dormitorio, y me mira unos segundos antes de estallar en carcajadas.

—¿No es absolutamente ridículo? —me digo con voz esperanzada; parece más una pregunta que una afirmación.

Confío en Dan. Plenamente. No creo que sea la clase de hombre que tiene una aventura, y si lo fuera, no creo que Lisa sea su tipo. Pero Linda ha plantado una semilla, y mientras Dan jugaba a backgammon con Gregory, no he podido evitar observarlo con atención para ver si miraba a Lisa más de lo normal, si se me estaba escapando algo.

Lo único que tenía en la cabeza en esos momentos era: ¿ha visto Linda algo que yo no he visto? Siempre he pensado que si alguna vez estaba con un hombre que me era infiel, lo sabría enseguida. Ves por la televisión esas películas en las que el marido telefonea y dice: «Lo siento, cariño, se ha alargado la reunión», o van de viaje de negocios y no dejan el número del hotel, y ves a esas pobres esposas tontas y quieres gritarles: «TIENE UNA AVENTURA, ESTÚPIDA. ¿NO RECONOCES LAS SEÑALES?».

Por supuesto, nos felicitamos de lo listas que somos por habernos dado cuenta, pero tal vez no seríamos tan listas si nos ocurriera a nosotras; tal vez nuestro instinto de conservación nos protegería de las cosas que preferimos no saber.

Siempre he pensado, siempre he dicho, que si mi marido me fuera infiel, me marcharía inmediatamente de casa sin pensarlo dos veces. Pero Fran me dijo una vez que con los años cambiaría de opinión.

Me contó que antes de conocer a Marcus, el gran amor de su vida fue su novio de la universidad, Tim.

Ella y Tim estuvieron juntos cinco años, y ella supo, en cuanto lo conoció, que se casaría con él.

Hablaron de ello desde el principio. Cuántos hijos tendrían, dónde vivirían, cómo se llamarían. («Para que veas que soy consecuente, uno de los nombres que yo propuse fue Sadie, y eso fue antes de que lo pusiera de moda Sadie Frost», explicó. «Ahora ya lo sabes», añadió riéndose.)

Pasaron horas planeando su futuro juntos, de la manera romántica e idealista que se supone que planeas la vida cuando tienes veinte años y te enamoras por primera vez, cuando el amor te hace perder la cabeza y no puedes imaginarte un momento, y no digamos una vida, sin el hombre que es sin duda alguna tu media naranja.

—Dios mío —dije, riéndome—. ¿Quién hubiera imaginado que eras tan romántica?

—Ya no. —Fran miró al cielo cuando Sadie entró con los dedos embadurnados de chocolate y le cogió el jersey—. Era joven y muy, muy, muy tonta.

Después de graduarse, Fran y Tim se habían ido a vivir a Londres, Fran se puso a trabajar de ayudante de relaciones públicas, y Tim tenía un trabajo de ventas que lo obligaba a viajar por todo el país.

Ella no sospechó nada.

—¿Nada? —dije, asombrada, cuando me explicó que no estaba localizable durante días, que llamaban mujeres y decían que se habían equivocado de número antes de colgar, o la repentina necesidad de él de hacer llamadas telefónicas en la intimidad de su habitación, con la puerta cerrada. Y por fin me contó lo de los trozos de papel, las notas de amor de los bolsillos.

—Dios, debías de ser realmente ingenua —recuerdo que le dije.

—No sé si era ingenua o no quería saber. Creo que en el fondo lo sabía, debía de saberlo, pero no quise creerlo e hice la vista gorda.

Cuando se enfrentaba a él, siempre recibía explicaciones que parecían razonables a alguien que quería creer. Las llamadas eran de negocios, los tratos se estaban realizando en absoluto secreto, de ahí las puertas cerradas, y, por último, las notas de amor eran obra de una secretaria de mediana edad absolutamente irritante llamada Angela que se había enamorado de él.

—¿Qué aspecto tiene? —dijo Fran que le había preguntado nerviosa.

—Es espantosa. —Tim se había reído—. Es una solterona de mediana edad con mal aliento y el pelo graso que cree que estoy como un tren.

Fran se había reído con él, hasta que Tim empezó a pasar cada vez más tiempo en Manchester y menos en Londres, y por fin le confesó que había tenido una aventura. La única verdad que había dicho acerca de Angela era que estaba loca por él. Se había callado que era una chica de diecinueve años cachonda y rubia.

—Espero que lo echaras a patadas —dije.

—Pues no. Eso es lo asombroso. Como tú, siempre pensé que si un hombre me era infiel, me largaría antes de lo que canta un gallo. Recuerdo haberle dicho una y otra vez a Tim que si algún día tenía una aventura, me perdería, como si fuera lo peor que podía imaginar. Y sin embargo cuando pasó, me vine abajo, me puse a llorar a lágrima viva hecha un patético ovillo en el suelo y le supliqué que se quedara.

La miré, sin saber qué decir. La posibilidad de que Fran, una mujer enrollada, con éxito y moderna, rogara a alguien algo me parecía imposible. Y más aún hecha un patético ovillo en el suelo. Aquella imagen bastó para dejarme sin habla.

Pero esa era la clave, dijo Fran. Nunca sabes cómo vas a reaccionar hasta que ocurre. Hasta entonces había creído sinceramente que se largaría, que tendría suficiente dignidad para irse con la cabeza muy alta y buscar a alguien que la valorara.

Pero en aquel momento de histeria habría hecho cualquier cosa por retenerlo, que no había parado de insistir en que lo perdonaría, que seguirían como si no hubiera pasado nada, que tardaría un tiempo en superar esa infidelidad, pero que lo lograría. Creía lo bastante en los dos para hacerlo, y ¿cómo podía echar por la borda aquellos maravillosos años juntos?

—Por suerte —dijo, bebiendo un sorbo de vino— él prefirió echarlos por la borda, y ahora que tengo —hizo una pausa— treinta y tantos y estoy casada con Marcus y tengo hijas, sé que mi reacción sería totalmente distinta.

—No, no lo digo porque crea que Marcus puede tener una aventura —aclaré rápidamente—. Pero si la tuviera, ¿cómo reaccionarías?

—No sería un problema —dijo sonriendo—. Porque lo descuartizaría.

Yo estaba recién casada cuando tuvimos esta conversación, y recuerdo que me quedé horrorizada cuando ella dijo a continuación, totalmente seria, que no necesariamente dejaría a Marcus si él tuviera una aventura. Esperaba no verse nunca en semejante situación, pero sospechaba que encontraría una forma de continuar.

—Me gusta mi vida —se limitó a decir—. Me encantan mis hijas, me encanta mi casa y quiero a Marcus, que es, por cierto, un hombre maravilloso. Por supuesto, también dependería de la clase de aventura, si era un ligue de una noche, o algunos polvos o una aventura amorosa seria. Pero en general tengo que decir que me cuestionaría seriamente si valía la pena cambiarlo todo, sacar a las niñas de su ambiente y cambiar toda nuestra vida por lo que tal vez solo era un pequeño resbalón. —Y añadió sonriendo—: No lo entenderás hasta que tengas hijos.

No lo entendí, pero esta noche trato de reconocer las señales de que tal vez se me está escapando algo, de que quizá Dan está más interesado en Lisa de lo que yo creía.

No veo ninguna señal, pero tal vez es porque no sé qué estoy buscando. ¿Miradas que duran una fracción de segundo más de la cuenta, una mano apoyada en un hombro en un gesto de intimidad que se supone que no debe existir entre tu marido y una amiga? No lo sé, de modo que observo, pero no veo nada que pueda interpretarse como otra cosa. Como algo más.

Tal vez los dos son demasiado listos y saben que los estoy observando, tal vez cuando el río suena agua lleva, y Linda nunca me habría dicho nada si no hubiera visto realmente algo incorrecto, algo que descubriría una mujer como ella, mucho mayor y experimentada que yo.

No veo las señales, pero empiezo a pensar en qué pasaría si lo hiciera.

¿Podría habérseme escapado algo que ha visto Linda? ¿Tal vez se ha agachado para recoger una servilleta y ha visto manos cogidas o dedos entrelazados debajo de la mesa? Aun cuando no lo hubiera hecho, aunque solo fuera, como creo, una simple suposición, ¿qué pasaría si Dan tuviera una aventura? ¿Si estuviera teniendo una aventura ahora? ¿Qué haría yo?

No creo que mi vida terminara porque estuviera sin Dan. Los primeros meses después de que naciera Tom deseé sinceramente que se fuera al cuerno. ¿Significa eso que no es el gran amor de mi vida? ¿Se supone que debo creer que mi vida terminaría si Dan cogiera la puerta y se fuera?

He tenido esa sensación con otros hombres, pero no con hombres con los que he tenido relaciones saludables. He tenido esa sensación cuando me ha cegado la lujuria, cuando toda la relación era como hacer equilibrios al borde de un precipicio. Nunca he querido algo así en mi matrimonio, nunca he querido esos altibajos, la sensación de no tener el control, de entregarte por entero a otra persona.

Sin embargo, imaginar a Dan con otra mujer, concretamente con Lisa, me da náuseas. La traición. Mi marido y mi mejor amiga. ¿Cómo superas una traición así, cómo puedes volver a confiar en alguien?

Esa es la razón por la que Dan y yo estamos en nuestra habitación, y yo le estoy preguntando esperanzada si su madre está diciendo tonterías. Estoy esperando que me diga que sí, que se ría de sus insinuaciones e implicaciones, que me diga que soy el gran amor de su vida.

—Está siendo totalmente ridícula —dice riéndose, rodeándome con el brazo, y yo empiezo a relajarme—. ¡Es increíble que piense que me puede interesar Lisa! —Se ríe de nuevo, luego me sienta en la cama y, cogiéndome la cara entre las manos, se pone serio y me mira fijamente—. Te quiero, Ellie. Quiero a Tom. Me encanta estar casado contigo y formar una familia contigo, y jamás tendría una aventura. Por no hablar de que, aunque reconozco que Lisa es guapa, nunca me ha atraído en absoluto.

—¿Y si estuvieras soltero? —insisto—. ¿Saldrías con ella?

Dan suspira y sacude la cabeza.

—La verdad es que Lisa es la clase de mujer con la que, si hubiera salido, hacia el final de la velada estaría deseando dejarla. Es guapa y divertida, pero su superficialidad hace que me suba por las paredes. Nunca querría estar con alguien tan poco profundo.

—Oh, gracias, Dan. Es una de mis mejores amigas.

—Bueno —dice—. Me has preguntado y te he respondido.

—Parece mentira lo bruja que es tu madre —digo unos minutos después, cuando nos estamos desvistiendo—. Qué bruja.

—¡Ellie! —Se vuelve hacia mí—. No hables así de mi madre.

—Vale, vale, perdona. Pero ¿por qué ha tenido que decir todo eso? ¿Por qué lo piensa siquiera, por no hablar de decírmelo a mí? Estoy segura de que solo quería disgustarme.

—En primer lugar, sabes que eso es ridículo. Siempre te quejas de que mi madre quiere ser tu mejor amiga; lo último que querría es herirte. Y, en segundo lugar, no trataba de disgustarte, probablemente solo se siente amenazada por Lisa y se desquita contigo.

—Fantástico. ¿Y por qué se desquita conmigo?

—No quería decir que se desquitara contigo. —Suspira—. Mira, no lo sé. No sé qué le ha dado esta noche, o por qué se le ha metido en la cabeza esa idea ridícula de que podría gustarme Lisa, pero no es verdad, me gustas tú, y sabes que no quiero interponerme entre tú y mi madre. Si estás enfadada, ¿por qué no hablas mañana con ella?

Miro a Dan, asombrada. ¿Cómo podemos haber estado tan bien y tan cariñosos hace unos minutos, y cómo puede inspirarme ahora tanta cólera?

—Es increíble —digo casi escupiendo las palabras—. Nunca me defiendes. Como mucho me dices que no quieres interponerte. ¿Y por qué no lo haces para variar? ¿Por qué no decides de una vez cuáles son tus prioridades? Yo soy tu mujer, por el amor de Dios. Soy tu familia ahora. No ella. Ella ya no es la mujer más importante de tu vida, sino yo, y si dejaras de ser tan parado y te aseguraras de que ella se enterara, si me defendieras para variar, ella dejaría de jugar a estos jodidos juegos.

Dan me mira en silencio y sacude la cabeza. Sé que debería callarme, sé que estamos teniendo la misma discusión de siempre y que terminará como siempre, no nos hablaremos, quizá durante días, pero no puedo evitarlo. Su silencio solo aumenta mi cólera, y cuando me da la espalda para meterse en la cama, tengo que contener mis ganas de pegarle.

—No me des la espalda —siseo, caminando hasta su lado de la cama y quedándome allí plantada, con los brazos en jarras—. ¿Cómo te atreves a darme la espalda? ¿Quién te crees que eres?

Resuenan en mis oídos ecos de mi madre, mi madre con un ataque de furia provocado por el alcohol, pero no me importa, estoy cegada por la cólera que me produce el silencio de mi marido, su negativa a defenderme contra los ataques de su madre, del mismo modo que mi padre se negó todos aquellos años a defenderme contra los ataques verbales de mi madre.

Todo lo que se va, vuelve.

Y termina como siempre termina. Los dos echados en la cama sin hablar, sin apenas movernos, fingiendo que dormimos, aunque sé por su respiración que no duerme. También sé, por experiencias anteriores, que probablemente me quedaré despierta hasta la madrugada, con el corazón latiéndome con fuerza por la rabia, deseando que todo vuelva a la normalidad pero sin tener la capacidad de pedir perdón.

Sé exactamente qué debo decir para arreglarlo todo; pero, sencillamente, no soy capaz de decirlo.

18

Siempre aconsejan que no te vayas a dormir después de una discusión. ¡Como si fuera tan fácil! Siempre que discutimos, nos metemos en la cama peleados, y cuando despertamos, hay los mismos silencios, los mismos resentimientos, las mismas recriminaciones.

Esta mañana finjo estar dormida. No quiero tener que mirar a Dan, hablar con él, moverme a su alrededor, de modo que me quedo en la cama mientras oigo que se levanta y sale de la habitación. Pienso en seguirle, dar de desayunar a Tom, pero lo siguiente que ocurre es que vuelvo a despertarme, miro grogui el reloj de la mesilla de noche y veo que son las 11.16.

¿Las 11.16? Me quedo mirando los números mientras mi cerebro trata de ponerse en marcha; esto es lo que ocurre cuando no te duermes hasta las cinco de la madrugada... ¡las 11.16! Me levanto de un salto y salgo corriendo de la habitación para ver dónde están todos, y en lo que pienso inmediatamente es en Tom. ¿Se las habrá arreglado sin mí? ¿Quizá sigue en su cuna —por irracional que suene—, esperando a que vaya a cogerlo?

En la cara de Tom se dibuja una amplia sonrisa y sus pequeños brazos regordetes se alargan hacia mí en cuanto doblo la esquina en dirección a la piscina. Todos están allí, charlando y riendo; me vitorean cuando me abro paso hasta Tom, que está sentado sobre una toalla.

—Ojalá mi marido me dejara dormir hasta tan tarde —dice

Trish, lanzando una mirada elocuente a Gregory mientras me acerco a su tumbona y me siento en el borde con Tom en el regazo.

Me vuelvo hacia Dan, pero en cuanto nuestras miradas se cruzan él desvía la suya. Sigue enfadado por la discusión de anoche, pero yo también lo estoy, y aunque agradezco que me haya dejado dormir, no puedo olvidarlo. No sé hacerlo.

—Gracias —le digo fríamente, a regañadientes; él se limita a asentir sin mirarme, se levanta y se mete en la piscina para nadar.

Lisa me sonríe, con un libro abierto sobre la barriga y las manos detrás de la cabeza mientras Amy está sentada entre sus piernas con lápices de colores brillantes.

—¿Te acuerdas de la chica que nos encontramos en el avión? ¿Kate?

Asiento.

—Ha llamado hace un rato. Quería saber si nos gustaría ir a tomar una copa esta noche y después salir a cenar. Te esperábamos para preguntarte qué te parece.

—Me parece genial —digo—. Pero ¿y los niños? Tom se cae rendido a las siete en punto.

—No te preocupes —dice Linda—. Michael y yo ya nos hemos ofrecido a cuidarlos.

—¿Cómo? ¿A todos? Además, no creo que Tom se duerma si no estamos aquí. No estoy segura de que sea buena idea.

—Vamos, no seas ridícula —resopla Dan—. ¿Qué quieres que pase, por el amor de Dios? Tom estará bien. Todos lo estarán.

Tiene razón. Si no fueran mis suegros, estaría encantada de dejar a Tom. Estoy siendo infantil, lo sé, de modo que me encojo de hombros y asiento.

—Siempre que no tengamos que bañarlos a todos —se apresura a decir Michael—. No estoy seguro de si Linda y yo podríamos arreglárnoslas. —Se ríe—. Ha pasado mucho tiempo desde que teníamos que cuidar a tres niños, y ya no somos tan jóvenes.

Lisa sacude la cabeza, dando a entender que está diciendo bobadas; él, un perfecto ejemplar de hombre como mi suegro.

—Pensaba que podríamos dejar dormidos a los niños —comenta—. Así Tom y Amy ni siquiera se enterarán de que nos hemos ido.

Yo titubeo.

—¿Y Oscar?

Sé que Trish es más liberal con Oscar que Lisa y yo con nuestros hijos. Mientras Lisa y yo nos hemos aprendido prácticamente de memoria *El bebé satisfecho: Una guía para padres que desean ver a su hijo seguro, tranquilo y feliz*, y hemos pasado horas exponiéndole nuestras teorías de que los bebés necesitan una rutina, una estructura, disciplina, Trish cree en dar de mamar cuando el bebé te lo pide, dejarle dormir en la cama de matrimonio y, en general, dejar que Oscar lleve la casa.

Menos pagar las facturas, por supuesto.

Es el único aspecto de nuestra amistad que me resulta difícil. Estoy tan convencida de que tengo razón, de que mi forma de educar es la correcta —que nosotros, Dan y yo, somos los padres, los adultos, los que dictamos cómo y cuándo nuestro hijo debe hacer lo que hace—, que me saca de quicio que Trish no quiera abrir los ojos, por así decirlo.

Le he impuesto a Tom una rutina desde el principio. Se levanta a las siete, desayuna, echa una cabezadita a las nueve. Cada día a las once y media come y luego siempre, siempre, duerme la siesta en su habitación, a oscuras, al mediodía como muy tarde. Se levanta a las dos, toma un biberón a las dos y media, da un paseo por la tarde y cena a las cinco en punto; el baño es a las seis y su último biberón antes de irse a la cama a las siete.

Oscar, en cambio, suele hacer lo que le viene en gana. Trish sigue dándole de mamar, aunque ahora combina el biberón y el pecho, y ha reconocido que está destrozada porque Oscar empieza a preferir el biberón.

Os lo juro, si estuviera en su mano, daría de mamar a Oscar hasta que fuera a la universidad. No es que vea nada malo en dar de mamar, pero me parece bastante desconcertante ver a niños que andan y hablan colgados del pecho de su madre.

Trish ha reconocido que su mejor momento del día no es por la mañana, y Oscar por suerte se levanta de bastante buen humor, de modo que se quedan en la cama al menos una hora, viendo la televisión. Toma biberones a lo largo de todo el día en cuanto empieza a lloriquear, y no hace la siesta hasta que se duerme en el cochecito.

El resultado es que hacia las cinco Oscar está imposible. Creedme, lo he visto. Lo único que le calma es que lo cojan en brazos, de modo que Trish lo sostiene desde las cinco hasta que se duerme, cosa que hace cuando quiere. A Gregory le gusta jugar con él cuando llega a casa hacia las siete y media, de modo que lo más habitual es que Oscar se duerma a las nueve.

Quiera Dios que Oscar no llore durante la noche, porque entonces Trish le da inmediatamente el pecho y después lo mece en la cama de matrimonio. ¡Y encima ella se pregunta por qué está siempre muerta de cansancio!

Mi pediatra, con quien he hablado más de una vez de Trish, afirma tajantemente que un niño de once meses no necesita mamar de noche; le pasé la información a Trish, pero ella se encogió de hombros y se rió, diciendo que se iba a la cama cada noche esperando que se despertara, porque le encanta el calor que irradia.

¡Y la vida que lleva es tan dura! Más de una vez me ha llamado para suspender un plan porque Oscar está imposible, o se ha quedado dormido cuando se suponía que íbamos a reunirnos en el parque, o está demasiado cansado y no se dormirá.

Sé que debo apoyar su forma de hacer las cosas, debo aceptar que cada uno hace las cosas a su manera, y que no hay una forma correcta o incorrecta de educar a un niño, pero cuando veo lo alegres y tranquilos que son Tom y Amy, porque tanto Lisa como yo seguimos una rutina, y luego miro a Oscar, que está la mayor parte del tiempo de mal humor, me pregunto si Trish lo está haciendo bien.

Me encanta ser madre, y ahora que estoy descubriendo las alegrías de la amistad femenina, me encanta ser mujer. Me gusta poder compartirlo todo con mis amigas y que no te juzguen sino que te acepten como eres.

Me considero muy afortunada por haber encontrado amigas como ellas a estas alturas de la vida. Sin embargo, a pesar del apoyo que nos damos mutuamente, me ha sorprendido descubrir que la educación de los hijos es un terreno en el que las mujeres no nos apoyamos, no a menos que encontremos un alma gemela que comparta nuestra filosofía, cualquiera que sea.

A Trish y a mí nos une la falta de comprensión de las cosas buenas que valora Lisa de la vida, pero a Lisa y a mí nos une la forma de educar a nuestros hijos; más de una vez le he preguntado a Lisa cómo puede ser que Trish no vea que nuestro método es el correcto.

Hemos tratado de decírselo, pero con tacto, de forma sutil, porque a una madre no puedes criticarle su forma de tratar a sus hijos, por muy amiga que sea. Pero como no quiero arriesgarme a perderla, he aprendido a callar y a desahogarme con Lisa cuando las dos estamos solas.

De modo que cuando pregunto a Trish: «¿Y Oscar?», lo hago porque estoy totalmente segura de que Oscar tendrá una rabieta si lo dejamos con Linda y Michael. No es que me moleste particularmente. Podría ser bastante divertido. Pero podría eliminar la posibilidad de que vuelvan a hacernos de canguro.

—Lo sé. —Trish frunce el entrecejo—. Confieso que me preocupa. —Se vuelve hacia Linda y Michael—. No es que crea que no vais a saberlo hacer, perdonad, no quería decir eso, pero es que Oscar es tan sensible... —Lisa y yo nos miramos—, y podría darle un ataque si no nos ve cerca. —Se vuelve hacia Gregory pidiendo consejo, pero él se limita a encogerse de hombros, la maternidad es competencia de Trish. Ella pone las reglas, aunque no haya ninguna—. ¿Os importaría que nos lo lleváramos? —Trish nos mira a todos—. Se portará bien, os lo prometo. Lo hemos sacado mucho últimamente y suele dormirse en la sillita. Me duele tanto que pase un mal rato sin nosotros...

Nadie dice nada, pero veo que la expresión de alivio en la cara de Linda es enorme. Es la primera en hablar.

—Creo que es una idea excelente, Trish —dice—. Si el niño va a disgustarse sin su madre es mejor que te lo lleves.

Estupendo.

Dan y yo apenas nos hablamos a lo largo del día. Ante los demás, hacemos ver que no pasa nada, pero estoy esperando que se disculpe primero, y es evidente que él espera lo mismo.

Pues puede esperar sentado.

Jugamos con Tom, y os aseguro que si no supierais que anoche tuvimos una bronca de órdago, jamás lo adivinaríais. Logramos hablarnos, mirarnos, hacernos preguntas, pero hay una frialdad subyacente que estoy segura de que nadie puede detectar; nos hemos vuelto unos expertos en guardar las apariencias.

—¿Todo va bien? —me pregunta Linda cuando entro en la cocina para coger una Coca-Cola baja en calorías.

—Sí —respondo con toda tranquilidad—. ¿Por qué?

—¿No habéis discutido tú y Dan?

La miro con incredulidad.

—No. ¿Por qué?

—Nada, nada. No es asunto mío. Solo que conozco muy bien a Dan, y siempre sé cuándo está cruzado por algo; le salen arrugas aquí. —Se señala el entrecejo—. Tom también las tendrá. Ya las veo.

—No necesariamente. —Trato de no replicar—. Todo el mundo dice que es igual que yo cuando era pequeña.

No es exactamente cierto. En realidad no lo dice nadie, ya que mi padre hace meses que no lo ve y no hay nadie más que pueda saberlo.

—¿En serio? —Abre mucho los ojos—. Qué raro. Es clavado a Dan. ¿No lo ves?

—No, la verdad es que no lo veo.

Acabo de poner hielo en mi vaso y salgo de la cocina.

No puedo ir a quejarme a Dan, no después de lo de anoche, pero necesito desahogarme, necesito hablar con alguien. Cuando vuelvo a la piscina veo que Lisa ha desaparecido, ha ido a pasear al olivar, de modo que me pongo las sandalias y voy a reunirme con ella.

—¿Qué estás haciendo? —Está sentada en el suelo; esconde una mano detrás de la espalda con expresión de culpabilidad mientras se eleva una reveladora columna de humo por encima de su cabeza—. ¿Fumas? —Estoy perpleja—. ¡Cielos! ¡Estás fumando!

—Shhh, shhh —dice con expresión contrita, sacando la mano para dejar ver un cigarrillo—. No quiero que se enteren los demás.

—Pero tú no fumas. O al menos yo no sabía que fumabas —digo, todavía perpleja—. ¿Cómo puedes ser una de mis mejores amigas y no haberme dicho que fumas?

—En primer lugar no me considero fumadora. —Lisa da una larga calada al cigarrillo y exhala el humo mientras agita una mano para alejarlo—. Y, segundo, no es la clase de cosa de la que hablas. ¿Cómo estás? ¿Qué tal los niños? Sí, nosotros muy bien, y, por cierto, ¿sabías que fumo?

Frunzo el entrecejo.

—Lo sé, pero aun así...

—No fumo en realidad —dice Lisa.

—Ya. —No puedo evitar sonreír.

—No, en serio. Lo dejé hace años, y solo lo hago de vez en cuando. Cuando salgo y bebo suelo fumar un cigarrillo, y a veces en vacaciones.

—Dime que no fumas delante de Amy —digo con severidad.

—¡Oh, Dios, no! ¿Qué crees que soy, una madre irresponsable?

Sacudo la cabeza.

—No, eres una madre excelente. Lo siento, no debería haberlo dicho.

—No te preocupes. Tenías que preguntarlo. —Apaga el cigarrillo y lo entierra debajo de unas ramitas—. Bueno, ¿qué está pasando entre tú y Dan?

—¿Qué quieres decir? Nada.

—Ya. Y yo no fumaba, te lo has imaginado.

No lo puedo evitar. Me río.

—Está bien —digo—. Anoche tuvimos una gran discusión y ninguno de los dos estamos dispuestos a admitir que está equivocado, de modo que no nos hemos perdonado y en estos momentos más bien le odio.

—¿Lo de siempre?

Suspiro.

—Sí. ¿Puedes creerlo? Podríamos ser un poco más creativos en nuestras discusiones en lugar de pelearnos una y otra vez por su maldita madre, pero no puedo soportar que nunca salga en mi defensa.

Y me desahogo. No le cuento la razón en concreto, lógicamente, pero desahogo mis quejas generales sobre Linda, que siempre trata de controlarlo todo mientras Dan nunca me defiende.

—¿Qué crees? —concluyo—. Dime qué piensas de ella.

—No sé qué decirte —dice ella—. Me refiero a que entiendo cómo te sientes. De verdad, y es posible que me sintiera igual si estuviera casada, pero nunca he sabido qué era eso, porque los padres del Desertor vivían en Estados Unidos y apenas los conocí. —Me mira y ve mi expresión—. Está bien, creo que Dan podría y debería defenderte un poco más, pero Ellie, no son tan malos...

—Ellos no —digo—. Ella.

—Sí, bueno, ella. Sencillamente no creo que sea tan mala. Dios, podría ser mucho peor. Solo trata de ser una buena suegra y una buena abuela. Estás tan cegada odiándola que saltas por cualquier cosa que te dice, por inofensiva que sea.

—Gracias por el apoyo —gruño con lo que hasta a mí me parece un tono increíblemente pueril.

—Sabes que te apoyo, Ellie, pero tienes que distanciarte del problema. ¿Nunca has pensado que tal vez es así porque ella no es feliz?

—¿No es feliz? ¿Por qué no iba a ser feliz?

—Mira, no los conozco lo suficiente, pero entre ella y Michael hay una tensión evidente. Por lo que sabes, es una mujer realmente infeliz. No lo sé. —Lisa se encoge de hombros—. A lo mejor se siente sola. A lo mejor ha vivido para sus hijos todos estos años y no sabe qué hacer con su vida ahora que sus hijos han crecido y han continuado con su vida.

»A lo mejor esa es la razón por la que se inmiscuye tanto, probablemente se siente sola. En lugar de odiarla tal vez deberías compadecerla.

Frunzo el entrecejo, pensando en Linda. ¿Es posible que sea infeliz? ¿Que se sienta sola? ¿Vulnerable? Siempre creo que es muy fuerte; para mí es la suegra por antonomasia, una figura capaz de las mayores maldades. Pero de pronto Lisa ha logrado humanizarla.

Ya no la veo como un monstruo, capaz de crear solo caos y destrucción a su alrededor. La veo un poco patética. Pobre mujer. Renunció a su vida por sus hijos y ahora estos no quieren saber nada de ella. Emma está permanentemente enfadada, Richard solo la llama cuando quiere algo, ¿y Dan? Dan ahora me tiene a mí. Y a Tom. Una familia propia.

—Parece increíble —digo con suavidad—. Pero creo que tienes razón. Es infeliz. Debería esforzarme más con ella. Debería tratar de incluirla más.

—Creo que no es tan mala como crees. Y él es desternillante.

—¿Quién? —La miro confundida.

—Tu suegro, Michael.

—¿Michael? ¿Desternillante? —repito despacio.

Debe de haberse equivocado.

—Sí. Esta mañana ha contado batallitas de la facultad de derecho y no podíamos parar de reír.

—¿Michael? —No puedo dejar de fruncir el entrecejo. No entiendo nada—. ¿Mi suegro? ¿Estás segura?

—Vamos, no seas ridícula. —Resopla—. Te aseguro que no podíamos parar. Será mejor que volvamos antes de que venga a buscarnos Trish y me huela el aliento a tabaco.

Me río.

—¿Te da miedo Trish?

—Podría decirse así —dijo Lisa—. En Navidad, Andy me regaló un cuello de pieles.

—Creía que dijiste que era una pulsera.

—No. Salí y me compré una pulsera porque no podía decirle a Trish que tenía pieles de verdad. Las tengo escondidas en la buhardilla y cada vez que pienso en ponérmelas, estoy convencida de que me encontraré con Trish y se pondrá a chillar.

—Qué poco carácter —digo riendo.

—¿Llevarías pieles delante de Trish?

—Bueno, no. Pero para mí no es un problema —digo sabiendo que aunque pudiéramos permitírnoslo, Dan nunca me regalaría un cuello de pieles.

—Mira, me encanta Trish, pero somos muy distintas.

—Lo sé, lo sé. Y tienes razón. Seguramente te haría pasar un mal rato si averiguara que fumas —la miro—, aunque solo sea en vacaciones. —Me levanto y me sacudo la hierba—. Aun así, no puedo creer que no me lo hayas dicho.

Lisa se levanta y esconde las cerillas en el nudo del sarong, y sonríe de forma misteriosa.

—Hay muchas cosas de mí que no sabes.

19

Hoy me ha cogido el sol, y aunque no me siento fenomenal —discutir con Dan siempre me pone nerviosa, me hace sentir ligeramente desequilibrada y me provoca una persistente sensación de que algo va mal, aunque ante los demás finja que todo marcha sobre ruedas—, debo decir que tengo muy buen aspecto.

Puede que Lisa haya vaciado todas las tiendas del West End, pero yo me las arreglé muy bien con mis alternativas más baratas, y esta noche llevo un vestido transparente de gasa que hace resaltar mi incipiente bronceado y cae flotando sobre mis rodillas.

—Es precioso —dice Lisa cuando entro en la sala de estar—. ¿Dónde lo has comprado?

Ojalá supiera mentir y decirle que es de Diane von Furstenberg o algo por el estilo, pero Lisa, la perfecta imagen de una mujer elegante con su vestido suelto de Allegra Hicks y sus pendientes de aro dorados, seguro que me pillaría.

—Es de segunda mano —digo sonriendo—. ¿Verdad que es bonito?

Ella sonríe, se acerca para tocarlo y me da la razón.

—Querida, no digas que es de segunda mano. La gente ya no lo dice. Dice que es de época.

—De época —murmuro, y tiene razón, suena mucho mejor.

—Pero es precioso —dice—. Te queda perfecto.

Le sonrío agradeciendo el cumplido, agradecería cualquier cumplido, puesto que Dan y yo seguimos sin hablarnos.

Bueno, qué le vamos a hacer. Estoy decidida a pasarlo bien esta noche. Puede que no conozca a la gente con la que hemos quedado, pero estoy de vacaciones y puedo ser quien me dé la gana ser. Y esta noche, señoras y señores, no voy a ser Ellie Cooper, esposa, madre, aprendiz de burguesa, esta noche voy a ser Ellie Black, soltera vividora, vivaz, divertida, brillante. Tengo previsto beber champán —por favor, que haya champán; aunque llamándose Jonathan y Caro seguro que hay—, y quién sabe, tal vez hasta acabaremos bailando. No me vendría mal bailar un poco, y después del día y de la noche que he pasado, no me vendría nada mal beber un poco.

¿Cómo es posible que llevemos casados menos de dos años y ya me sienta una persona totalmente distinta? ¿Es el matrimonio o la maternidad lo que te cambia tanto?

O tal vez es mi matrimonio. Las noches que me quedo despierta en la cama, odiando a Dan, deseando irme, pienso que no escogí al hombre adecuado. Por lo general cuando me despierto por la mañana, esos sentimientos se han esfumado, han quedado atrás con la oscuridad, y no suelo hacerles caso, los llamo mis temores nocturnos. Pero tal vez no lo sean. Tal vez no debería sentirme tan distinta, tal vez eso significa que no he escogido al hombre adecuado. Que no me he casado con la persona que me convenía.

Pero luego pienso en Lisa. Y en Trish. Y en Fran. Pienso en que parece que todas estamos pasando por lo mismo, sentimos lo mismo hacia nuestros hijos, tenemos la misma carencia de vida social —está bien, no es justo incluir a Lisa en este aspecto en concreto—, nos quejamos continuamente de falta de energía, de cansancio permanente, y pienso que debe de ser normal. Quizá no es que escogiera mal, sino que mi vida ha cambiado tanto que sin duda se tarda más de dos años en adaptarse.

Pero esta noche no tengo ganas de adaptarme. No tengo ganas de hacer concesiones. Esta noche quiero olvidar que estoy casada y que tengo responsabilidades. Esta noche voy a tomarme un respiro. Y voy a pasarlo en grande, aunque me vaya la vida en ello.

—¡Pasad! ¡Pasad! ¡Lisa! ¡Qué ilusión verte!

Jonathan es un hombre corpulento, directo, lleno de vitalidad; en cuanto abre la puerta sé que va a caerme bien y que no voy a necesitar champán para sentirme relajada.

Pero beberé de todos modos.

La mujer de Jonathan, Caro, está detrás de él; yo le tiendo la mano, pero ella se ríe y me abraza.

—Ellie, ¿verdad? Encantada de conocerte. Pasad y tomad algo.

Todos recibimos palmadas en la espalda de Jonathan y abrazos de Caro, y pasamos al salón para conocer al resto del grupo. Tengo que admitir que empiezo a sentirme ligeramente nerviosa.

Parecen realmente esa gente guapa sobre la que leo a menudo. Son la gente que frecuenta el Calden, que cree que su aspecto y su encanto abrirán todas las puertas.

«Conserje, ¿sería tan amable de llamar al Ivy y reservar una mesa para seis a las ocho de la noche?»

«¿Me haría el favor de telefonear a Hermès para ver si tienen algo de Birkins? Deles mi nombre.»

Me encuentro con esa gente cada día en el Calden. Me maravilla su desenvuelta seguridad, su facilidad para abrirse camino con su encanto, porque siempre consiguen lo que quieren, por irrazonable que sea. Todos sus deseos se cumplen y nunca parecen sorprenderse, tienen asumido que si piden, recibirán.

Los he observado de lejos, pero nunca los he conocido personalmente, y nunca pensé que alternaría con ellos, me habría intimidado la sola idea de pasar una velada con ellos, hasta que conocí a Lisa.

Pero Lisa cuando está sola es sencillamente Lisa. Hasta que no la vi besar a Kate en el avión, no me di cuenta de hasta qué punto forma parte de ese grupo. De este grupo. Esta gente que me hace sentir incómoda y anticuada.

—Nos conocemos.

Escucho esas palabras mientras estrecho la mano de un hombre; sé que me suena vagamente su cara, pero toda esa gente me suena porque sus fotos suelen salir en las revistas.

Entrecierro los ojos tratando de localizarlo. Estoy segura de que no es solo una foto de una revista. Estoy segura de que también me suena su voz.

—Lo sé —digo—. Me suenas mucho, pero desde que tengo un hijo he perdido la memoria. Lo siento. —Me encojo de hombros mientras él se ríe—. Refréscame la memoria.

—Nos conocimos en casa de Fran y Marcus —dice—. Trabajas con Sally, ¿verdad? Ellie, ¿no? Yo soy Charlie, Charlie Dutton.

—¡Ah, sí! ¡Charlie Dutton! —Charlie y Sally, el Charlie al que Sally terminó persiguiendo durante meses hasta que se dio cuenta de que él no estaba preparado para comprometerse y ella debía pasar al siguiente, lo que hizo rápidamente.

—¿Cómo es que te acuerdas de mí? —digo, complacida.

Estoy acostumbrada a que nadie me sitúe, a tener que recordarle continuamente a la gente de qué me conoce, que soy amiga de Fran, o la mujer de Dan, o algo de alguien.

Creo que debo de tener una cara muy corriente.

«Sí, eres vulgar», me dijo Trish riéndose el día que se lo comenté. Pero es cierto. Cuando recuerdo a una persona, es difícil que esta me sitúe o me recuerde a mí.

—Tú eres el productor de cine, ¿verdad?

Asiente.

—¿Y tú la directora de marketing del Calden?

—¡Parece mentira que también te acuerdes de eso!

Se encoge de hombros.

—Siempre he tenido una memoria envidiable.

—Pero ya no soy directora de marketing —digo—. Soy consultora independiente. Han pasado siglos desde que nos conocimos. Cielos, no estoy segura de si estaba casada.

—Estabas prometida, creo, a punto de casarte. ¿Y has dicho que tienes un hijo? ¡Enhorabuena! Habéis sido rápidos.

—Decimos que lo concebimos en la luna de miel pero ya estaba embarazada cuando nos casamos, así que sí, supongo que hemos sido rápidos.

—¿Os casasteis de penalti? —Arquea una ceja.

Me río.

—No. Ya pensábamos casarnos mucho antes de que me enterara de que estaba embarazada.

—¿Y quién es tu marido?

—Dan.

Me vuelvo y me fijo en que Dan está sentado con Kate, hablando animadamente con ella. Bueno, donde las dan las toman, pienso. Si te lo estás pasando tan bien hablando con otra mujer, yo también puedo pasarlo bien coqueteando con otro hombre.

Lo siento, quería decir hablando con otro hombre.

—Toma. —Caro se acerca a nosotros y me da una copa... ¡Hurra! ¡Champán!—. Bebe un poco de champán. ¿Os conocéis?

—Ellie era la directora de marketing del Calden —dice Charlie—. Nos conocimos en una comida. Conoces a Fran y a Marcus, ¿verdad?

—Por supuesto. —Caro asiente—. Adoro a Fran, y los amigos de Fran son mis amigos.

—Gracias. —Sonrío, sabiendo que con mi vestido de época y mis zapatos de tacón alto, una copa de champán en la mano y unos contactos como Charlie Dutton y Fran, me siento exactamente como quería sentirme esta noche: chispeante y sexy.

Me encanta llevar este vestido y tacones altos. Normalmente, ni muerta llevaría más de dos dedos de tacón. ¿Y un vestido? No hablas en serio. Los pantalones son mucho más cómodos, por no hablar de prácticos.

Había olvidado lo magníficamente que te sientes con un vestido. Sobre todo si es vaporoso y femenino como el que yo llevo, que te hace sentirte tan vaporosa y femenina como el vestido en sí.

Como una más. Qué agradable. Lástima que antes de casarme no me esforzara más en alternar con esta gente; mierda, hubiera podido vestirme así más a menudo.

Sigo a Charlie hasta el sofá y me siento; alargo la copa para que

Jonathan me la llene de nuevo mientras se pasea por la habitación. Mi querido marido sigue hablando con Kate. A la porra, pienso. No voy a dejar que me estropee la noche.

Me vuelvo hacia Charlie Dutton, tratando de pensar en algo chispeante, divertido e ingenioso que preguntarle. Estoy tratando de coquetear, me doy cuenta, horrorizada. No porque le encuentre atractivo —aunque, creedme, no es exactamente desagradable mirarlo—, sino porque estoy convencida de que Dan está flirteando, y él no es el único que puede.

Solo que yo no puedo. Nunca se me ha dado muy bien, siempre me cogían por sorpresa los hombres que empezaban a coquetear conmigo. Se me ocurren cosas chispeantes, divertidas e ingeniosas que decir, pero solo cuando ya ha pasado el momento, y normalmente cuando estoy en la cama. Sola.

—¿Y qué tal es la maternidad? —pregunta Charlie Dutton, gracias a Dios, antes de que se me ocurra algo.

—Maravillosa. Agotadora pero maravillosa —respondo.

—¿No es increíble cómo te cambia la vida? —dice sonriendo—. Recuerdo cuando nació Finn. Mi ex y yo habíamos hablado de que lo integraríamos en nuestra vida como un bonito accesorio, lo llevaríamos a todas partes y tendría que aprender a adaptarse. Bueno, pues nos esperaba una gran sorpresa.

Me río, pues no me acordaba de que él también tiene un hijo.

—Eso es exactamente lo que dijimos nosotros. No teníamos ni idea de hasta qué punto desbarataría nuestra vida.

—Pero estáis sobreviviendo —dice Charlie Dutton, bebiendo un sorbo de su copa—. Nosotros no lo conseguimos, claro que no habríamos seguido juntos si ella no se hubiera quedado embarazada.

De pronto quería saber más. Quería preguntarle por su ex, cómo se conocieron, por qué decidieron tener el niño, en qué sentido se les desbarató la vida.

Es atractivo.

Las palabras acuden a mi cabeza sin querer. Miro a Dan sintiéndome culpable, tratando de tranquilizarme y establecer un contacto con un marido con el que no me hablo. Como es de esperar, no funciona.

Me sorprendo ruborizándome. Sin ningún motivo, aparte de que me doy cuenta inmediatamente de que me siento atraída por Charlie Dutton. Hace tanto que no me siento atraída por alguien... Soy una mujer casada..., no debería sentirme así.

He teorizado sobre la atracción, por supuesto. He pasado horas teorizando sobre la infidelidad, los líos amorosos, las causas del adulterio.

He afirmado con rotundidad que no dejas de sentirte atraída por los hombres solo porque estás casada, pero que hay que escoger: si sopesas lo que tienes y lo que te arriesgas a perder, te das cuenta de que no merece la pena poner en peligro tu matrimonio, y que tu enamoriscamiento, porque eso es lo que es, es solo pasajero.

Pero eso es lo que ocurre con las teorías. Puedes teorizar todo lo que quieras, pero, a fin de cuentas, cuando estás ante la realidad, cuando te enfrentas de pronto a la situación sobre la que has teorizado, tus teorías se van al garete.

Del mismo modo que Fran no había sabido cómo reaccionaría ante la infidelidad hasta que se enfrentó a ella, y reaccionó de una forma totalmente distinta de como siempre había creído que haría, estoy aquí sentada, totalmente sorprendida de sentirme atraída por Charlie Dutton. Con un sobresalto, me doy cuenta de que le estoy mirando fijamente los brazos.

Brazos fornidos. Y a diferencia de los de Dan, que están cubiertos de vello negro, los brazos de Charlie Dutton están bronceados y cubiertos de vello rubio. Preciosos. Dios mío. ¿Me he vuelto loca?

Miro con expresión de culpabilidad a Dan, que no me mira para nada. Charlie Dutton me está preguntando algo, pero no puedo mirarlo. No puedo mirarle a los ojos o me pondré colorada.

¡Por el amor de Dios, Ellie! ¡Eres una mujer adulta! ¡Compórtate! ¡Eres esposa, madre y ADULTA! Deja de comportarte como una cría.

—¿Perdona? —digo a Charlie Dutton—. ¿Qué has dicho?

—Te preguntaba dónde está el niño ahora. He visto que tus otros amigos han traído a su hijo. —Señala a Oscar, que está sentado tranquilamente en su sillita a los pies de Trish, ajeno a las conversaciones a su alrededor, sonriendo alegremente por estar con su madre.

—Perdona. —Sacudo la cabeza para desalojar los pensamientos—. Tom está en casa. Mis suegros han alquilado una casa para pasar el verano. Se suponía que iban a hacer un crucero, pero el yate tuvo un accidente y no se han ido. La única ventaja es que pueden hacernos de canguro.

Está bien. Lo he logrado. He logrado decir una frase coherente sin ruborizarme. De todos modos, estoy siendo ridícula. ¿No dijo una vez Fran que era un soltero solicitadísimo? ¿Por qué iba a fijarse un hombre como él en una mujer como yo? Por no hablar de que estoy casada.

Empiezo a recuperar la serenidad y a respirar con más facilidad. No es que quiera que se interese por mí, por supuesto. Yo solo flirtearía, nunca iría más lejos, pero ni siquiera eso va a ocurrir. Es guapísimo. Nunca se fijaría en mí. Y tampoco debería hacerlo.

Me relajo.

—Tú también te has puesto bastante morena —dice Charlie—. Estás... —Hace una pausa y yo levanto la mirada y logro mirarlo a los ojos—... preciosa —añade despacio, sin ningún atisbo de una sonrisa; empieza a latirme el corazón con fuerza.

Entonces me ruborizo de la cabeza a los pies. Mierda.

—Eh, Charlie —dice Caro desde el otro extremo de la habitación—. ¿Qué estás diciéndole a la pobre Ellie? Sea lo que sea, para, porque se ha puesto roja como un tomate. ¿Te ha incomodado, Ellie? No le hagas caso, es un bromista incorregible.

—No, no, no ha sido nada —murmuro mientras Dan me mira, interrogante.

—¿Estaba flirteando contigo? —pregunta Jonathan sonriendo, con lo que me pongo aún más colorada.

Si eso es posible.

—Oh, Charlie —dice—. Qué cabrón eres.

—Qué cosas más desagradables dices —replica Charlie Dutton indignado, mientras yo lamento no poder juntar los talones como Dorothy y desaparecer.

—No te lo tomes a mal —dice Jonathan—. Pobre Ellie. Solo trata de ser educada y la estás incomodando. Déjala tranquila.

—Está bien, está bien. —Charlie Dutton hace un ademán y sonríe antes de volverse e inclinarse hacia mí—. Lamento haberla incomodado —añade en alto—. Si me disculpa, debo ir a empolvarme la nariz.

—Te he dicho que no quiero coca en esta casa —advierte Caro.

—No me refiero a eso —dice Charlie Dutton sonriendo—. Solo voy al lavabo, ¿de acuerdo?

Se vuelve para marcharse mientras yo me quedo allí, todavía colorada. Además, acabo de ser el centro de atención y creo que acabo de hacer el ridículo. Por suerte, yo no coqueteaba con él. Repaso nuestra conversación y exhalo un suspiro de alivio. Nada de lo que he dicho podría interpretarse como un coqueteo, nada habría delatado la sorprendente atracción que he sentido.

Recupero mi color habitual y los demás reanudan sus conversaciones. Me relajo. Y entonces oigo una voz a mi oído.

—Por si te interesa —dice Charlie Dutton con una voz increíblemente dulce—, lo he dicho en serio.

Yo me quedo allí, totalmente inmóvil, y finjo que no le he oído. Pero no puedo evitar esbozar una leve sonrisa.

Más tarde, justo cuando estamos saliendo para ir al restaurante, voy al cuarto de baño para asegurarme de que no me brilla la cara y para retocarme los labios.

Abro la puerta y choco con Lisa.

—¿Te lo estás pasando bien?

Asiento; estoy entusiasmada, después de haber pasado la última media hora charlando con Jonathan y Caro, tratando de no hacer caso a Charlie Dutton, agotada por el esfuerzo de tener que evitar a dos hombres —aunque por distintas razones— y eufórica por el coqueteo, ¡por saber que sigo siendo atractiva! ¡Que soy sexy! ¡Que alguien que no es mi marido cree que soy... preciosa!

—¡Todos son simpáticos! —digo—. Afectuosos y encantadores. Me encantan Caro y Jonathan, son magníficos.

—Lo sé —dice—. ¿Y qué hay de... Charlie Dutton?

—¿Charlie Dutton? —Finjo indiferencia; intento no ruborizarme, no delatarme—. ¿Qué le pasa?

Lisa arquea una ceja.

—¿Qué piensas de él?

—También me ha caído muy bien —digo.

Hay una pausa.

—Ten cuidado —dice—. No le conozco, pero he oído hablar de él. Es muy atractivo, y tiene fama de que, cómo te lo diría, de que no se desanima porque una mujer esté casada. Al contrario, parece que eso le atrae.

—Por el amor de Dios —digo; aunque quiero preguntar más, averiguarlo todo sobre él, sobre las mujeres que ha conocido, qué le atrae, qué reputación tiene exactamente, pero, por supuesto, no voy a preguntar nada de todo eso, no quiero que nadie, ni siquiera Lisa, sepa cómo me siento—. Y qué si ha flirteado un poco. Estoy casada, Lisa, y no tengo la menor intención de ser infiel a mi marido.

»Ha sido halagador —continúo—. Eso es todo. ¿Sabes lo agradable que es que un hombre te piropee cuando todavía te sientes gorda y poco atractiva después de tener un hijo, y los hombres ya no te miran ni flirtean contigo ni te piropean, porque ahora eres solo una madre y encima anticuada?

Miro a Lisa, y veo que no lo sabe. Por supuesto que no. ¿Cómo va a saberlo?

—Tú no puedes entenderlo —digo con más suavidad—. Mírate. Pero el resto de los mortales nos conformamos con lo que nos dan.

Lisa se echa a reír.

—Está bien, está bien. Perdona. Solo prométeme que no vas a tener un lío con él, porque he oído decir que es un rompecorazones, y además, Dan es una joya. Créeme. Lo sé.

—Te prometo que no voy a tener ningún lío con él. Ya sabes lo que pienso al respecto. No me arriesgaría a perder todo lo que tengo con Dan. De ninguna manera.

Ella me abraza y volvemos al salón, donde veo a Dan de pie con el auricular en la mano, blanco como el papel, en medio de un silencio sepulcral.

Todos me están mirando.

Y lo sé. Sé inmediatamente que ha ocurrido algo terrible; el mundo se paraliza.

—Es Tom —susurra Dan—. Ha habido un accidente.

20

No soy muy consciente de lo que ocurre inmediatamente después.

Dan me coge del brazo y me lleva al coche; recuerdo vagamente que me abrazan, que veo caras preocupadas, murmullos sobre quién debería ir al hospital y quién debería quedarse.

Sé qué está pasando, pero lo veo desde una gran distancia. Es como estar sumergida bajo agua; puedo ver y oír, pero todo es confuso. Estoy totalmente serena, tan serena como no lo he estado nunca, y el corazón, en lugar de palpitar con fuerza por el pánico, la reacción que habría esperado tener, dado que parece estar ocurriendo lo peor que podía suceder, el corazón parece haber aminorado el ritmo hasta casi detenerse.

Sé que Dan sigue blanco como el papel, que Trish insiste en conducir, y que Dan y yo nos sentamos en el asiento trasero y miramos por nuestras respectivas ventanillas. Dan dice algo de que alguien sostenía a Tom en brazos y ha tropezado, y el niño ha caído escaleras abajo, pero no es capaz de decir nada más porque se echa a llorar.

Sé que estoy totalmente aturdida. Que no puedo pensar en nada, ni decir nada, ni sentir nada, hasta que entramos en coche en L'Hôpital des Broussailles de Cannes, aparcamos y vamos corriendo a la sala de urgencias.

—Tom Cooper —dice Dan con apremio a la enfermera de detrás del mostrador—. *Mon fils. Nous cherchons notre fils.*

Y entonces oímos «¿Dan?». Nos volvemos y vemos a Linda y a Michael que se acercan corriendo; Linda tiene las mejillas llenas de lágrimas.

—Hemos llamado al vecino para que se quedara con Amy —explica Linda a través de las lágrimas—. Hemos venido directamente.

—¿Dónde está Tom? —pregunta Dan—. ¿Dónde está? ¿Qué está pasando?

—Lo siento tanto... —dice ella; no para de decirlo.

Mi corazón se vuelve de piedra y lo único que puedo pensar es: por favor, Dios. No. No. No.

—Oh, Dios mío. —Dan inhala hondo—. No está... —No puede decirlo. No es capaz de pronunciar la palabra.

—¡No! —dice Michael apartando de un codazo a Linda, que ahora está histérica—. El médico todavía lo está examinando.

Por fin mis emociones emergen en un grito primario que estalla entre los susurros de ese espacio completamente blanco.

—¡Dejadme ver a mi hijo! ¿Dónde está mi hijo? Dejadme ver a mi hijo. ¡Ahora mismo!

El médico habla inglés. Gracias a Dios.

—Se ha roto una pierna y se ha fracturado una muñeca, pero lo que más nos preocupa son las posibles lesiones en la cabeza. —Hace una pausa—. Es un niño; sus huesos aún son blandos. El traumatólogo está de camino...

—¿Qué quiere decir con que le preocupan más las lesiones en la cabeza? —dice Dan, porque el miedo que esas palabras me han infundido me ha dejado muda. Lo único que puedo hacer es respirar.

El médico suspira.

—Le hemos hecho una radiografía del cuerpo y hemos establecido lo que ha ocurrido con sus huesos, pero no es tan fácil con el cerebro. El traumatismo que está causando la pérdida de conocimiento lo ha provocado una conmoción cerebral.

Lo miro sin comprender.

—Necesitamos hacerle un TAC para comprobar si hay hemorragia en el cerebro.

—¿Cuándo? —dice Dan con suavidad—. ¿Cuándo se lo van a hacer?

—Nos estamos preparando para ello —dice él.

—Pero ¿qué significa eso? —susurro yo—. ¿Qué quiere decir con hemorragia en el cerebro? ¿Está bien? ¿Qué significa eso? —Estoy alzando la voz, al borde de la histeria, y la serenidad, la sensación de irrealidad, me abandonan en un instante y dan paso a una fría opresión en el corazón—. ¿Significa lesiones cerebrales?

El médico desvía la mirada.

—Creo que es demasiado pronto para hacer un diagnóstico. Las consecuencias podrían ser múltiples, y el TAC nos dará más información. Lo mejor que podría ocurrir es que el cuerpo reabsorbiera la sangre de forma natural.

—¿Y entonces se pondría bien? —Dan está pálido de nuevo.

El médico asiente.

—Entonces se pondría bien.

—¿Y en el peor de los casos? —No quiero saberlo, pero tengo que preguntarlo.

—Si la hemorragia está causando una hinchazón o una mayor presión en el cerebro, empezaremos inmediatamente un tratamiento para reducir dicha presión. —El médico me pone una mano en el brazo—. Sabremos más después del TAC —dice—. No pierdan la fe.

Bajo la vista hacia el diminuto cuerpo de Tom; veo sus ojos cerrados, todos los cables que lo conectan a distintas máquinas, y me echo a llorar. Grandes y entrecortados sollozos que no puedo seguir conteniendo. Dan me abraza, y yo no puedo dejar de llorar. Me limito a apoyarme contra él y lloro, lloro sin parar.

Esto no puede estar pasándome a mí, me digo una y otra vez. ¿Cómo me puede estar pasando esto a mí? Perdí a mi madre cuando era niña. ¿No es suficiente tragedia en una vida? ¿Qué cosa tan horrible he hecho para que pueda volver a ocurrirme esto? ¿Por qué a mí? ¿Por qué a nosotros? ¿Por qué a este pequeño niño indefenso?

Esa noche no volvemos a casa. Ni la siguiente. Ni en toda la semana. Los médicos y las enfermeras son amables y solícitos de un modo que me temo que reservan para los padres de los enfermos graves, los que tal vez no salgan con vida.

A Tom le hacen escáners TAC con regularidad, y hasta ahora las noticias son buenas. Ha habido algo de hemorragia, pero sin hinchazón, y, como esperábamos, parece que la sangre está siendo reabsorbida por el cuerpo.

Dios mío. El cuerpo. Tom. Mi bebé. ¿Por qué nos está pasando esto?

Dan y yo dormimos, y lo digo con una gran dosis de ironía, por supuesto, porque casi no pegamos ojo, en camas improvisadas al lado de la cuna de Tom. Nos turnamos para velarlo, le cantamos, le sostenemos su pequeña mano, y yo solo salgo de la habitación para ir al cuarto de baño o ir a buscar otro café en mitad de la noche.

Sé que viene gente al hospital. Sé que Linda y Michael han pasado mucho tiempo en la sala de espera. Sé que Trish y Gregory han estado, y también Lisa, pero no puedo verlos. No puedo ver a nadie. No hay nada de que hablar, nada que decir; toda mi energía la reservo para mi hijo y para rogar a Dios que se ponga bien.

Le han inmovilizado la pierna y está rodeado por un enorme artefacto, conectado a varias máquinas y a varios goteros. A veces agradezco que esté inconsciente, ajeno, espero, al dolor que deben de causarle todos esos clavos en los huesos y todas esas agujas en la piel.

Linda trató de hablar conmigo una vez. Yo había salido de la habitación, necesitaba tomar un poco de aire fresco, y ella se me acercó y me empezó a hablar, empezó a decir algo, pero no pude soportarlo, no pude mirarla siquiera, de modo que me volví y me alejé; la dejé con la palabra en la boca.

No me importa.

No se trata de ella. No se trata de lo que ella puede o no haber hecho, de lo que hizo o dejó de hacer. No me interesa saber lo mal que se siente por haber dejado caer a mi hijo. No me interesa saber qué hacía con mi hijo en brazos, para empezar, cuando se suponía que estaba dormido. No me interesa que me pida perdón.

Lo único que me importa es Tom. Linda no existe para mí en estos momentos. No estoy segura de si volverá a hacerlo.

Pasamos diecisiete días en el hospital. Cada día recibimos un poco más de información. Los huesos se están curando bien. El escáner del cerebro no ha detectado nada más, pero ahora debe recuperar el conocimiento para que podamos saber algo más.

El día duodécimo estoy durmiendo en la cama supletoria y oigo que un niño llora en mis sueños. Estoy en mi vieja oficina del Calden, en una reunión, y solo oímos a un niño llorando. Maldita sea, pienso en mi sueño. No se me permite traer a mi bebé al trabajo y ahora todos se van a enterar. En mi sueño el bebé está en mi despacho; me disculpo y regreso rápidamente a mi despacho para apaciguar al bebé, que, por cierto —no estoy segura de lo que eso significa—, no es Tom, pero no lo encuentro, solo lo oigo llorar sin parar.

Me despierto, pero sigo oyendo el llanto; de pronto, me doy cuenta de que es Tom, me levanto de un salto y veo a Tom berreando, con la boca muy abierta y los ojos cerrados con fuerza. Trato de calmarlo, abrazo su pequeño cuerpo a través de los cables y los armazones, y me echo a reír y a llorar de alivio.

Está despierto.

Está vivo.

Dan entra corriendo, con una taza de café humeante en la mano. La deja inmediatamente en la mesa y se acerca a mí, sacudiendo la cabeza con incredulidad, y entonces se echa a llorar.

—Pensé que nunca se despertaría —dice sollozando sobre las

sábanas mientras aferra la mano de Tom—. Pensé que nunca ocurriría.

La enfermera entra, seguida del médico, y nos hacen salir para examinarlo.

—¿Qué están diciendo? —no paro de preguntar a Dan, pero él no lo sabe. Su francés de bachillerato no llega a la terminología médica y de hospital.

—Shhh, shhh —dice él, tratando de entender algo, de coger una palabra al vuelo, una frase que pueda arrojar algo de luz, pero hablan tan deprisa y con un vocabulario tan especializado que no entiende nada.

—Bueno, una cosa está clara —dice el médico por fin acercándose a nosotros, que estamos en un rincón de la sala—. Los pulmones no están afectados.

Sonríe, y por primera vez desde el accidente siento alivio. Alivio porque de pronto vislumbro el final de los problemas; alivio porque ese médico, que se ha mostrado tan serio y tan cauto todo el tiempo con nosotros, ha creído oportuno ahora sonreír, lo que debe de querer decir que tiene confianza, o al menos que es optimista.

—Pero eso es bueno, ¿no? —digo—. ¿Significa que está bien?

—Es una noticia excelente —dice—. Pero debemos hacer algunas pruebas más.

El día que nos marchamos, un día después de que le dieran el alta a Tom, Linda está sentada sola en la sala de espera. Dan sigue dentro, firmando los papeles del alta y tramitando el seguro. Yo estoy meciendo a Tom en los brazos, preparada para bajar a la recepción. De ahí iremos directamente al aeropuerto en un coche alquilado y tomaremos un avión de regreso.

No veo a Linda enseguida. Se acerca y alarga una mano hacia Tom, y yo me muevo para protegerlo de ella, para no permitir que lo toque, nunca más.

Porque ahora sé qué ha pasado.

Tom estaba parloteando en la cama, y Linda decidió llevarlo abajo porque era evidente que no tenía ganas de dormir. Por si os interesa, Tom a menudo se queda parloteando en la cama, pero a las siete le toca dormir, de modo que lo dejo hasta que se cansa y se duerme.

Linda optó por desatender mis instrucciones —porque antes de irme le dejé muy claro que él parlotearía, y que no debía hacerle caso— y cogió en brazos a Tom. Cuando empezó a bajar la escalera, tropezó —ella dice que todavía no se explica cómo ocurrió, que nunca se lo perdonará— y alargó instintivamente las manos para agarrarse.

Se agarró y, al hacerlo, dejó caer a mi hijo.

Si me hubierais preguntado, antes de que todo esto ocurriera, qué reacción tendría, cómo me sentiría si Linda hiciera daño a mi hijo, os habría respondido que le gritaría, daría rienda suelta a mi rabia, mi dolor y mi cólera.

Me habría imaginado gritándole cuánto la odio, descargando ese veneno y disfrutando al ver su cara de sorpresa, su incapacidad para responder.

Pero ahora que ha ocurrido, no siento nada de eso. Solo me siento cansada. Y aliviada. Pero sobre todo cansada.

—Por favor, déjame verlo —dice Linda con suavidad, con lágrimas deslizándose ya por sus mejillas—. Solo déjame mirarlo.

Y por primera vez me detengo y la miro a los ojos.

—No —digo, muy bajito, pero mi voz nunca ha sido más firme, y nunca he dicho nada con tanta convicción—. No puedes mirarlo ni sostenerlo en brazos. Que sepas que nunca te perdonaré lo que hiciste. ¿Lo entiendes? Nunca te lo perdonaré.

Y con Tom en los brazos, doy media vuelta y me marcho.

Me gustaría decir que cuando regresamos a Londres la vida vuelve a la normalidad, pero ya no estoy segura de qué significa la palabra normalidad. Ni estoy segura de si alguna vez volveré a sentirme normal.

Tom pasó seis meses inmovilizado con un armazón hasta que se le curaron los huesos, y ahora está completamente bien. Nos han asegurado que podrá jugar al fútbol y al rugby como todos los demás niños.

Las lesiones cerebrales, o los daños permanentes de cualquier tipo, han sido descartados. Como dijo nuestro pediatra de Londres, Tom está igual de bien que antes. Caray, con los clavos en la pierna puede que incluso un poco mejor.

No puede decirse lo mismo de Dan y de mí. Cada vez que lo miro, lo recuerdo diciéndome esa noche, antes de salir: «¿Qué quieres que pase, por el amor de Dios? Tom estará bien. Todos estarán bien».

¿Tuve un presentimiento? ¿Podría haberlo evitado? Tal vez no, pero, por irracional que pueda parecer, miro a Dan y oigo esas palabras. Miro a Dan y veo a Linda.

Ni que decir tiene que sobre todo culpo a Linda.

Pero también culpo a Dan.

21

Llega la Navidad, y Tom está bien. Mejor que bien. Está precioso, guapísimo, adorable. No pasamos el día de Navidad con Linda y Michael. Curiosamente —y sin embargo fue estupendo— lo pasamos con mi padre.

Mi padre y Mary llamaron y dejaron en el contestador un mensaje diciendo lo maravilloso que sería celebrar todos juntos la Navidad, y cuando les devolví la llamada, en lugar de decirles que ya teníamos planes, acepté su invitación. Les dije que nos encantaría ir a pasar el día de Navidad con ellos a Potters Bar.

Dan se puso furioso. Pero eso nos libraba de la compañía de Linda y Michael, y le daba a mi padre una oportunidad para estar con Tom; y aunque puede que no haya sido el mejor padre del mundo, estuvo maravilloso con mi hijo; congeniaron inmediatamente.

Dan estuvo la mayor parte del día enfurruñado, pero para mí fue extrañamente relajante, infinitamente más relajante que estar con los Cooper.

De modo que Tom está bien, pero Dan y yo no lo estamos. Qué irónico que las vacaciones en Francia, las vacaciones que esperábamos tan ilusionados, pasaran de ser el paraíso a convertirse en un infierno en un espacio tan breve de tiempo, y que sigan afectando a nuestra vida.

Dan dice una y otra vez que él no tiene la culpa. Y si lo racionalizo, sé que es verdad. Dice que es agua pasada, que lo único que importa es que Tom está bien, y que tan pronto como me quite de encima la ira podremos reanudar nuestra vida.

Pero el problema es que no puedo, no sé cómo hacerlo, y en estos momentos no me veo capaz de intentarlo.

Recuerdo lo sorprendida que me quedé, cuando Tom estaba en el hospital, de mi serenidad, mi falta de emociones, mi incapacidad para culpar a nadie. No tenía energía para culpar a nadie, entonces no, pero ahora que Tom está bien, ahora que estamos de nuevo en casa y todo el mundo espera que reanudemos nuestra vida como si tal cosa, como si no hubiera pasado nada, me siento llena de una ira que hasta ahora no había experimentado.

¿Cómo se atrevió Linda —últimamente solo de pronunciar su nombre me sube la tensión— a coger a Tom en brazos? ¿Cómo se atrevió a desoír deliberadamente mis deseos? Si esa estúpida mujer lo hubiera dejado tranquilo, no habría pasado nada.

Sé que ahora está bien. Sé que eso es lo único que importa, pero no puedo dejar de pensar en Linda dejando caer a mi precioso niño por la escalera, alargando una mano para protegerse a sí misma antes que al niño.

Sé que ella nunca se lo perdonará. Me ha implorado en sus cartas que la perdone, me ha dicho que el hecho de que ella nunca se perdonará sin duda ya es suficiente castigo, y que yo no debería castigarla aún más sin dejarle ver a Tom.

Al principio leía las cartas. Ahora ni las abro, las echo directamente a la papelera. Solía leerlas impasible, pero cuando me pedía ver a Tom yo resoplaba. ¡Como si fuera a dejarle acercarse a él!

También ha estado tratando de convencer a Dan; sé cuándo ha ido a verla o ha hablado con ella por teléfono. Al poco rato de volver a casa propone que los invitemos, me dice cuánto echa de menos su madre a Tom, que eso la está matando.

Estaremos los dos con ellos, dice. No pasará nada. ¿Puedes dejar de ser tan dramática y ridícula? Deja de castigarla por lo que fue un terrible accidente sin, gracias a Dios, consecuencias.

Y por fin: ¿puedes dejar de ser tan hija de puta?

—¿Cómo te atreves? —le grito, grito literalmente a pleno pulmón, asombrada de ser capaz de expresar tanta ira, asombrada de ser capaz de hablar a alguien como le estoy hablando a Dan—. ¿Cómo te atreves a llamarme así? ¿Cómo te atreves a proponer que lo vean después de lo ocurrido? ¿Cómo te atreves a llamarme hija de puta? ¡Vete! ¡Vete de aquí!

Hago todo lo que puedo por no gritar «Te odio», pero cada vez que las palabras amenazan con escapar, algo hace que me las trague. No creo que fuera posible dar marcha atrás si me salieran esas palabras, aunque pienso en ellas cada día.

No sé qué nos ha pasado. No comprendo esta rabia, este odio, esta permanente sensación de injusticia. Solo sé que Tom y yo somos felices cuando estamos solos. Somos realmente más felices cuando estamos solos.

Dan ha empezado a irse de casa antes de que yo me levante. Siempre estoy despierta, pero me quedo en la cama fingiendo que duermo, con el cuerpo rígido, la respiración corta y tensa, contando los minutos hasta que oigo que se cierra la puerta y por fin puedo relajarme.

Despierto a Tom y desayunamos juntos; la mayor parte de la comida acaba en el suelo o esparcida por la cara de Tom.

«Mamá», dice ahora. Y «ari», que es Harry, el nombre de su gato de peluche. Amy parece hablar mucho más que él, y a sus dieciséis meses me preocupa que el vocabulario de Tom no sea más amplio, pero también sé que cada niño se desarrolla a su ritmo, y Oscar no habla mucho más que Tom.

Vamos a un centro de estimulación motriz, y a clases de música, y quedamos con Trish y Lisa para jugar. A no ser que diluvie, cada tarde vamos al parque; disfruto de cada minuto del día, hasta la hora del baño en que cojo entre risas a Tom, que se retuerce en mis brazos antes de leerle un cuento y acostarlo.

Mi día solo empieza a estropearse cuando se abre la puerta de la calle y entra Dan en casa; con él vuelven toda la tensión y los nervios.

Ya casi no hablamos. Cuando lo hacemos, es sobre Tom, conversaciones obligadas sobre lo que ha hecho Tom ese día, y eso es todo. Nos hemos convertido en una de esas parejas que juré que no sería: las parejas que ves sentadas en un restaurante toda la noche sin cruzarse una palabra.

Porque, por supuesto, seguimos saliendo. No tengo ni fuerzas ni ganas de cocinar, y todavía tenemos que presentar un frente unido ante el mundo.

Quedamos con Trish y Gregory para cenar al menos una vez a la semana, normalmente en algún restaurante, el Lemonia o el Manna. Me gustaría pensar que jamás adivinaríais lo que ocurre entre nosotros, que cuando estamos con otras personas logramos fingir que todo va bien, que solo somos otra joven pareja más.

Lisa y Andy rompieron poco después de volver de Francia. Sigo viéndola de día, pero ella sigue ejerciendo de soltera por las noches, y es raro que se apunte a cenar con nosotros.

No he hablado realmente con nadie sobre lo que está pasando. Hago bromas acerca de que Dan y yo discutimos, pero no he confesado a nadie lo infelices que somos, tengo demasiado miedo de expresar en alto lo que ya sé, tengo demasiado miedo de precipitar los acontecimientos.

Porque estoy viviendo en una especie de inercia. Sé que algo tiene que cambiar. Sé que no puedo continuar viviendo así, o mejor dicho, malviviendo, pero no sé qué medidas tomar, cómo cambiarlo.

Una parte de mí sigue queriendo que todo pase. Sigue pensando que una mañana despertaré y la ira habrá desaparecido; miraré a Dan y volveré a sentir amor, pero luego lo miro y los sentimientos que tuve solo son un vago recuerdo. Me acuerdo a duras penas de qué sentía, pero ya no lo siento. Nada. Ni un indicio.

Solo siento ira e irritación, y la necesidad de distanciarme aún más de él.

El Lemonia está de bote en bote, y Dan y yo nos abrimos paso entre las mesas hasta que vemos a Trish y a Gregory en un rincón. Pongo una sonrisa radiante, lo mismo que Dan, y los saludamos con la mano mientras nos acercamos a ellos.

—¿Qué tal la nueva canguro?

—¡Es fantástica! —exclama Trish mientras se levanta para besarme—. Oscar estaba tan encantado que ni siquiera me ha mirado cuando he tratado de decirle adiós, estaba demasiado ocupado jugando con ella.

—Menos mal que habéis encontrado a alguien. —Me siento al lado de Trish mientras Dan lo hace al lado de Gregory y empieza a hablar de trabajo—. Yo no sé qué haría sin Rachel.

Rachel es mi ángel de la guarda, la segunda persona que resulta agradable ver en estos momentos, después de Tom. Es una australiana fuerte, segura y divertida que lleva aquí ocho meses, vive en una casa de Acton con, por lo que he entendido, ciento veinticuatro australianos más, y ha sido nuestra niñera a tiempo parcial los pasados cuatro meses.

Nunca pensé que sería capaz de dejar a Tom con alguien, no después de lo que pasó, pero el Calden me ofreció un gran proyecto y de pronto tuve que volver a ir a reuniones y aislarme de Tom para concentrarme en conferencias y leer planes de comercialización.

Tuve que contratar a una niñera, dos días a la semana, y también tres noches. Rachel trabaja el resto del tiempo para una amiga de Fran, que es como la encontré; en cuanto hablé con la amiga de Fran y me dijo lo maravillosa que era Rachel, empecé a tranquilizarme.

Luego, cuando vino para la entrevista, lo primero que hizo fue coger a Tom en brazos y hacerle cosquillas con las pestañas, haciéndole reír. Era tan evidente que le encantaban los niños y se sentía tan a sus anchas con ellos, que la contraté.

Tengo que admitir que las primeras tres semanas fueron duras. No podía dejar de ver a Linda dejando caer a Tom, de modo que me aseguraba de que no salieran de casa y los vigilaba de cerca.

Estaban a salvo.

Entonces Trish se ofreció a ir al parque con Rachel y Tom, y vigilarlos por mí. Me contó que Rachel era asombrosa, que hasta a Oscar le encantaba. Después de eso, dejé a Rachel ir a donde quisiera.

—Rachel es asombrosa —dice Trish—, pero podrías dejar a Tom con quien quisieras y se quedaría encantado. En cambio Oscar es mucho más complicado. Le encanta Rachel, pero ella no tiene noches para dedicarnos, de modo que Emily es la primera que hemos encontrado con la que Oscar parece que está contento. ¡Dios! —Sacude la cabeza antes de añadir con afecto—: Oscar puede ser un auténtico gamberro. ¿Por qué me ha tocado a mí el complicado?

Complicado. Qué forma más diplomática de decir torbellino. Me siento muy culpable cuando lo pienso, pero Oscar se está convirtiendo en un pequeño monstruo. Me encanta Trish, de verdad, se ha vuelto mi mejor amiga, pero podría vivir perfectamente sin Oscar.

Oscar no tiene reglas en su casa, de modo que piensa, como es lógico, que nuestra casa funciona del mismo modo. Cuando agarra un lápiz y pintarrajea toda la pared, Trish solo hace tímidos intentos para detenerlo mientras me dice que tiene madera de artista. Se sube al sofá con las botas embadurnadas de barro y Trish le pide con suavidad que se baje; y si él no le hace caso, se limita a encogerse de hombros y sigue hablando conmigo mientras yo sufro un pequeño infarto. En serio, esos sofás cuestan una fortuna.

Oscar señala algo que le apetece comer y grita si no se lo dan, de modo que Trish siempre acaba dándole exactamente lo que quiere solo para que se calle.

—Sé que no debería hacerlo —dice—, pero no puedo soportar sus berridos.

La pobre Trish las ha pasado canutas buscando una canguro. Oscar no ha soportado nunca que su madre lo dejara con alguien, de modo que es un milagro que Trish haya encontrado por fin a alguien que goce de la aprobación de Oscar.

—Espero que le estés pagando bien —digo.

—Si a Oscar le gusta, pagaré lo que me pida. —Trish se ríe—. Todo con tal de tener contento a ese diablillo.

Yo también me río. Si supiera...

Pasamos una velada muy agradable. Agradable porque parece normal. Porque es animada y bulliciosa, y apenas se nota que Dan y yo ya no nos hablamos.

A veces observo a Gregory y a Trish; veo que él le aprieta el brazo con afecto, o se inclina y le da un beso; veo que Trish lo incluye en la conversación: «¿Verdad, Gregory?», «¿No es cierto, Gregory?», «¿Qué opinas, Gregory?». Y me pregunto si notan la falta de muestras de afecto entre nosotros.

Cada pareja es un mundo, pienso. Solo notarían la diferencia si nos hubieran conocido al principio, antes de que tuviéramos a Tom. Solíamos ser muy cariñosos. Nos hablábamos con ternura, nos besábamos sin ningún motivo, apoyábamos la cabeza en el hombro del otro y nos acariciábamos la mejilla.

Ahora me parece otra vida. Otro Dan. Otra Ellie. Me pregunto qué pasaría si lo hiciera ahora. Si lo besara en la mejilla. Miro a Dan a la cara, pensando en cómo reaccionaría; él nota que lo estoy mirando y deja de hablar con Gregory para mirarme.

Por un instante, mientras se cruzan nuestras miradas, recuerdo el amor con que me miraba antes. Recuerdo que cuando se volvía hacia mí, su mirada era afectuosa y brillante, y yo me sentía segura y querida.

Esta noche, como cada noche, solo hay frialdad. Y posiblemente un indicio de irritación.

—¿Qué? —pregunta Dan.

—Nada —digo con naturalidad, y él se vuelve de nuevo hacia Gregory como si yo no existiera.

Pagamos la cuenta y nos levantamos, cogemos los abrigos de los respaldos de las sillas y nos los ponemos. Gregory se estira y apoya las manos en los hombros de Trish.

—Estupendo —dice, mirando el reloj—. Hoy nos acostaremos pronto. —Y guiña un ojo a Trish, que sonríe y mira al cielo.

—Oh, no —gime—. ¿Tenemos que hacerlo? También nos acostamos pronto anoche.

—Por lo que a mí respecta, uno nunca se cansa de acostarse pronto —dice Gregory—. ¿No es así, Dan?

Dan se encoge de hombros.

—La verdad es que no lo sé. Hace seis meses que no dormimos juntos.

Se produce un silencio sepulcral; la mirada de Gregory va de Dan a mí, esperando que digamos que es broma.

—Calla, Dan —susurro, horrorizada de que haya soltado esa información a nuestros mejores amigos. Horrorizada de que por fin haya salido a la luz.

—¿Qué pasa? ¿No quieres que tu mejor amiga sepa que te niegas a hacer el amor conmigo? ¿Por qué no? ¿Por si piensa que eres anormal?

Estoy roja como un tomate. No puedo creer que estemos teniendo esta conversación. No puedo creer lo que está diciendo Dan.

—Basta, Dan —advierto—. No voy a hablar de esto ahora.

Dan me mira y se limita a sacudir la cabeza con una expresión de disgusto.

—Te veré en casa —dice, y cruza el restaurante.

—Esto... —Pobre Gregory. No tiene ni idea de qué decir—. Ellie, siento muchísimo lo que he dicho. No era mi intención empezar...

—Mi marido es tan zoquete... —Trish le da un codazo—. Ve a hablar con Dan.

Trish me retiene en el umbral, y en cuanto Gregory ha salido, se vuelve hacia mí.

—Ya sé que siempre estoy preguntándote si todo va bien y tú me dices que sí. Si no quieres hablar de ello lo entiendo, pero quiero que sepas que puedes hablar conmigo de lo que quieras, que no voy a juzgarte y que haré lo posible por comprenderte.

Asiento. Creo que voy a echarme a llorar. Diría algo, pero tengo un sollozo esperando en la garganta, y lo único que puedo hacer es tratar de ahogarlo mientras se me llenan los ojos de lágrimas.

Cuando llego a casa, Rachel ya ha cobrado y se ha ido, y Dan está sentado en el sofá, mirando al vacío. Entro, me quito el abrigo y me siento en el sofá enfrente de él. No puedo seguir así más tiempo. No podemos seguir así. Algo tiene que cambiar. Incluso antes de pensarlas, las palabras han salido, con una voz inquietantemente baja, casi un susurro en medio del silencio.

—No puedo seguir así.

Dan no dice nada, ni siquiera levanta la mirada, se limita a mirarse las manos juntas entre las piernas, con los codos apoyados en las rodillas.

—Dan, tenemos que hablar. —Respiro hondo—. Últimamente parece que solo sabemos hacernos infelices. Creo que no podemos seguir así, que algo tiene que cambiar.

Continúa el silencio.

—Dan, ¿puedes mirarme?

Dan levanta despacio la mirada hasta clavarla en la mía; me sorprende ver todo el dolor que hay en ella. Vuelve a desviarla antes de hablar.

—¿Y qué quieres que hagamos?

—No lo sé. —No creía saberlo, pero, casi de forma inconsciente, añado—: Creo que deberíamos separarnos durante un tiempo. —Y respiro hondo. Atónita.

Dan me mira y veo que él también está sorprendido.

Parece irreal. Estereotipado. Absurdo. Ojalá se me ocurriera algo original, algo mejor que esas frases que suenan a culebrón. Pero no hay otra forma de decirlo.

—¿Dan? ¿No vas a decir nada?

—¿Qué quieres que diga? —Su voz es apagada. Inexpresiva.

—Dime cómo te sientes. Dime qué quieres. Dime qué es lo que piensas.

Él se encoge de hombros.

—Creo que ya has tomado una decisión.

Insisto. Puede que este sea el fin de mi matrimonio, pero no puedo dejarlo ir tan fácilmente. No puedo dejar que nuestro matrimonio termine con este silencio, esta falta de comunicación. De pronto quiero saber todo lo que no le he preguntado los pasados seis meses, ahora quiero saber.

—Pero ¿estás de acuerdo? ¿Es lo que quieres?

—¿Qué importa lo que yo quiero?

—Tú tampoco eres feliz.

—No. Pero yo no tiraría aún la toalla.

—Mira. —Suspiro—. No es permanente. Tal vez solo necesitamos estar solos un tiempo, para estar seguros. No creo que debamos hablar de... divorcio... o de nada. —Oh, Dios mío. Divorcio. Esa palabra me produce un escalofrío por la espalda—. Con suerte solo será una fase.

Él no está de acuerdo. Ni en desacuerdo. Guarda silencio hasta que levanta la mirada y dice con suavidad:

—¿Y Tom?

Oh, Dios mío. ¿Y Tom?

—¿Qué quieres decir?

—Qué pasa con Tom. Supongo que querrás quedarte en el piso con él.

No había pensado en ello, pero ahora que ha sacado el tema, sí, por supuesto que quiero quedarme en el piso con Tom. Puede que yo solo trabaje a tiempo parcial y que traiga poco dinero a casa, pero no habríamos podido comprarla sin el dinero de la venta de mi antiguo piso, por no hablar de que esta es la casa de Tom, y cuantos menos cambios haya en su vida, mejor.

—Bueno, sí —digo—. Quiero decir que podrás verlo cuando quieras, por supuesto. Puedes venir a cualquier hora. O tal vez los fines de semana. O..., no lo sé. Lo que sea. Yo tampoco he hecho esto antes. Encontraremos la manera. —Creo que por fin empiezo a asimilar la situación, aunque apenas puedo creer que esta conversación se haya convertido tan rápidamente en una realidad. Llevamos meses gritándonos y dándonos la espalda en la cama, sin apenas hablarnos, y ahora que por fin estamos teniendo una conversación tranquila es para poner fin a nuestro matrimonio.

Así sin más. En unos minutos todo se ha terminado. Otro nudo en la garganta, y trago de nuevo saliva para que desaparezca. No sé qué esperaba. Tal vez más discusiones, más peleas. Tal vez solo hablar e irnos a la cama, y despertar y que las cosas siguieran exactamente igual.

Pero de pronto todo ha cambiado por completo. De pronto mi matrimonio ha terminado. Porque podría decir que solo nos estamos separando, que es temporal, pero ¿a quién quiero engañar? Mi matrimonio es un fracaso y yo he tenido la culpa.

—¿Crees que deberíamos seguir hablándolo por la mañana? —pregunto, haciendo tiempo, incapaz de creer en lo definitivo que se ha vuelto todo de golpe.

—No. —Dan suspira y se levanta, se pasa los dedos por el pelo y por un segundo quiero correr hacia él y colgarle los brazos al cuello. No, quiero llorar. Arreglar las cosas, mejorarlas. Quédate y pelea. Pero, naturalmente, no lo hago. Me muerdo el labio inferior y miro al suelo—. Iré a coger unas cuantas cosas —dice—. Me quedaré en casa de mis padres hasta que todo esté un poco más claro. —Sale y le oigo entrar en la habitación, abrir cajones y puertas de armarios, meter ropa en una bolsa de deporte.

No puedo moverme durante un rato. Me quedo sentada en el sofá, incapaz de creer lo que está sucediendo, que hayamos tenido esta conversación, que mi marido me esté dejando. Que se haya acabado de verdad.

Me levanto y me detengo en el umbral de nuestra habitación; lo miro, quiero decir algo más, quiero hablar más, deseo que uno de los dos pelee por este matrimonio, haga que las cosas vuelvan a la normalidad, aunque la normalidad signifique los largos silencios de los pasados seis meses, no hablar, no tocarnos, no comunicarnos. Todo antes que esto.

Dan no me mira. Acaba de meter sus cosas en una bolsa. Cuando entra en el cuarto de baño, me vuelvo y regreso al salón; noto en los oídos los latidos de mi corazón.

Al cabo de un rato oigo pasos en el pasillo y luego oigo que se abre la puerta de Tom, y, por último, muy débilmente, oigo que Dan se echa a llorar.

Y yo también me echo a llorar.

22

No me muevo durante mucho rato después de que Dan se ha ido.
Me limito a quedarme sentada, llorando de forma intermitente,
incapaz de creer que haya sucedido realmente, que se haya ido de
verdad. Una parte de mí creía que todo seguiría igual, que vivir
juntos siendo infelices era mejor que un cambio.

Ya tienes lo que querías, no deja de decir una voz en mi cabeza, pero ahora que ha ocurrido, ahora que con la ausencia de Dan
parece haber eco en el silencioso piso, ya no estoy tan segura.

Pero no, por supuesto que es mejor. Y, como le he dicho a Dan,
no tiene por qué ser permanente. Con suerte solo será una separación temporal, una ausencia que nos permitirá descubrir el modo
de reencontrarnos.

Mi mirada se detiene en la fotografía de nuestra boda, que se
burla de mí desde su situación privilegiada en la repisa de la chimenea. Dios, qué felices éramos. Creía estar casándome con el
hombre perfecto, estar emparentándome con la familia perfecta.
Y qué irónico que esperara que Linda, sin la cual nada de todo esto
habría ocurrido, hiciera el papel de madre; fuera la madre con la
que yo siempre había soñado.

Llena de tristeza, cojo la fotografía y la guardo con cuidado en
un cajón. No necesito que me recuerde lo que ha sido, lo que probablemente nunca volverá a ser, porque, con franqueza, no creo
que Dan y yo volvamos a encontrar la felicidad. El daño ha sido
demasiado grande, nos hemos distanciado demasiado.

Entro de madrugada en la habitación de Tom y miro cómo duerme. Está boca abajo, algo que me preocupaba al principio —muerte súbita y demás—, pero dicen que en cuanto aprenden a volverse solos ya no importa, y lleva meses volviéndose solo; siempre acaba en el rincón derecho de la cuna, hecho un ovillo, con el trasero elevándose en el aire.

El amor que siento por él a menudo, como ahora, es totalmente abrumador. Quiero cogerlo en brazos y estrujarlo, encontrar el modo de fundir de nuevo nuestros cuerpos, pero lo dejo, me limito a acariciarle la espalda con cuidado de no despertarlo, y por fin salgo de su habitación y me dejo caer, agotada, en la cama.

Logro dormir. Me vuelvo hacia el lado de Dan, algo que hace meses que no hago, porque era incapaz de mirarlo, incapaz de acercarme a él, y vacío mi mente de pensamientos hasta que, por fin, me entrego a un sueño profundo y tranquilo.

Trish me llama a la mañana siguiente. El teléfono me despierta con un sobresalto y, por unos segundos, mientras lo busco a tientas, no estoy segura de dónde estoy ni de quién soy.

—¿Diga? —murmuro, forzando la vista para mirar el reloj. Dios mío, las 8.11. Tom debe de estar muerto de hambre. No puedo creer que me haya quedado dormida.

—Hola. Soy yo. ¿Te he despertado? —Está sorprendida.

—Sí. Me he quedado dormida.

—Lo siento mucho. Solo quería saber si todo iba bien. Se te veía bastante... tensa anoche. Estaba preocupada por ti.

—Estoy bien —digo—. Pero... —¿Cómo se lo dices a la gente? ¿Cómo reconoces que tu marido se ha ido, que tu matrimonio ha fracasado? En el transcurso de apenas doce horas tu vida ha cambiado de forma irrevocable—. Dan se ha ido.

No hay otra manera de decirlo.

Trish suelta un grito.

—¿Qué quieres decir con que se ha ido? ¿Se ha ido?

—Sí.

—Pero ¿adónde? ¿Adónde se ha ido? ¿Por qué? No lo entiendo.

Respiro hondo.

—Oh, Trish. Llevábamos mucho tiempo siendo infelices. Supongo que anoche llegamos a un punto crítico. Volvimos a casa y por fin reconocimos que no funcionaba y que no podíamos seguir así.

—¿Y qué pasa con Tom? —Puedo notar la sorpresa en su voz.

—Seguirá viendo a Tom. No sé cómo vamos a organizarlo, pero yo no haría nada por estropear la relación con su hijo.

—Dios mío, Ellie —dice Trish. Parece que está al borde de las lágrimas—. No sé qué decir. Parece imposible, es... Sabía que no estabais bien, pero ¿no es solo una crisis? Pensé que os llevaría un poco de tiempo y estarías mejor.

—Lo sé. —Me encojo de hombros con tristeza—. Creo que yo pensaba lo mismo. Mira, ¿quién sabe? A lo mejor no es definitivo, solo necesitamos estar solos un tiempo.

—No me lo puedo creer —no para de decir Trish—. Es horrible. No puedo creerlo. —Se recupera—. ¿Qué estás haciendo ahora?

—Ahora estoy sentada en la cama y tengo que dar de desayunar al pobre Tom. Debe de estar muerto de hambre.

—No, después de eso. Esta mañana.

—No lo sé. Adaptarme a mi nueva situación de madre separada, supongo.

—Iré a verte. Traeré a Oscar y podremos hablar de todo.

—Estoy bien, Trish. No tienes por qué hacerlo.

—Por supuesto que sí —dice—. Para eso están las amigas.

Lisa y Trish están sentadas la una al lado de la otra en el sofá, con el cuerpo doblado y una expresión de infinita tristeza.

Lisa ha telefoneado a las nueve para preguntarme qué iba a hacer hoy, y ¿cómo no iba a decírselo, cómo iba a guardarme algo tan gordo? De modo que se lo he dicho; su reacción ha sido muy parecida a la de Trish, solo que más contenida.

Por un momento he repasado mentalmente la conversación que tuve con mi suegra, cuando todavía nos hablábamos. Cómo me previno contra Lisa, dando a entender que era la clase de mujer que podía tener una aventura con Dan. Dan podría haber tenido una aventura; se va de casa muy temprano y vuelve muy tarde, al menos desde el accidente, pero Lisa no me haría algo así, me da igual lo que piense Linda. Además, ese no era nuestro problema.

—Por el amor de Dios —digo—. No es el fin del mundo. Probablemente es mejor así. De verdad. Dan y yo hacía meses que casi no nos hablábamos salvo para gritarnos. Estaba harta de fingir que todo iba bien, y por fin ha estallado. Es mejor así, de verdad.

—Pero estoy triste —dice Trish—. Y Gregory se va a quedar destrozado. Nos veíamos tan a menudo...

—Tú y yo seguiremos viéndonos. Y Gregory seguramente verá a Dan —digo, pero sé qué quiere decir.

Ya no será lo mismo. No es que les esté pidiendo que escojan, nunca lo haría, pero la dinámica ya no será la misma, no resultará tan cómodo salir a cenar los tres, fingiendo que Gregory no ha hablado con Dan o que nuestra amistad no ha cambiado.

No había pensado en ello. En cómo cambian las amistades cuando rompe una pareja. Por supuesto que he oído hablar de ello, he oído decir a algunas —y resentidas, me pareció— divorciadas que no sabes quiénes son realmente tus amigos hasta que te separas de tu marido: dejaron de invitarlas, todos sus amigos «felizmente» casados de pronto las vieron como una amenaza, porque ser una recién separada significaba automáticamente que habías puesto la mira en sus maridos de mediana edad, aburridos y poco atractivos.

Las mujeres recién separadas decían que habían tenido que empezar de cero. Que aunque sus amigos no las abandonaran, siempre se sentían mucho más cómodos cuando había otro hombre y formaban un agradable cuarteto en lugar de un incómodo trío.

Nunca pensé que me encontraría en esa situación, pero ahora que estoy en ella, me pregunto si van a cambiar mis amistades. Trish, Gregory, Dan y yo nos hemos vuelto tan íntimos que supongo que es ingenuo por mi parte pensar que todo seguirá igual sin Dan. No creo que cambie mucho mi amistad con Trish. Imagino que seguiremos viéndonos con la misma frecuencia durante el día, y sé que ella nunca se sentirá amenazada por mí, nunca pensará que coqueteo con Gregory. Pero me doy cuenta con tristeza de que no será lo mismo ahora que estoy sola, que ya no iremos a cenar con la misma regularidad y naturalidad.

¿Y qué hay de Lisa? Ella está soltera, y sabe Dios que es sociable. Por un tiempo, cuando nos conocimos, las tres parecíamos estar en la misma situación, pero últimamente la hemos visto cada vez menos, últimamente parece muy ocupada, y Trish y yo nos hemos hecho más íntimas mientras Lisa parece haberse distanciado.

En cambio ahora, ¿quizá Lisa se convertirá en mi cómplice? ¿Reemplazará a Trish como mi mejor amiga? ¿Reemplazará a Dan como mi compañera de copas?

Dejo escapar un gran suspiro y sacudo la cabeza.

—Sé que es lo mejor —digo—, pero a mí también se me hace difícil. Una parte de mí cree que Dan volverá esta noche a casa y entrará por la puerta como si no hubiera pasado nada.

—¿Cómo te sentirías si lo hiciera? —pregunta Trish.

—Igual. Lo aterrador es el cambio, y hacerlo todo sola, pero aunque Dan viniera esta noche, no cambiaría nada. La verdad es que llevábamos meses odiándonos. —Trish y Lisa parecen perplejas—. Lo sé, lo siento, pero es verdad. Hemos sido crueles el uno con el otro; necesitábamos que pasara algo, no podíamos seguir así.

—¿Está en casa de Linda y Michael? —pregunta Lisa, y yo asiento—. ¿Has hablado con ellos?

—Oh, no —resoplo—. No tengo nada que decirles. Dejaré que Dan se lo explique. De todos modos ya me odian. Estoy segura de que Linda estará encantada de que yo desaparezca de la escena.

—No lo creo. —Lisa sacude la cabeza—. No creo que te odie. Creo que no han sabido ser suegros. Además, después del accidente, han tenido que lidiar con su sentimiento de culpa, y tú no los has dejado acercarse.

—Cielos. —Miro a Lisa, horrorizada—. ¿De lado de quién estás?

Noto que hasta Trish le lanza una mirada de advertencia, una mirada que dice: cállate, este no es el momento ni el lugar.

—Lo siento, Ellie. —Lisa está arrepentida—. No quería contrariarte. Solo trataba de ayudar.

—No te preocupes —digo—. Lo entiendo. De todos modos, en lo último que necesito pensar ahora es en mi familia política. O ex familia política.

—Apolítica, querrás decir —corrige Trish.

Y yo sonrío.

—Apolítica entonces. Pero lo que más me importa es Tom. Necesita seguir sintiéndose querido y seguro.

—¿Crees que se dará cuenta de lo que está ocurriendo? —Trish parece preocupada.

Asiento con tristeza.

—Estoy segura, pero, con franqueza, Dan no paraba mucho en casa. No es que de pronto pierda a un padre maravilloso que estaba a todas horas con él. Solo veía a Tom los fines de semana y, como he dicho, probablemente seguirá haciéndolo.

—Tengo que decirte —dice Lisa—, como madre separada, que es muy difícil pero no imposible. Habrá veces que te sentirás totalmente agotada, que querrás gritar de frustración, o llorar porque te sientes sola y abrumada por la responsabilidad, pero esos momentos serán pasajeros, y tú eres fuerte, lo superarás. A fin de cuentas, estos mocosos —se interrumpe para inclinarse y besar a Amy— valen la pena. Tienes toda la razón, necesitan sentirse queridos y seguros, y creo que es mucho mejor vivir feliz con uno de los padres, que crecer en una casa donde la pareja siempre está discutiendo y salta a la vista que no debería seguir junta.

Tiene razón. La miro asombrada; me doy cuenta de pronto de que el desagradable sentimiento que no he conseguido quitarme de encima desde que Dan se fue anoche es la culpabilidad. Culpabilidad por Tom. ¿Qué derecho tenía a privar a Tom de crecer con sus dos progenitores? ¿A privarlo de una familia feliz?

Lisa acaba de aclararme mucho las cosas, porque, por supuesto, nosotros no éramos una familia feliz. Tom no iba a crecer en la familia que siempre he querido dar a mi hijo, no cuando en nuestra casa solo había peleas, acusaciones y silencios.

Es mucho mejor que estemos los dos solos, que llenemos la casa de amigos, amor y risas.

Por primera vez empiezo a vislumbrar el fin de los problemas. Puede que sea algo terrible, pero no es lo peor que podría haberme ocurrido, y, como aprendí a los trece años, puede parecer el fin del mundo cuando está ocurriendo, pero todo pasa, y todo mejora.

—Gracias, Lisa. —Me levanto y la abrazo espontáneamente—. Gracias por decirlo. No tienes ni idea de lo mucho mejor que me siento ahora.

—De nada —dice ella, abrazándome con fuerza y sonriendo—. Para eso están las amigas.

Dan telefonea el viernes por la mañana. Me sobresalto al oír su voz. Tan familiar y tan distante al mismo tiempo. Se me acelera el pulso en cuanto oigo que es él. Nervios. Ansiedad. Sensación de pérdida. Y esperanza.

Porque, aunque sé que ha terminado, aunque estoy aliviada de que por fin hayamos puesto fin a las peleas, al odio, al horrible ambiente que había en casa, oír su voz me hace pensar en los primeros tiempos, cuando éramos felices, cuando lo quería tanto, y por un instante me doy cuenta de que espero que haya llamado para que nos reconciliemos.

Oh, Dios, Ellie. ¿Podrías ser más voluble?

Espero a oír qué va a decir; sé que querrá hablar, espero que se venga abajo, pero casi no hay emoción en su voz. Breve. Sucinto. Al grano.

—¿Cómo está Tom?

—Muy bien. Perfectamente.

—Bien. Le echo de menos.

—Lo sé.

—Ellie, tenemos que hablar. —Ya está, ya lo ha dicho. Lo sabía. Quiere encontrar la forma de solucionarlo. Me preparo para decirle que es demasiado pronto, que no estoy preparada para volver a intentarlo, que necesito estar más tiempo sola, pero antes de que pueda hablar, continúa—: Todavía necesito muchas cosas del piso, y tenemos que hablar de Tom, encontrar una fórmula satisfactoria para ambos. Sé que dijimos que lo vería los fines de semana, pero estaba pensando en llevármelo también una tarde entre semana, verlo también entre semana.

—Oh. —Mi voz es apagada. No esperaba esto.

—Pensé que tal vez podría pasar esta tarde para coger algunas cosas y hablar.

—Claro —digo, mirando el reloj—. ¿A las cuatro?

—Muy bien —dice él con un tono de voz todavía frío, distante—. Hasta luego entonces. Adiós.

Me sorprende ver que estoy temblando ligeramente mientras cuelgo.

No es fácil. Estoy tan nerviosa como el primer día que salimos. Miento. El primer día que salimos no me puse nerviosa. Si me enamoré de Dan fue precisamente porque con él no me ponía nerviosa, porque nunca me había sentido tan relajada con nadie, porque era como estar con mi mejor amiga. Si me enamoré de él fue porque con él me sentía como en casa.

Hoy estoy compensando con creces la falta de nervios de nuestra primera cita. Saco a Tom a pasear y nos paramos en la tienda de ropa más moderna y más cara de Primrose Hill. En el escaparate hay un precioso jersey bordado. Es de cachemir, suave y ceñido, y es lo más bonito y probablemente lo más caro que he visto nunca.

¿Qué estoy haciendo?

Sin pensarlo, entro, señalo el jersey y, unos minutos más tarde, estoy ante el espejo con un aspecto completamente distinto. Sonrío a mi reflejo y la dependienta me devuelve la sonrisa.

—Le queda de maravilla —dice.

—No parezco yo —digo, volviéndome para mirarme de lado y por detrás—. ¡Es tan bonito! Pero soy madre. —Señalo a Tom, que hace gorgoritos alegremente en su sillita—. No suelo vestirme así, a menos que quiera acabar con la manga manchada de vómitos.

—Se lo puede poner por las noches —dice ella sonriendo—, cuando el niño esté acostado. Y, de todos modos, con una criatura tiene aún más motivos para darse un capricho.

Doy vueltas, titubeo, y de pronto, cuando miro la etiqueta del precio, suelto un grito.

—Vamos, dese un capricho —dice la dependienta—. Está muy atractiva. Su marido vendrá a darme las gracias.

No digo nada. Pero unos minutos después estoy fuera, con el deseado jersey en una gran bolsa.

Unas tiendas más allá encuentro unos preciosos zapatos de tacón, con el talón descubierto y con tirilla; no son nada prácticos, no me los pondré en la vida, apenas puedo caminar con ellos, y sin embargo unos minutos después los añado a mi colección.

¿Qué estoy haciendo?

Maquillaje nuevo, pendientes. Finalmente, Tom y yo volvemos a casa. Miro el reloj: las tres y cuarto. Cuarenta y cinco minutos para estar más guapa que nunca.

Termino a las cuatro menos cinco. Mis nuevos pendientes de cristal brillan a la luz de la lámpara, mi jersey es suave al tacto como la seda, y realza una cintura que hacía meses que no veía y un escote bastante espectacular, si se me permite decirlo. Mis zapatos de tacón me dan una estatura y una elegancia que no sentía desde el día de mi boda, y sonrío mientras miro mi nueva imagen mejorada que me devuelve la sonrisa.

¿Qué demonios estoy haciendo?

Me lo quito todo, vuelvo a ponerme mi viejo jersey gris y corro al cuarto de baño para desmaquillarme. Estoy siendo ridícula. Él sabrá que estoy siendo ridícula. Mi propósito no es volver a conquistarlo o hacerle cambiar de opinión, sino que vea qué se está perdiendo. Quiero que sufra un poco, porque el Dan con el que he hablado hace unas horas parecía demasiado entero para mi gusto.

Puede que yo no lo desee a él, pero quiero que él me desee.

¡Qué injusta soy!, pienso mientras me quito los restos de barra de labios. Qué pueril, boba y egoísta.

Me miro de nuevo, y es mejor así. Es mejor no tratar de demostrar nada, no jugar; ahora que ha llegado el momento, ahora que mi reloj marca las cuatro, empiezo a sentirme terriblemente nerviosa.

Solo es Dan. Solo es mi marido. ¿Cómo puede hacerme sentir tan nerviosa mi marido, el hombre que me conoce mejor que nadie en el mundo?

Llaman a la puerta y empiezo a sentirme ligeramente enferma. Tiene llave. Siempre ha tenido llave. Sé que todavía la tiene y que con ello me está diciendo que la cosa va en serio. Que no es un juego. Que no es algo que vayamos a solucionar en unas horas, o unos días.

Tiene llave pero no va a utilizarla porque ya no es nuestra casa.

Tiene llave pero no va a utilizarla porque ya no somos una pareja.

Tiene llave pero no va a utilizarla porque ya no tiene derecho a hacerlo.

Dios mío.

Cae como un mazo sobre mí y por fin se vuelve real. Mi matrimonio ha terminado. Soy una madre separada. Soy una fracasada.

23

—Hummm. Hola.

—Hola. —Mierda. Ahora lamento haberme cambiado de ropa y desmaquillado, no tener mejor aspecto del que sé que tengo.

—Creo que debo darte esto. —Mete una mano en el bolsillo y saca un sobre—. Son las llaves de la casa.

—Ah —digo cogiéndolo y dando un ligero respingo cuando se rozan nuestros dedos—. Sí, gracias. Podrías haberlas utilizado, lo sabes.

Dan se encoge de hombros.

—No me ha parecido correcto.

Asiento.

—Sí. Lo comprendo. —Me vuelvo para dejar las llaves en la mesa, y cuando miro de nuevo a Dan, no puedo evitar pensar lo raro que es todo esto. ¿Cómo es posible que hace solo unos días durmiéramos en la misma cama y que ahora hablemos como si fuéramos unos desconocidos?

—¿Dónde está Tom? —Dan estira el cuello, buscándolo por la habitación.

—Está durmiendo. Ha pasado mala noche y no se ha dormido hasta las dos. Puede que ya esté despierto. Iré a ver.

—¿Te importa que vaya yo y lo coja?

—No, en absoluto. Adelante. —Me siento en el sofá y me examino las uñas. Dios. ¿Cómo nos hemos vuelto de pronto tan educados? Dentro de nada estaré ofreciéndole un té.

Al cabo de un rato entro sin hacer ruido en el cuarto de Tom. La puerta está entreabierta y Tom está de pie en la cuna, riéndose y cogiendo la cara de Dan con sus pequeñas y regordetas manos.

—Papá te echa mucho de menos —oigo que susurra Dan mientras vuelve la cara para besar los dedos de Tom—. Papá piensa en ti cada minuto del día.

—Papa —dice Tom, encantado, tirando del pelo de Dan mientras este finge que chilla de dolor; luego, lo saca de la cuna, lo alza en el aire y lo coge de nuevo con fuerza—. Te quiero, míster T., ¿lo sabes? —dice ocultando la cara en su pelo—. Pase lo que pase, te quiero más que a nadie en el mundo.

Me vuelvo y regreso al salón. No me han visto. Es mejor así. No tengo derecho a inmiscuirme en esos momentos de intimidad. Me siento extraña en mi propia casa, incómoda, atenta a cada ruido.

Relájate, Ellie. Respiro hondo. Me relajo. Trato de respirar hondo varias veces, luego cojo una revista de la mesa. *Homes and Gardens*. La hojeo, me detengo de vez en cuando como si estuviera francamente interesada, pero apenas me fijo en lo que miro; estoy pendiente del reloj, esperando que Dan vuelva a entrar. Esperando que al menos hablemos un poco más, tratemos de solucionarlo, porque esta separación ha ocurrido demasiado deprisa y demasiado fácilmente, tiene que haber más lágrimas, más conversaciones, más intentos.

Pasan cinco minutos. Quince. Veinte. Vuelvo al cuarto de Tom y veo a Dan tumbado en el suelo, levantando a Tom por encima de su cabeza. Treinta y cinco. Dan está sentado en la mecedora, leyendo un cuento a Tom. Cuarenta minutos.

—¿Te apetece una taza de té? ¿O algo? —Me parece imposible estar ofreciendo té a mi marido. Sobre todo porque yo nunca le he preparado té y a él nunca le he visto que tomara uno.

—No, gracias —dice él—. Estoy bien.

—Bueno.

Cierro la puerta y me siento un rato en la cama de nuestra habitación, con la mente totalmente en blanco. Pero luego me doy cuenta de que no quiero que me vea allí sentada mirando al vacío, de modo que me levanto y trato de parecer ocupada en la cocina preparándome un café.

Suena el teléfono. Es Trish.

—Solo llamaba para saber cómo estás —dice.

—Estoy bien. Dan está aquí.

—¿Sí? ¿Qué tal va todo?

—Bien. —Bajo la voz hasta susurrar—: Extraño. Es como un desconocido.

—¿Qué ha dicho?

—Nada. No hemos hablado. Lleva una hora en la habitación de Tom.

—Oh. ¿Y qué estás haciendo tú?

—Tratando de fingir que tengo una vida.

—¿Te llamo luego?

—Sí. Con suerte tendré algo más que contar.

A las cinco y veinte, Dan entra en la cocina con Tom.

—¿Tienes planes para ahora? —pregunta él.

—No —digo con ansiedad. Tal vez con demasiada ansiedad. Quiero que hablemos más. Necesito que hablemos más. No puedo aceptar que un matrimonio pueda disolverse con tanta facilidad. Necesito lágrimas. Pena. Dolor. No puede ocurrir como parece que está ocurriendo: desvaneciéndose silenciosamente en el aire.

—Se me ha ocurrido que podríamos salir a cenar.

—Claro. —Sonrío, encantada—. Me parece genial.

—Te lo traeré a las seis y media —dice Dan.

Lo miro, confundida.

—A tiempo para el baño —dice Dan—. Pensaba llevarlo a uno de los cafés de Belsize Park. Si te parece bien, por supuesto. Si no, no te preocupes.

—Oh, no, no. —Trato de sonreír, pero me siento avergonzada. Humillada. Gracias a Dios que no he sido más transparente, gracias a Dios que no he cogido el abrigo ni nada parecido—. Muy bien.

—Sé que es un poco precipitado, pero ¿puedo tenerlo los fines de semana? Digamos que de viernes por la noche a domingo por la noche. ¿Te importaría? ¿Y tal vez una tarde a la semana?

—Hummm, claro. —Sigo tratando de recuperarme de la humillación; rezo para que no haya visto que quería cenar con él; no quiero que sepa que tiene ese poder sobre mí o que era eso lo que yo quería—. Los fines de semana me parece bien. Consultaré la agenda y te diré qué día de la semana me va bien.

—Gracias, Ellie —dice, y mi nombre de pronto suena raro en sus labios—. Hasta luego. Di adiós a mami.

Doy un gran beso a Tom, y contengo mis deseos de estrecharlo con fuerza, con todas mis fuerzas.

—Te quiero —le digo a Tom.

Dan y yo nos miramos por encima de su cabeza. Es demasiado extraño. Demasiado doloroso. Demasiado familiar. Los dos desviamos rápidamente la mirada mientras Dan le pone el abrigo a Tom y yo finjo estar atareadísima fregando los dos cacharros que hay en el fregadero.

¿Así va a ser el resto de nuestra vida?

Dan vuelve con Tom y decido pedirle que se siente; reanudar el proceso de la otra noche, porque sin duda es un proceso; ambos necesitamos pasar por él, primero juntos y luego por separado. Puede que yo no haya sido feliz, puede que me equivocara casándome con él, pero no me parece normal que todo sea así de fácil.

—¿Puedo ofrecerte algo? —digo después de que Dan haya bañado a Tom y lo haya acostado—. ¿Café? ¿Una copa de vino?

—Me encantaría —dice—, pero he quedado.

—Oh. —Me siento como una idiota. Por segunda vez esa tarde.

—Lo siento, Ellie —dice, poniéndome una mano en el brazo.

—No te preocupes —digo—. Pensé que teníamos más cosas de que hablar.

—De acuerdo —dice él asintiendo—. ¿Qué clase de cosas?

Sacudo la cabeza. Son demasiadas, y demasiado complejas.

—No importa —digo—. En otra ocasión. De todos modos —consulto el reloj—, cielos, ya son las siete y cuarto. Rachel va a venir dentro de nada. Tengo que prepararme. —Es mentira, pero es verosímil. Si Dan tiene planes, yo también puedo tenerlos.

—¿Vas a ir a algún sitio agradable?

Me encojo de hombros.

—Solo a tomar algo.

—¿Con alguien que conozco?

Vuelvo a tener el poder en las manos. Por fin. Gracias a Dios.

—Solo con Lisa y unos amigos suyos —miento—. Bueno, tengo que darme prisa. Gracias por venir. —Y le acompaño apresuradamente a la puerta.

Me desplomo en el umbral mientras le veo subir los escalones. No te vayas, quiero gritar. Vuelve. Quédate. Pero no lo hago. Él titubea mientras sube y se me para el corazón. Va a volver, pienso. Va a darse la vuelta y va a volver. Para hablar de todo. ¿Para resolverlo?

Se vuelve. Se vuelve, me mira con tristeza y trata de sonreír.

—Buenas noches, Ellie —dice.

Luego, sube al coche y se va. Ninguno de los dos ha mencionado que dentro de dos días será nuestro aniversario.

Vuelvo a entrar y me paso el resto de la noche sentada en el sofá, sola, mirando al vacío y preguntándome por qué demonios ha ido todo mal.

Hace dos meses que se fue Dan y no puedo creer lo caótica que se ha vuelto mi vida. ¿Siempre recibíamos tanto papeleo cuando estábamos juntos, o acaso los poderes fácticos se han enterado de que disto de estar preparada para enfrentarme a todas estas cartas oficiales y oficiosas?

¿Es una broma cósmica?

Contribución urbana, renovación del permiso de aparcamiento para residentes, facturas, cartas de Hacienda..., en las seis semanas que han transcurrido desde que Dan se marchó, mi cocina ha desaparecido bajo montones de papeles y no sé qué demonios se supone que tengo que hacer con ellos.

Antes era organizada. Lo hacía todo yo sola; nunca había necesitado —Dios me libre— a un hombre que me ayudara a llevar mi vida. Pero, de algún modo, desde que tuve a Tom, esas responsabilidades pasaron a ser cosa de Dan. Y ahora todos esos sobres, esos horribles sobres impresos que parecen llegar en tropel cada día, y que se supone que tengo que resolver yo sola aunque apenas entiendo qué pone en ellos, me abruman totalmente.

Mi nueva estrategia es la siguiente: abro todo lo escrito a mano o lo que puede ser una invitación, felicitación o algo divertido que me pueda apetecer leer.

Abro todo lo oficial, le echo un vistazo, y a menos que sea el último aviso de una factura —parece que estoy recibiendo un montón últimamente—, que se pueda pagar rápida y fácilmente con una llamada telefónica o garabateando un talón y metiéndolo en el sobre que te envían adjunto, lo dejo haciendo equilibrios sobre la precaria pila que ya hay en la encimera de la cocina, para ocuparme de ello más adelante.

Cuando el montón es demasiado alto y se derrumba más de tres veces en el espacio de dos días, es cuidadosamente trasladado al cajón del escritorio. De nuevo, en espera de solucionarlo más adelante.

Dicho montón es inmediata y eficazmente olvidado hasta que ocurra una de estas tres cosas: que me mude y descubra que hay un enorme montón de facturas por pagar, lo que explicaría por qué han aparecido los agentes judiciales; que contrate a un secretario personal excepcionalmente organizado que se ocupe de todo lo que para mí es un misterio, o bien, en caso de que fracasen ambas opciones, que Dan vuelva a casa.

Nada de lo mencionado más arriba es probable que ocurra en estos momentos, y los montones siguen aumentando, de modo que hago lo más lógico, dejando aparte enfrentarme a ello, que por supuesto no va a ocurrir. Telefoneo a Lisa.

—¿Cómo demonios te ocupas de todo?

—¿De qué? —pregunta ella, divertida.

—¡De la vida! De toda la mierda que la gente no para de enviar. De las facturas. La contribución. Las peticiones. Y todo el maldito papeleo.

—Lo sé, ¿verdad que es una lata? —Noto que sonríe—. Bienvenida al mundo real.

—Me parece imposible que tenga que hacerlo yo todo sola —gimo—. Nunca me había dado cuenta de la cantidad de cosas que hacía Dan.

—Le cogerás el truco —dice Lisa—. Es solo cuestión de tiempo. Yo reservo una semana al mes para revisarlo todo y ocuparme de ello. Y mira el lado positivo, recibirás mejores tratos de fontaneros y electricistas que tu marido. Un poco de encanto femenino te lleva muy lejos, sobre todo cuando la gente sabe que eres una madre separada.

—Oh, Dios, no digas eso.

—¿Qué, madre separada?

Me estremezco.

—Aún no estoy preparada para oírlo.

—¿Y qué haces? Dan tiene a Tom esta noche, ¿verdad?

—Sí. Cada sábado.

—¿Y cómo llevas que Tom se quede con tus suegros?

Suspiro. Porque eso ha sido lo más duro de nuestra separación. Cada fin de semana Tom se queda en casa de Linda. No lo soporto, me preocupa cada segundo que está allí, pero no me queda más remedio que aguantarme. Sin embargo, le he hecho jurar a Dan que nunca dejaría a Tom solo con ellos y él ha accedido.

—No es lo ideal —digo—, pero en estos momentos no tengo elección. De todos modos Dan pasó anoche a recogerlo. ¿Por qué?

—¿Te apetece salir a tomar algo y a cenar tranquilamente? ¿Te apetece ir al Queens?

—Me encantaría —digo con entusiasmo, ya que he salido pocas veces sola con mis amigas desde que me casé—. ¿Se lo decimos a Trish?

—Ella y Gregory han quedado para cenar con unos amigos —dice Lisa—. He hablado con ella hace un rato.

—Oh.

No debería sentirme dolida. Es pueril. Y sin embargo durante meses era yo quien hablaba antes con Trish, quien se enteraba antes de sus planes. Y, la mayoría de las veces, yo estaba incluida en esos planes. Por un momento me pregunto si mis temores se han hecho realidad, si el hecho de que ya no tenga pareja está repercutiendo en nuestra amistad. Es cierto que ya no veo a Trish y a Gregory juntos. Puede que solo haga un par de meses que se fue Dan, pero la dinámica ya ha cambiado. Las pocas veces que me han invitado a salir, he hablado con Trish la mayor parte del tiempo, mientras Gregory fingía mostrar interés, pero he notado que se sentía fuera de lugar sin Dan.

Sé que Gregory sigue quedando con Dan. Mucho. Trish me ha dicho que no quiere mezclarse. Que ella y Gregory no hablan de nosotros. Que mis conversaciones con Trish son privadas y no le repite nada a Gregory, y lo mismo ocurre con las conversaciones de Gregory con Dan.

Ojalá fuera un poco más leal a mí. Pero su discreción es una de las razones por las que valoro tanto su amistad. Y nuestra amistad, al menos entre las nueve y las siete, no ha cambiado mucho. Hay que admitir que veo a Lisa más que antes, pero Lisa y yo tenemos muchas cosas en común ahora; las dos somos solteras, y Trish, por mucho que me quiera y quiera ayudarme, no puede comprender lo distinto, lo difícil que es ser una madre separada.

Sin embargo, me irrita un poco no haber sabido que Trish tenía planes para esta noche. No haber sido la primera persona a la que ha llamado esta mañana. No saber siquiera adónde van a ir o con quién.

Se me ocurre que tal vez han quedado con Dan. Oh, Dios. ¿Tal vez Dan y otra mujer? Si soy sincera, no se me había ocurrido que Dan pudiera estar saliendo con alguien, pero a medida que la paranoia avanza, me pregunto si tal vez esa es la razón por la que Trish no me ha dicho nada.

Tal vez Dan se ha enamorado. ¿Podría haber ocurrido en tan poco tiempo? ¿Podría haber conocido a alguien? ¿Alguien tan especial que quiera presentarla a sus mejores amigos?

¿Habrá conocido ya a Linda? Veo una imagen de esa mujer imaginaria: guapa, refinada, la clase de mujer que no hace como yo y no duerme con pijama de hombre y calcetines de lana gruesos, sino que se acuesta con camisones de seda y se despierta con una piel acariciada por el sol y con el pelo perfecto.

Imagino una versión más joven de Linda y contengo una sonrisa burlona; Freud tendría un par de cosas que decir al respecto. Pero a medida que se apodera de mí la paranoia, empiezo a sentirme ligeramente enferma. Puedo sobrellevar la separación. Después de todo, yo la provoqué. Pero ¿la idea de mi marido con otra mujer? Rotundamente no.

—Está saliendo con alguien, ¿verdad? —Las palabras brotan aun antes de darme cuenta de que las estoy pronunciando.

—¿Qué? ¿Quién? ¿Gregory?

—No. Dan. Hay algo que no me estás diciendo, ¿verdad? Trish y Gregory van a quedar esta noche con Dan, ¿verdad? Y tiene una novia. Puedes decírmelo. Estoy preparada para aceptarlo. Solo quiero saber la verdad.

Hay un largo silencio, durante el cual me empieza a latir con fuerza el corazón.

—¿Has perdido la razón? —dice Lisa—. ¿De qué demonios estás hablando?

—Trish no me ha dicho nada de la cena, y creo que va a ver a Dan.

—Vamos, tonta. Trish casi no me cuenta nada de su vida, de modo que no sé con quién van a salir, pero sí sé que han estado quedando con un montón de amigos últimamente, y que estás sacando conclusiones ridículas.

Empiezo a calmarme. Tal vez me he precipitado un poco en sacar conclusiones.

—Dudo mucho que Dan tenga novia. Te prometo que si supiera algo te lo diría, pero lo está pasando igual de mal que tú. Además, seamos realistas, de momento no estás interesada en otros hombres, ¿verdad?

—No —admito de mala gana.

—¿Qué te hace pensar que Dan tiene el menor interés en otra mujer?

Empiezo a sentirme mucho más tranquila.

—¿Crees que estoy siendo tonta?

—Más que tonta. Absurda. Te aseguro que Dan se pasa cada noche en casa mirando la televisión y contando los días que faltan para estar con Tom. Lo único que le importa es que pasen los días, ¡no follar por ahí! Ellie, querida, menos mal que hemos hablado, porque está claro que necesitas salir más y divertirte. Quedamos a la entrada del Queens a las siete y media. ¿Te va bien?

—Muy bien. —Me río—. Me parece muy bien.

—Ah, y Ellie. Esmérate un poco, ¿vale?

Debería enfadarme, pero no lo hago. Me miro al espejo; llevo el pelo, que hace casi una semana que no me lavo, recogido en una coleta para disimular lo graso que está; la piel está llena de manchas y con aspecto de cansada, y llevo un jersey enorme. Me doy cuenta de que Lisa tiene razón.

Estoy harta de sentirme mal y estoy harta de estar hecha un desastre. Si no puedo evitar sentirme como me siento, al menos puedo empezar a cambiar mi aspecto, y quién sabe, si cambio de aspecto tal vez también empezaré a sentirme mejor.

En el fondo del armario del cuarto de baño encuentro una vieja mascarilla facial de arcilla de Body Shop que promete eliminar todas las impurezas. A su lado hay un tubo de exfoliante y una antigua crema Darphin que afirma ser refrescante y revitalizadora.

Lleno la bañera —para qué son los fines de semana sin hijos sino para mimarte un poco, pienso— y me sumerjo en el agua espumosa, disfrutando de la sensación de la mascarilla en la cara, y del lujo de mimarme como no he podido hacerlo desde que tuve a Tom.

Un par de horas después apenas me reconozco. Con el nuevo jersey de cachemir que se suponía que era mi forma de demostrarle a Dan lo que se estaba perdiendo, con el pelo suelto y brillante, y un maquillaje discreto, estoy muy bien. De hecho, diría que estoy mejor que bien. Estoy fantástica.

Qué ironía que una noche que tengo la sensación de que podría ligarme a quien me propusiera, no sienta el menor interés en ligar con nadie. A pesar de que me alegro de haber hecho el esfuerzo, pienso mientras cierro la puerta con dos vueltas de llave, una parte de mí siente que preferiría estar en pijama en la cama viendo la televisión.

24

—¡Caramba! —Lisa abre mucho los ojos cuando me acerco a la esquina del Queens donde está sentada—. ¿Es esta la Ellie que conozco y quiero?

—¿Te gusta? —Me doy una vuelta en broma para exhibir mi nuevo jersey, sacudiendo el pelo y haciendo un mohín.

—Estás increíble —dice asintiendo con aprobación—. ¿Quién hubiera imaginado que eras capaz de esmerarte tanto?

—Muchas gracias. —Hago una mueca—. Con amigas como tú...

—Siéntate —dice, señalando la silla vacía que tiene delante—. Deja que te pida una copa.

—No te preocupes. Ya voy yo a buscarlas. ¿Vodka con zumo de arándanos? —Señalo su bebida roja brillante.

—Vodka con tónica y zumo de arándanos. Gracias. —Sonríe mientras me vuelvo y me abro paso hacia la barra.

Es raro estar en un pub un sábado por la noche. Hace meses que no hago algo así; no he tenido energía para hacer nada los sábados por la noche, aparte de darme un baño caliente y meterme en la cama. Pero no puedo seguir permitiéndome el lujo de hacerlo ahora que ya no vivo con mi marido, ahora que es más que posible que mi matrimonio se haya terminado.

Puede que no quiera conocer a alguien, aún no, pero sé que tengo que esforzarme y salir un poco más, fingir que quiero más de la vida de lo que ya tengo.

No acabo de hacerme a la idea de que esté otra vez soltera. Ni que en algún momento tendré que volver a pasar por el proceso de salir con un hombre, con alguien que no sea Dan.

Nunca me ha divertido, nunca me ha parecido emocionante como se lo parecía a mis amigas, o sigue pareciéndoselo, al menos a Lisa. A ella no hay nada que le guste más que conocer a alguien, esperar a que llame —con Lisa nunca hay incertidumbre, siempre llaman—, escoger qué te vas a poner en la primera cita.

Le encanta dedicar la tarde a prepararse, llamar a la canguro, pedir hora en la peluquería, elegir la ropa, meterse en la bañera y pasarse horas acicalándose.

Le encanta averiguar quién es ese hombre, la emoción del coqueteo, ver si hay química o no, si es algo que ambos quieren llevar más lejos.

Lisa afirma que no le van los ligues de una noche, no desde que tiene a Amy, pero también confiesa que no hay nada como una fuerte química que termina en un magreo en el sofá o en un beso apasionado en la puerta de casa al final de la noche.

Nunca lo he entendido. Cuando conocí a Dan agradecí mucho que no hubiera entre nosotros todo ese proceso; desde el principio, lo vi como mi mejor amigo; nunca me había sentido tan cómoda ni tan yo misma con nadie. No soporto la idea de tener que buscar a otra persona, y que haya muchas posibilidades de que nadie me haga sentir tan cómoda de nuevo.

Estoy muy poco preparada para esto, pero al mismo tiempo no puedo encerrarme y esperar que la vida venga a mi encuentro. No busco un hombre, pero tengo que empezar a buscar una vida, una vida al margen de Tom y de las conversaciones sobre guarderías, parvularios y niñeras.

De modo que aquí estoy, con un vodka con tónica y zumo de arándanos sentada frente a Lisa, tratando de disimular que preferiría estar viendo una buena película.

—Veo que sigues llevándolo —dice Lisa.

—¿El qué?

—El anillo de casada.

Las dos bajamos la vista hacia el dedo del anillo, la sencilla alianza de oro que al principio me pareció tan extraña y fuera de lugar, y ahora es una parte de mí.

—Sigo casada —digo en voz baja, recorriendo el anillo con el pulgar; me resulta familiar y sé que estoy lejos de estar preparada para quitármelo.

—Separada —me recuerda Lisa.

—Lo sé. Pero no divorciada.

—¿Habéis hablado ya de eso? ¿Vais a zanjar el asunto? —dice.

—Solo han pasado ocho semanas, pero parece que no sabemos hablar de otra cosa que no sea Tom. Es... —suspiro—... tan raro... Sé lo infeliz que me sentí y lo mucho que odié a Dan, durante mucho tiempo, pero ahora no puedo creer lo rápida y fácilmente que parece haber terminado. Tengo la impresión de que quedan cosas por hablar, pero ninguno de los dos es capaz de empezar, de encontrar las palabras adecuadas.

Hay un silencio, una pausa.

—¿Quieres volver con él?

Otra pausa.

—No lo sé. Solo sé que parecía que nos hacíamos muy desdichados, y que pensé que había cometido un terrible error.

—¿Y ahora? ¿Sigues pensándolo?

—Creo que sí. Pero hay veces que recuerdo todas las cosas buenas de nuestro matrimonio, por qué nos casamos, y me resulta duro aceptar que todo se haya terminado.

—¿No crees que Dan y tú deberíais sentaros a hablar?

—Lo he intentado..., pero no podemos. Puede que con el tiempo podamos, pero ahora es imposible.

—Es triste que los dos permitáis que el orgullo os impida poder volver a estar juntos.

—No es orgullo. Es... no lo sé. De todos modos, cambiemos de tema, pensaba que querías animarme, no deprimirme. ¿Qué tal estás tú, qué está pasando en tu vida? ¿Cómo es que casi no te vemos?

—Oh, poca cosa —dice Lisa. Y se ruboriza.

—¡Te estás poniendo colorada! —exclamo, sorprendida—. Dios mío, has conocido a alguien, ¿verdad? ¡Has conocido a un hombre!

—No, no —dice ella, pero cada vez está más colorada, y esto la delata.

—¡No te creo! —Me recuesto, cruzo los brazos y sonrío al ver su incomodidad—. Parece mentira que hayas conocido a alguien y no nos hayas contado todos los detalles morbosos. ¡No me extraña que no dejaras que Trish y yo fuéramos a tu casa! Trish hasta dijo que estaba convencida de que salías con alguien, y yo le contesté que no fuera ridícula, que nos lo habrías dicho, pero lo has hecho y no nos has dicho ni una palabra.

—Dios mío —gime Lisa cuando recupera su color normal—. Se supone que es un secreto. No puedo creer que me haya delatado de este modo.

—¿Por qué es tan secreto? —Ha conseguido que esté intrigada y me inclino sobre la mesa con complicidad—. Vamos, cuenta. ¿Es famoso? Es famoso, ¿verdad? Por eso es un secreto. —Sin darle una oportunidad para hablar, empiezo a pensar en las celebridades locales con las que puede haber estado saliendo—. ¿Es Jude Law? ¡Apuesto a que es Jude Law! Dios, es guapísimo, me moriría de envidia si fuera Jude Law, pero pensaba que salía con esa chica...

—No. —Lisa sacude la cabeza, incómoda—. No es Jude Law.

—¿No? ¿Y qué me dices de Les Dennis? Oh, dime que no es Les Dennis...

Lisa se echa a reír.

—No, no es un famoso.

—Dime quién es entonces.

—No le conoces —dice ella por fin. Está violenta—. Y de todos modos no es nada serio. Quiero decir que es un encanto, pero creo que solo es algo pasajero.

—¿Te pones roja como un tomate y solo es algo pasajero? Tonterías. Vamos, Lisa, cuéntame, lo que sea, un pequeño detalle.

—Está bien, está bien. Pero no le digas nada a Trish.

—¿Por qué? —Respiro hondo—. ¿Lo conoce?

—No, no. Es que no quiero que nadie lo sepa. Si te soy since-ra acabamos de empezar, y es complicado.

—Complicado. —La miro y ella desvía la mirada—. Quieres decir que está casado, ¿verdad?

Lisa se encoge de hombros. Sigue sin poder mirarme a los ojos. Sabe demasiado bien qué pienso de eso.

—Está algo así como casado —dice, a regañadientes.

—Dios, Lisa. Estás loca por embarcarte en algo así.

Esta vez ella me mira a los ojos.

—Va a divorciarse —dice con firmeza—. Está esperando el momento adecuado, pero su matrimonio ha terminado y te juro que le creo.

Se me hiela la sangre. El corazón empieza a latirme con fuerza y creo que voy a vomitar.

Me sale la voz como un susurro.

—Es Dan —digo, casi ahogándome—. Por eso no quieres que nadie lo sepa. Es Dan, ¿verdad?

No sé si gritar, levantarme o darle una bofetada.

Pero sigo creyendo que voy a vomitar.

Lisa abre mucho los ojos.

—¡Oh, Dios! —exclama—. ¡No! ¡No! No me imagino que pienses que sería capaz de hacerte algo así.

El corazón me vuelve a latir con normalidad. No miente. Na-die miente tan bien. Ni siquiera sobre algo así.

—Oh, Ellie. —Se echa a reír—. ¡Es increíble que creas que es-toy teniendo una aventura con Dan! ¡Oh, querida!

—Dios mío. —Me recuesto, llevándome una mano al pecho—. Pensé que iba a vomitar.

—Creí que ibas a pegarme —dice Lisa.

—Se me ha pasado por la cabeza. —La miro, de nuevo seria—. Te creo, pero ¿me das tu palabra de honor que no tienes una aven-tura con Dan?

—Sí —asiente ella—. Te doy mi palabra de honor que no ten-go ninguna aventura con él.

—Bien. —Me río; me siento mucho más aliviada.

—Bien —dice ella, riéndose también—. ¿Qué tal otra copa? Me parece que la necesitamos.

Una hora después, durante la cual he logrado dejar a un lado todos mis temores, Lisa se inclina sobre la mesa y susurra:

—Hay un hombre ahí que no para de mirarte.

—Sí, claro —digo riéndome, porque tres vodkas con tónica y zumo de arándanos han sacado a relucir lo mejor de mí misma—. De mirar a alguien te miraría a ti.

—No, de verdad —dice Lisa—. Créeme, yo soy la experta en estos temas. Te está mirando a ti.

—¿Es guapo? —digo riéndome, sin darle importancia.

—Da la casualidad de que es bastante mono —dice—. Además, su cara me resulta familiar. Quisiera saber si lo conozco. Pero es evidente que te está mirando a ti.

—Lisa —digo, arqueando una ceja—, ¿por qué iba a mirarme a mí cuando a) tú eres mucho más guapa y todo el mundo te mira a ti, y b) solo puede verme la espalda?

—Yo solo digo lo que veo. —Lisa se recuesta en su silla—. ¿Por qué no te vuelves y le echas un vistazo?

—Está bien.

Me vuelvo y trato de localizar a quién está mirando Lisa. Lo veo. Y se queda mirándome. Descaradamente.

Me vuelvo rápidamente hacia Lisa.

—Lo conozco.

—Oh. —Está decepcionada.

—Y tú también lo conoces.

—¿Sí? ¿Quién es?

—Charlie Dutton.

—¡Charlie Dutton! ¡El productor! Con razón me suena. Espera, ¿no es el que se encontraba en el sur de Francia la noche que...?

—Sí —digo, interrumpiéndola.

Apenas soporto pensar en aquella noche, y no digamos hablar de ella.

—Bueno, es evidente que te ha reconocido. ¿No vas a saludarlo?

—No le conozco en realidad. Coincidí con él una vez en casa de mi amiga Fran y salió brevemente con otra amiga; luego hubo esa noche en Francia. Lo saludaré cuando salgamos, si sigue allí.

—O antes —susurra Lisa, inclinándose—. Se está acercando.

—¿Ellie? —Oigo una voz masculina a mis espaldas.

Me vuelvo, fingiendo sorpresa.

—¿Charlie?

—¿Cómo estás? No estaba seguro de si eras tú o no.

—Es difícil saberlo por detrás, supongo.

—Pero tenía razón —dice él sonriendo—. ¿Qué tal estás?

—Bien. Gracias. ¿Recuerdas a mi amiga Lisa?

—Hola, Lisa, me alegro de verte —saluda como por obligación y se vuelve de nuevo hacia mí—. He oído decir que tu hijo está bien. No sabes lo preocupados que estuvimos todos aquella noche. Lo sentí mucho por ti.

—Gracias —digo—. Eres muy amable. Pero ahora está bien, y eso es lo que importa.

—¿Puedo sentarme con vosotras? —dice Charlie acercando una silla antes de que ninguna de las dos pueda decir que no.

Lisa se recuesta y sonríe mientras yo me aparto torpemente para hacerle sitio.

—¿Y qué pasa con tus amigos?

—Se van a ir enseguida —dice él—. A una fiesta a la que no estoy de humor para ir. Necesito acostarme temprano.

Mientras estamos allí sentados los tres, me pregunto por qué se ha acercado.

Parece ser que he olvidado el arte de hablar de trivialidades. Lo estaba pasando de maravilla con Lisa, y lamento un poco que se haya sentado con nosotras; ahora tendré que esforzarme en pensar qué decir.

—¿Qué tal está tu marido? —pregunta Charlie, bebiendo un largo sorbo de cerveza y dejándola en la mesa.

Luego me mira fijamente de una forma que me dice al instante dos cosas. Primero, que ya lo sabe. Por supuesto que lo sabe. Si se ha enterado de que Tom está bien, seguro que también se ha enterado de que Dan y yo no lo estamos. Y segundo, que recuerda algo que hasta ahora, hasta este preciso momento, yo no recordaba. Que aquella noche estuvimos coqueteando. Que entre nosotros hubo una química que yo después olvidé por completo, rechacé o aparté, dado todo lo que ocurrió.

Con un sobresalto me doy cuenta de que la química sigue allí. Oh, mierda. No contaba con ello.

—Lo siento. —Me vuelvo y veo a Lisa de pie al lado de la mesa, con el abrigo en la mano—. Siento haceros esto, pero necesito acostarme pronto. Hablamos mañana, ¿vale?

Se inclina y me besa, tratando, sin éxito, de contener una sonrisa; luego, se despide de Charlie.

Deberías irte, no cesa de repetir una voz en mi cabeza. Levántate ahora mismo, ponte el abrigo y sal con ella. Vete. Vamos, levántate y vete. Pero no puedo. Me vuelvo hacia Charlie, y juro que es como ver una escena de *Matrix* en la que se ha detenido el tiempo y las dos personas en la habitación, las únicas que se están moviendo, somos Charlie y yo. Yo y Charlie.

Oh, Dios. No estoy preparada para esto.

—Dan, ¿verdad?

Ahora me toca a mí ponerme colorada.

—Hummm, está bien —digo—. Creo que está bien.

—¿Lo crees?

Levanto la vista hacia Charlie.

—Debes de haber oído rumores. Nos hemos separado.

Menos mal que tiene el buen gusto de parecer avergonzado.

—Sí, oí algo, pero ya sabes cómo son los rumores y nunca creo nada hasta que me entero de primera mano.

—Bueno, pues este es cierto.

Me encojo de hombros, y bebo un largo sorbo a falta de algo mejor que hacer con las manos. De pronto me siento cohibida como hacía años que no me sentía.

Parezco una adolescente. Muy torpe. Sé perfectamente todo lo que digo, todo lo que hago, y, a pesar de las tres copas que me he tomado, necesito desesperadamente otra.

Como si me leyera el pensamiento, Charlie mira mi copa vacía.

—¿Te pido otra?

Podría irme, pienso. Podría hacer un gesto de negación y sonreír, decir que no, que tengo que volver, la canguro y demás, pero ha sido agradable verte, qué casualidad, estoy segura de que volveremos a vernos, cuídate. Adiós.

Estoy a tiempo de hacerlo, pienso, esas palabras podrían salirme fácilmente. Pero en lugar de ello asiento.

—Me encantaría —digo.

Charlie me hace un montón de preguntas. Me pregunta acerca de Tom. Quiere saber cómo está, cómo lo estoy llevando, qué es lo más duro y qué es lo más fácil.

Me habla de Finn. De lo que es ejercer de padre sin pareja. Me dice que desde que su película ganó dos Globos de Oro, parece que se ha convertido en un buen partido para las madres separadas del colegio de Finn. Me hace reír cuando describe la parada del autocar donde lo deja por las mañanas como un campo de batalla donde tiene que tratar de evitar las garras de las madres separadas y socialmente ambiciosas.

Me hace preguntas sobre mí. Me pregunta qué tal me va la vida, qué hago, si me siento sola, si sé qué pasará.

Me sorprende ser capaz de hablar con Charlie. No sospechaba que sería tan fácil hacerlo, pero supongo que es halagador que alguien quiera saber cosas acerca de ti, sobre todo cuando ese alguien está como un tren.

Porque está realmente como un tren. Le miro los brazos y recuerdo lo morenos que los tenía en verano; levanto la vista hacia su cara y veo que me mira y sonríe, y me pongo roja.

Cielos. No estoy preparada para esto.

Mientras Charlie está hablando de su divorcio, de cómo se

adaptó, de lo que ha significado para él, me sorprende estar preguntándome si realmente no estoy preparada, pensando en la realidad de besar a otro hombre, acostarme con otro hombre.

Imagino que la cara de Charlie se acerca a la mía, con los ojos cerrados, y que nuestras bocas se encuentran. Veo, casi puedo sentir sus labios en mi cuello, sus omóplatos bajo mis manos, y me estremezco.

Dios mío. ¿Seguro que no estoy preparada para esto?

—¿Estás bien?

—¿Qué? —Vuelvo con un sobresalto a la realidad; en mi fantasía llevaba los botones de la camisa casi totalmente desabrochados.

—Parecías haberte ido muy lejos.

—Perdona. —Maldita sea. ¿Por qué me estoy poniendo otra vez roja?—. Creo que debería irme a casa. La canguro. —La culpabilidad hace que las palabras me salgan en tropel.

—¿Vives cerca?

Asiento y se lo digo.

—Yo vivo en Gloucester Avenue —dice—. A la vuelta de la esquina. ¿Puedo acompañarte?

Asiento. ¿Qué otra cosa puedo hacer?

Cuando entramos en mi calle nos quedamos callados. Pienso en Lisa y en los besos apasionados en la puerta de casa de los que me ha hablado. Pienso en los magreos en el sofá. Y pienso en Dan.

No estoy realmente preparada para esto.

Me vuelvo hacia Charlie mientras introduzco la llave en la cerradura, lista para decir algo educado y desalentador; sé que no puedo hacerlo, que una cosa es una fantasía y otra la realidad de besar a otro hombre, y que no estoy preparada para enfrentarme a eso.

—Ha sido un placer verte —dice Charlie, estrechándome la mano—. De verdad. He pensado muchas veces en ti después de aquella noche y, obviamente, en Tom. Sentí un gran alivio cuando me enteré de que se había recuperado. Pensé en escribirte y lamento no haberlo hecho.

—Oh, no te preocupes.

—Mira, somos vecinos. Si alguna vez te apetece tomar una copa o ir al cine, o lo que sea, llámame, ¿de acuerdo? Sé cómo se siente uno cuando acaba de romper y ayuda mucho tener amigos.

—Muy bien —digo, confundida.

Estaba preparada para defenderme. Estaba preparada para apartarle y decirle que no, que no podía pasar a tomar un café, y que gracias por la invitación a cenar pero no estoy preparada para quedar con nadie.

—Aquí tienes mi tarjeta —dice él, poniéndomela en la mano—. Cuídate, Ellie.

Luego, retrocede por el sendero y se va.

Entro en casa y cierro la puerta; me apoyo contra la pared del pasillo a oscuras unos segundos, con la mano en el corazón para calmarlo, mientras pienso en lo que acaba de ocurrir. O de no ocurrir. O lo que podría haber ocurrido.

Ha sido lo correcto, pienso. Menos mal que no me ha tirado los tejos. Imaginaos lo violento que habría sido, y lo embarazoso.

Ha sido sin duda alguna lo correcto.

25

Gruño mientras abro los ojos y trato de fijar la vista en el reloj: las 7.38. Mierda. Vuelvo a apoyar la cabeza en la almohada y escucho a ver si oigo a Tom; luego recuerdo que hoy es domingo y que está con Dan.

¿Por qué me tomé tantos vodkas anoche? ¿En qué estaba pensando? Los nueve meses de abstinencia del embarazo redujeron mi tolerancia al alcohol a aproximadamente cero, y dieciséis meses después todavía tengo que recuperarla.

Entro tambaleante en el cuarto de baño, miro con ojos legañosos mi reflejo y vuelvo a gruñir; la chica glamurosa de anoche ha sido reemplazada por un monstruo con los ojos hinchados. De lo sublime a lo ridículo en unas horas. Me trago dos Nurofen y entro en la cocina para prepararme un café.

A las diez y media logro vestirme; estoy a punto de bajar al polaco para tomarme un capuchino y un cruasán de almendras que necesito urgentemente cuando suena el teléfono. Es Lisa.

—Te veo junto a los cisnes dentro de una hora —dice, pero cuando protesto alegando que es mi día libre y que no pienso ni acercarme a un parque, añade—: Bueno —dice riendo—. Te veo en el polaco dentro de quince minutos.

Cuelga antes de que pueda discutir. Sé que quiere acribillarme a preguntas y por un instante me planteo inventarme algo: ¿sexo ardiente y apasionado en Primrose Hill? No con estas temperaturas. Además, probablemente no lo creería. Puede que no conozca a Charlie, pero conoce a su grupo y sin duda sabe qué clase de hombre es. Tendré que decirle la verdad.

—¡Tienes un aspecto lamentable! —exclama riéndose mientras empuja la sillita de Amy a través de las mesas hasta donde estoy sentada, sosteniendo contra el pecho una taza que está devolviéndome poco a poco a mi condición de ser humano.

—Siempre puedo contar contigo. —Sacudo la cabeza.

Ella sonríe.

—Perdona, pero nunca te había visto con resaca.

—¿Tan evidente es?

—¿Quieres que sea sincera?

—Olvídalo —gruño—. De todos modos, ¿cómo has logrado tener tan buen aspecto? Si no me falla la memoria...

—Lo que es improbable.

—No tan improbable, pero ¿no bebimos lo mismo anoche?

—Tomamos tres copas juntas, pero supongo que seguiste bebiendo con Charlie.

—Ah, sí, me había olvidado de esa.

—Bueno, será mejor que empieces a refrescar la memoria porque quiero oír todos los detalles picantes.

Sonrío y sacudo la cabeza.

—No hay ningún detalle picante. Me acompañó a casa, nos dimos la mano y eso es todo.

—¿Eso es todo? —Lisa parece horrorizada.

—Eso es todo. ¿Qué esperabas? ¿Sexo en Primrose Hill?

—Bueno, ya que me lo preguntas, sí. Eso es lo que esperaba.

—Sigo casada, ¿te acuerdas? —De pronto me pongo seria—. Y lo último que quiero es liarme con alguien.

—Sí, ya sé que sigues casada, pero no puedes evitarlo si una aventura te sale al encuentro, y hay que reconocerlo, está como un tren, además de que es innegable que hay química entre vosotros.

—¿En serio?

—¡No te hagas la inocente! Por supuesto que la hay. Y no finjas que no te interesa. Sé que estás separada, no divorciada, pero esa no es razón para que no podáis divertiros ninguno de los dos.

¿Qué acaba de decir?

Miro a Lisa.

—¿Qué acabas de decir?

—¿Qué?

—¿Qué has querido decir con que no nos divirtamos ninguno de los dos? ¿Quieres decir que Dan se está divirtiendo? ¿Cómo lo sabes? ¿Y qué clase de divertimento? No sale con nadie, ¿no? Hay algo que te estás callando.

—Alto, Ellie. No quería decir eso, sencillamente me ha salido. Dudo que Dan tenga novia, y no, te repito que no estoy saliendo con él. Lo que quería decir es que no tienes por qué encerrarte y dejar de salir o de quedar con alguien. Entiendo que estar separada es una situación desagradable e incómoda porque estás a la expectativa, pero podría ser tu última oportunidad, y tienes que aceptar la vida tal como se te presenta.

—¿Eso es lo que haces tú?

—¿Aceptar la vida tal como se me presenta? Lo intento. ¡Ay! ¡Cuidado, Amy! ¿Estás bien?

Amy se ha levantado de su silla y camina con paso inseguro por el café, parloteando con todos, que no entienden ni una palabra de lo que dice. Tropieza con la pata de una mesa y se cae; Lisa corre a cogerla.

Cuando Amy se ha calmado, tras pedir un chocolate caliente, Lisa se disculpa por la interrupción; yo le quito importancia, porque a estas alturas estoy más que acostumbrada a esa clase de interrupciones.

—En fin —digo cuando todo vuelve a estar en calma—, creo que Charlie es muy agradable, y sí, lo encuentro atractivo, y yo también veo que hay química, pero no creo que vaya a hacer nada al respecto. De todos modos, se mostró muy indiferente cuando se despidió, no creo que esté realmente interesado.

Le explico que me estrechó la mano y lo que dijo.

—Creo que no quiso asustarte —dice Lisa—. ¿Le llamarás?

Meto una mano en el bolsillo del abrigo, que cuelga del respaldo de mi silla, y palpo la tarjeta que sigue allí.

—No. —Sacudo la cabeza, inclinándome para hacer cosquillas a Amy en la barriga, que se retuerce y chilla de alegría—. Lo más probable es que no.

El jueves por la tarde, mientras subo por el camino de acceso, veo sentada en la escalera una figura que me resulta familiar. Familiar y al mismo tiempo extraña, porque hace meses que no veo a Emma; no he sabido cómo continuar nuestra amistad, si era posible continuarla. Y en lugar de hablar de ello o de ver si había alguna posibilidad, me he retirado.

Bueno, no de una forma tan evidente. Cuando telefonea dejo que salte el contestador, y luego le devuelvo la llamada cuando sé que ha salido. Le dejo mensajes alegres y optimistas y le digo que me encantaría verla, aunque estoy muy ocupada. La verdad es que espero que esos mensajes lleguen a oídos de Dan y crea que estoy viviendo una vida ajetreadísima ahora que ya no está aquí.

A veces me siento muy pueril; Trish me lo dice a menudo. Sin embargo, no podría soportar que Dan supiera lo sola que me siento. No podría soportar que supiera que con frecuencia lloro en la cama, que lo único que me obliga a levantarme por las mañanas y me hace funcionar es Tom.

No podría soportar que supiera lo aterrorizada que estoy de que el resto de mi vida sea así. Que toda la diversión, la alegría y la felicidad han desaparecido, y que todo lo que puedo esperar es esta lucha cotidiana.

Pero trato de no pensar en ello muy a menudo o no podría continuar.

Y aquí está Emma, sentada en mi puerta, abrazándose las rodillas mientras lee una revista abierta en el suelo. Titubeo. Ella no ha levantado la mirada. ¿Podría irme y escapar sin que me viera? Porque está claro que no quiero que me vea en este estado, no quiero que Dan se entere de mi horrible aspecto.

Aunque tengo un buen motivo para justificarlo. Tom ha empezado a llamarme a gritos por las noches y estos últimos meses he dormido menos de la cuenta. A veces me siento tentada de dejarle dormir en mi cama, pero es algo que no estoy dispuesta a probar de momento.

Emma levanta la vista. Me ve allí parada, titubeando, y se levanta de un salto, se acerca corriendo a mí y se echa a llorar mientras me arroja los brazos al cuello. De repente, estoy abrazada a ella y llorando en su hombro.

—Te he echado tanto de menos... —dice, y le froto la espalda para consolarla mientras derramo lágrimas saladas sobre su abrigo de pieles.

—Dios, perdona. Tu abrigo —digo cuando por fin me suelta.

Las dos miramos su hombro mojado y nos reímos.

—Bah, es un harapo —dice ella—. Me lo regalaron en una sesión de fotos.

En esa fracción de segundo me doy cuenta de cuánto la he echado de menos, y las dos nos echamos de nuevo a reír.

—Será mejor que entres antes de que el vecindario empiece a murmurar que me he hecho lesbiana. —Deshago el abrazo y me seco las lágrimas.

—Al menos podrían decir que tu novia tiene muy buen gusto con los abrigos —dice Emma, ayudándome a bajar los escalones con la sillita. Cuando estamos dentro y se cierra la puerta, me mira muy seria y añade—: Eres una mala pécora. Sé que has estado evitándome todos estos meses. No creas que no me he dado cuenta de que filtrabas mis llamadas y solo llamabas cuando sabías que no me encontrarías.

—¿Tan descarado ha sido?

—Sí. No puedes ganar a la maestra. —Desata a Tom y le hace reír haciéndole cosquillas—. Ven aquí con tía Em, bicho —dice mientras él le tira del pelo y se ríe—. ¿Le has dicho a mamá que te llevé al zoo el fin de semana pasado?

—¿De verdad?

—¿No te lo dijo Dan?

Suspiro.

—Dan no me habla mucho últimamente.

Emma sacude la cabeza.

—¿Cómo demonios os habéis distanciado tanto en tan poco tiempo? Vamos, ¿qué coño está pasando? ¿Qué ocurre? Es una locura.

—¿Quieres una taza de té?

—Sí. Quiero una taza de té y quiero saber qué demonios está pasando, porque mi hermano no habla con nadie, mi madre sabe que ella es la última persona en el mundo a la que quieres ver, Dan parece muy desgraciado y tú también tienes muy mal aspecto...

—En realidad si tengo mal aspecto hoy es porque estoy resacosa —miento con la esperanza de que llegue a oídos de Dan y crea que he estado saliendo y divirtiéndome. La verdad es que me ha animado saber que Dan también se siente desgraciado—. Tendrías que haberme visto anoche.

—Supongo que estabas imponente.

—Pues da la casualidad de que sí —digo con naturalidad. Sin embargo, decido dejar de mentir inmediatamente. Es Emma, y si alguien sabe calarme es ella—. Vete a la porra, Emma. Hace meses que no te veo, y apareces de pronto en mi puerta y me insultas.

—Solo lo hago porque te quiero —dice.

Me vuelvo y la miro, pero ella está sentada a la mesa, hojeando su revista.

Me quedó atónita, con la tetera en las manos. Hasta entonces, nadie me ha dicho nunca que me quiere, aparte de parientes cercanos y de Dan, por supuesto. Y ni siquiera los parientes más cercanos me lo han dicho en realidad. Mi madre me quiso como pudo, supongo, y mi padre me lo dijo en mi boda, pero si es cierto que obras son amores y no buenas razones, el hecho de no haberlo visto apenas desde entonces me hace dudarlo seriamente.

Dan lo dice. Lo decía. Pero qué extraño es oírselo decir a Emma, y no en broma sino totalmente en serio, como si fuera algo que yo debería saber perfectamente, algo que no puedo ni debo cuestionar.

—Emma. —Dejo el té en la mesa y me siento frente a ella—. Sé que suena estúpido, pero ¿de verdad me quieres?

Emma me mira con extrañeza.

—No en el sentido lésbico que haría murmurar a los vecinos. Pero si me preguntas si te quiero de una forma sana, no sexual, como a una cuñada, sí. ¿Por qué lo preguntas?

—Es raro oírselo decir a una amiga. Perdona. Ya sé que no lo has dicho en un sentido raro.

—Pero yo no soy una amiga. Quiero decir que soy una amiga pero también soy tu familia. Ya sé que eres mi cuñada, pero siempre te he visto como una hermana, la hermana que siempre he querido tener. No es raro, ¿verdad? ¿Crees que es raro?

—No —respondo sacudiendo la cabeza. Y me echo a llorar.

Las lágrimas me corren por las mejillas. Gruesas lágrimas entre sollozos convulsivos. Apoyo la cabeza en los brazos y lo saco todo. Por fin.

Emma coge a Tom en brazos y se lo lleva a la sala de estar, donde logra que se quede en un estado catatónico con un DVD de *Baby Einstein*; luego, vuelve a la cocina y me frota la espalda mientras lloro.

No puedo parar. Todos los sentimientos reprimidos durante las últimas semanas, incluso meses, parecen salir de golpe. Lloro sin parar; cuando se me han acabado las lágrimas y me entra el hipo, Emma se sienta frente a mí y arquea una ceja.

—Parece que lo necesitabas —dice—. ¿Te sientes mejor ahora?

—Sí —digo, sacando de mi bolsillo un viejo pañuelo de papel que suelta nubes de pelusa—. Perdona —añado.

Emma le quita importancia con un ademán.

—No seas tonta —dice—. No estamos en mi casa.

—¿Sabes que eso es lo más bonito que me ha dicho nunca nadie? —digo.

—¿Qué?

—Que me ves como una hermana.

—Oh, por favor, no te pongas otra vez a llorar. El DVD de *Baby Einstein* está a punto de acabar.

Me río.

—No, no voy a ponerme a llorar otra vez.

Me pongo a recoger la mesa mientras trato de ordenar mis pensamientos.

Porque lo que Emma acaba de desencadenar es lo siguiente: siempre había querido casarme y formar parte de una gran familia bien avenida; pensé que enseguida nos envolverían el amor, la aceptación y la comprensión. Pero no fue así, no es así ahora, ni mucho menos.

Y, sin embargo, a pesar de las diferencias, a pesar de la falta de comprensión y del profundo dolor, Emma sigue considerándome parte de su familia. Me quiere. Me acepta aunque me haya separado de Dan, aunque lleve semanas evitando sus llamadas, aunque haya actuado como si no quisiera volver a tener contacto con ella.

Hasta hoy, hasta que la he visto sentada en mi puerta, pensaba sinceramente que no quería volver a tener relación con la familia Cooper. Pensaba que si mi matrimonio con Dan había terminado, mi relación con su familia terminaría. Pero supongo que no todo es tan claro ni sencillo.

Emma sigue queriéndome, aunque no tenga por qué hacerlo, aunque yo ya no me considere parte de su familia. Tal vez eso significa que son mi familia, que a pesar de todo lo que ha ocurrido, y aunque Dan y yo acabemos divorciándonos, tal vez seguirán siendo mi familia, y no solo por Tom.

—¿Estás bien? —me pregunta Emma al ver que miro, embobada, por la ventana.

—Sí —respondo—. ¿Cómo estáis todos? ¿Cómo está tu madre?

Dejadme aclarar las cosas antes de continuar. No quiero ver a Linda. Ni a Michael, aunque no suelo pensar mucho en él.

Pero ver a Emma trae a mi memoria muchos recuerdos. Buenos recuerdos. Recuerdos felices. Recuerdos de antes del accidente, que durante tanto tiempo ha parecido borrar todo lo que ocurrió antes.

De pronto recuerdo a Linda abrazándome. La recuerdo estrechándome con fuerza en sus brazos el día de mi boda y diciéndome que era otra hija para ella. Recuerdo los pendientes que me regaló, cómo se emocionó cuando tuve a Tom, sus ganas de implicarse en todo, la sinceridad con la que se alegraba por mí.

Sigo sin querer verla. Pero me gustaría saber cómo está.

—Mamá está bien —dice Emma—. Sigue siendo tan irritante como siempre, aunque creo que tener a Dan en casa le está crispando un poco más los nervios.

—Pero pensaba que era el hijo modélico. Que no podía hacer nada malo.

—Lo era. —Hace una mueca—. Pero ahora parece ser el hijo huraño que espera que ella le haga la colada, cocine y limpie para él. No paro de oír quejas sobre lo desordenada que está su habitación.

—Fantástico. Supongo que cree que lo he malcriado.

—Creo que se ha dado cuenta de que fue una suerte que aparecieras. Te echamos de menos, ¿sabes? Quiero decir que no solo yo, sino todos. Tal vez no estás preparada para oír esto, no quiero disgustarte.

—¿Quieres decir provocarme otra llorera?

—Bueno, pues sí. Pero mi madre se quedó realmente destrozada por lo que pasó con Tom.

—Yo también. —Trato de no rechinar los dientes.

—Pero también se quedó destrozada con tu reacción, con que no la quisieras ver ni le dirigieras la palabra. Y ahora está convencida de que tú y Dan os habéis separado por su culpa.

Bajo la vista.

—Le he dicho que eso es absurdo —continúa Emma. Yo guardo silencio—. ¿Verdad?

—No lo sé.

Y es cierto. Durante meses he echado la culpa a Linda, he logrado echarle la culpa de todas las cosas malas que han ocurrido en mi vida, la he convertido en una gran figura demoníaca, la matriarca de esa horrible familia fracasada, y sin embargo ahora que

Emma, la encantadora y próxima Emma, está sentada en mi cocina, ya no sé qué pensar.

No voy a admitirlo, no ante Emma, pero parte de mí quiere ver a Linda. Parte de mí quiere tragarse el orgullo y hablar con ella, hablar de lo que ha ocurrido. Quiero ver cuánto ha sufrido, ver si siente realmente lo que todos afirman que siente.

Pero no creo estar preparada para hacerlo. No creo que mi garganta sea lo bastante grande para tragar semejante cantidad de orgullo.

—Le encantaría verte, lo sabes, ¿verdad? —dice Emma en voz baja.

—¿Para eso has venido? —En mi voz hay una cólera repentina, cólera ante la posibilidad de que haya un plan oculto tras la visita inesperada de Emma.

—Dios, no, cálmate. Rotundamente no. No sabe que he venido. Y Dan tampoco. Pero ella habla mucho de ti.

—¿Sí? ¿Qué dice?

—Bueno, delante de Dan no, como es lógico. Él saldría de la habitación. Pero dice que eres parte de la familia. El otro día le oí decir a alguien que su nuera se encarga del marketing para el Calden. Nunca presume de mí de ese modo.

—¿En serio?

—Sí. ¿Qué dices? ¿Crees que podrías llamarla? Tal vez podríais quedar y hablar.

—No lo sé —digo—. Creo que aún no. Todo es demasiado reciente y demasiado doloroso.

Hay un silencio incómodo.

—¿Crees —pregunta Emma al cabo de un rato— que tú y Dan volveréis? Ya sé que no es asunto mío, pero nadie parece comprender por qué os habéis separado, y ya sabes que todos los matrimonios pasan por malas rachas, pero para que algo dure tienes que poner empeño.

Asombrada, levanto la vista hacia Emma.

—¿Desde cuándo eres consejera matrimonial?

—Ya sabes. Consejera matrimonial. Estilista. Dermatóloga.

Mis talentos no tienen fin. —Se ríe antes de añadir—: ¿Y bien? ¿Volveréis?

—Espero que sí —digo antes de tener la oportunidad de reflexionar sobre ello.

La expresión de sorpresa de Emma rivaliza con la mía.

Cuando se va, acuesto a Tom. Me desmaquillo, me pongo el pijama, me meto en la cama y apago la luz. Me quedo echada pensando primero en Emma, pero al cabo de un rato mis pensamientos vuelven hacia donde han vuelto cada noche desde el sábado anterior.

A Charlie Dutton. Y, de nuevo, como siempre hago, repaso lo ocurrido aquella noche, repaso cada mirada, cada palabra. Pienso de nuevo en todas las cosas que no ocurrieron pero podrían haber ocurrido. Fue lo correcto, pienso.

Pero ¿por qué siento entonces ese punto de decepción?

26

Tenemos que hablar.

Once semanas después, Dan y yo seguimos sin haber hablado, y me doy cuenta de que tenemos que averiguar qué está pasando en nuestra vida, si nos espera realmente una existencia en común o si esta separación se va a convertir en algo permanente.

Sigo dando vueltas a lo que le dije a Emma. Mi subconsciente tomó las riendas y pronuncié esas palabras que ni siquiera sabía que sentía; no había pensado ni por un instante que quería volver con Dan.

Aun ahora no estoy segura. Pero sé que le echo de menos. Echo de menos estar en pareja. Echo de menos tenerlo cerca. Echo de menos tener a alguien con quien hacer cosas.

Trish me ha preguntado si echo de menos tener a alguien o si le echo de menos concretamente a él; supongo que sigo tratando de averiguar la respuesta.

Durante un tiempo pensé que solo echaba de menos estar en pareja, pero también echo de menos a Dan. Echo de menos no al Dan de los últimos meses sino al Dan con el que me casé, el Dan que me hacía reír, que me cuidaba, que me hacía creer que no había nada mejor en el mundo que despertarme y mirar a mi mejor amigo a mi lado en la cama.

Con franqueza, no sé si es posible volver a empezar. Si Dan pudiera ser el hombre con quien me casé, regresaría con él mañana mismo. No quiero decir que yo sea totalmente inocente. Repaso mentalmente los primeros tiempos de casados; recuerdo lo joven, ingenua y feliz que era, y sé que yo también necesito redescubrir a esa persona, necesito reencontrar esa alegría dentro de mí si queremos tener una posibilidad.

Pero una cosa está clara. Tenemos que hablar.

Once semanas después de haberle confesado a Emma que espero que volvamos juntos, el 19 de marzo, para ser exactos, llamo a Dan a su móvil; no puedo llamarlo a casa de Linda y Michael, no estoy preparada para hablar con ellos. El corazón me late con fuerza mientras oigo los timbres. Sé que verá mi número y podrá decidir si contesta o no, pero el teléfono suena y suena, y por fin se oye el buzón de voz.

En cierto modo me siento aliviada. Es más fácil dejar un mensaje que tener que hablar. Además, eso no significa necesariamente que me esté esquivando: su teléfono probablemente está, como siempre, en el fondo de un bolsillo o de una bolsa, en alguna parte donde no lo oye.

«Hola, Dan. Soy yo, hummm, Ellie. Mira, en realidad te llamaba porque hace casi tres meses que no hablamos y creo que deberíamos hacerlo. Nos quedan muchas cosas por decir, y me gustaría...» Dios mío, ¿lo hago? ¿Pongo las cartas sobre la mesa? Respiro hondo. «Me gustaría ver si podemos hacer que las cosas funcionen. Quiero decir que Tom te echa mucho de menos, y todo parece un poco absurdo. De todos modos...» Mierda. ¿Me he equivocado? ¿Debería haberme callado eso? Es demasiado tarde ahora. «¿Podrías llamarme tal vez cuando vuelvas? ¿Tal vez podríamos hablar este fin de semana?» He hablado demasiado. Más que demasiado. Cuelgo y me siento profundamente desgraciada.

—¿Cómo estás? —Fran está en el teléfono, y por su tono sé que sabe lo mío con Dan.

No es que no quisiera que se enterara, pero estoy cansada de hablar de ello. De intentar explicar las razones cuando ni siquiera yo estoy segura de nada. Y todo el mundo quiere ayudar. Todo el mundo quiere invitarme, sacarme a cenar, mirarme con ojos tristes mientras me dicen que cuente con ellos si alguna vez necesito hablar.

—Estoy bien —digo, cortante, pero me ablando cuando caigo en la cuenta de que ella no es cualquiera, es Fran. La encantadora Fran a quien probablemente debería haber llamado—. Te has enterado, ¿verdad?

—He oído algo —dice tímidamente—. Y me ha parecido rarísimo. Ya sabes cómo son los rumores. Así que pensé que primero te llamaría para saber si es cierto, y, si lo es, ver si puedo hacer algo.

—Bueno, pues sí. En primer lugar, es cierto, y en segundo lugar, no, no puedes hacer nada, aunque me encantaría verte.

—Entonces, ¿te maltrataba? —dice Fran mientras yo suelto un grito horrorizada.

—¡Oh, no! Eso es terrible. ¿Es lo que dice la gente?

Se echa a reír.

—No, perdona, no he podido contenerme. Solo he oído decir que os habéis separado. No lo entiendo, Ellie. Quiero decir que pensaba que Dan y tú erais muy felices.

—La verdad es que no. —Suspiro—. Hacía tiempo que no lo éramos, pero estoy segura de que no es definitivo. En realidad probablemente no debería decirlo. Quién sabe qué pasará, pero con un poco de suerte encontraremos el modo de solucionarlo. ¿Quién te lo ha dicho? ¿Sally?

—No. No creo que lo sepa. En realidad fue Charlie Dutton. Vino a cenar la semana pasada. Tengo que decir que fue un poco embarazoso. Nos preguntó mucho por ti y yo no quería decirle que habías desaparecido de la escena y que no me habías devuelto ninguna de mis llamadas. Tuve que fingir que estaba al corriente de todo.

—Lo siento, Fran —digo—. De verdad. He llevado fatal lo de relacionarme con la gente. Después del accidente la vida se volvió tan confusa que huí de todo el mundo. Pero te he echado de menos.

—Nosotros también te echamos de menos. Nos encantaría verte. Y a Charlie Dutton también —añade, y prácticamente veo una maliciosa sonrisa en su cara.

—¿Qué quieres decir? —pregunto inocentemente para intentar averiguar algo más.

—Nada —responde ella despreocupadamente. También es la inocencia personificada.

—Oh, vamos —suplico.

No es que yo esté interesada, pero si él lo estuviera sería un empujón para mi autoestima, y aunque pueda sonar egoísta, sabe Dios que no me vendría mal mejorar mi autoestima.

—Dijo que coincidió contigo la otra noche y que acabasteis solos la velada. También dijo que eres increíblemente sexy.

—¡No!

—¡Sí!

—¡Pero si no soy sexy! —Sonrío encantada.

Hacía años que nadie me decía que era sexy. No lo soy. Soy una madre. Una madre anticuada que pasa la mayor parte del tiempo con chándals de Gap, zapatillas de deporte y con la cara lavada, aparte de cuando hago un esfuerzo para salir con Lisa y termino encontrándome con Charlie Dutton.

—¡Lo sé! —dice ella riéndose—. Traté de decírselo, pero no quiso ni oírme.

—¡Oh, muchas gracias!

—Lo digo en broma. Pero, en serio, parece que le gustas de verdad. Me bombardeó con preguntas sobre ti.

—¿Como qué?

—Quería saberlo todo.

—Caramba, qué halagador.

—Lo sé. Por eso te lo digo. ¿Te interesa?

Hago una pausa, tratando de dejar a un lado el halago y averiguar la verdadera respuesta.

—¿Sabes? Si siguiera soltera estoy segura de que me interesaría; creo que es muy atractivo, y en otras circunstancias seguro que me gustaría, pero no estoy preparada para nada. Solo estoy separada, y si Dan y yo volviéramos, no me perdonaría nunca que hubiera pasado algo.

—Entonces, ¿no te gusta ni un poquito?

—Está bien —gruño, recordando el deseo que sentí cuando estuve con él—. Me gusta un poco. Pero no voy a hacer nada al respecto, ¿de acuerdo?

—De acuerdo —dice ella, encantada de habérmelo sacado—. Entonces si Marcus y yo insistimos en que vengas a cenar el jueves, ¿llamamos a Charlie o no?

—¡No! —casi grito—. Rotundamente no. No voy a volver a verlo. En serio. No me interesa.

—Está bien, está bien, cálmate. Solo era una pregunta. Pero ¿vendrás a cenar con Marcus y conmigo?

—¿No te importa que seamos impares?

—No me importa si a ti no te importa.

—Bueno. Deja que mire a ver si puedo encontrar una canguro; si la consigo, me encantaría. Pero nada de hombres solteros sorpresa, ¿de acuerdo? Ni Charlie Dutton ni nadie.

—Bueno, bueno —gruñe ella—. Nada de sorpresas. Solo seremos tú, Marcus y yo.

Antes de acostarme entro de puntillas en la habitación de Tom para asegurarme de que está bien. La lámpara de la mesita de noche proyecta una luz tenue, la justa para iluminar sus juguetes. Me acerco a él y lo miro sonriendo.

El olor a vómito es innegable; veo que Tom está medio dormido sobre un charco de vómito seco.

—¡Mierda! —susurro, ligeramente asustada.

Enciendo la luz y Tom se despierta, abre los ojos y se echa a llorar.

Le toco la frente, pero no tiene fiebre; lo beso para tranquilizarlo y lo llevo al cuarto de baño para lavarlo con la esponja.

—No pasa nada, cariño —canturreo mientras le desabrocho el pijama y se lo quito; le paso la camiseta por la cabeza, tratando de no ensuciarlo más de lo que está—. Mami está aquí —digo, y trato de no dejar que sus gritos me perforen el corazón mientras le lavo el vómito del pelo.

Lo llevo de nuevo a su habitación, lo tiendo en el cambiador y lo visto rápidamente. Está totalmente despierto, parloteando, y lo siento en su silla hamaca que está en el suelo mientras le cambio las sábanas.

—Bleuuuuurg.

Me vuelvo y Tom está arrojando de nuevo una bocanada de vómito que cubre su pijama limpio, la silla hamaca y la moqueta.

—Oh, mierda.

Se pone a llorar de nuevo; lo cojo en brazos, lo llevo otra vez al cuarto de baño y empiezo de nuevo.

Hacia las dos de la madrugada ha vomitado tres veces más y lo estoy meciendo en mis brazos. Estoy agotada. Me digo de llamar al médico, pero no tiene fiebre, ningún síntoma aparte de los vómitos, y no me atrevo a molestar al médico en mitad de la noche por algo que probablemente no es serio.

De modo que Tom y yo nos balanceamos juntos en la mecedora y por fin se duerme en mis brazos; los dos estamos demasiado agotados para movernos.

Lo llevo a mi habitación y lo acuesto a mi lado. Tengo miedo de que vuelva a vomitar, de modo que enciendo la televisión y me quedo despierta hasta la madrugada, cuando por fin el sueño me vence y me duermo, recostada en las almohadas.

Es tan duro, pienso, antes de dormirme. Es tan duro hacerlo todo yo sola...

Fran me abraza muy fuerte. No dice nada más, no hace falta; su enorme abrazo es más reconfortante que cualquier palabra.

Luego me abraza Marcus, y los tres nos separamos y sonreímos.

—Me alegro de verte, Ellie —dice Marcus—. Empezábamos a pensar que teníamos un problema.

—No. Solo soy una mala amiga. Lo siento.

—No te preocupes —dice Fran dando un codazo a Marcus—. Sabemos que has tenido muchas preocupaciones.

—Bueno. Pensábamos salir por el barrio. Al chino de Belsize Park. ¿Qué te parece?

—Perfecto —respondo, cogiendo mi chaqueta del pasillo—. Mientras pueda estar en la cama a las nueve, estoy encantada.

—Me alegro de que nuestra compañía sea tan grata. —Marcus arquea una ceja mientras salimos y echamos a andar hacia su coche.

—No te lo tomes a mal —digo riendo—. Me sentiría igual aunque cenara con... —Trato de pensar en alguien.

—¿Charlie Dutton? —Marcus me dedica una sonrisa sardónica.

—Oh, cállate. —Ahora me toca a mí darle un codazo—. Especialmente con Charlie Dutton —digo en un intento de defenderme. Me vuelvo hacia Fran—. ¿Podéis dejar de nombrarlo? Y, por cierto, si por casualidad pasa por el restaurante esta noche y nos encuentra allí, yo me largo. ¿De acuerdo? Para que lo sepáis.

—Mierda —dice Marcus riéndose—. Has descubierto mi perverso plan.

—No te preocupes. —Fran me coge del brazo—. No tenemos planes perversos. Lo que ocurre es que eres nuestra amiga y Charlie es nuestro amigo, y sería bonito, eso es todo. Si estuvieras preparada —se apresura a añadir—. Y ninguno de los dos lo estáis, por supuesto.

—Entonces, ¿basta de bromas sobre Charlie Dutton? —pregunto.

—Está bien. —Marcus se encoge de hombros—. Yo lo dejaré si Fran lo deja.

—De acuerdo —dice Fran—. Mi infantil marido y yo prometemos dejar de tomarte el pelo con Charlie Dutton.

Estoy muy acostumbrada a ir de tercera con Fran y Marcus, los conozco desde hace mucho antes de que Dan entrara en mi vida, así que enseguida recuperamos la llana amistad que siempre ha habido entre nosotros. Por un momento olvido que ya no soy la mujer que era la última vez que cené con ellos, que ahora tengo un hijo, un marido, una vida distinta.

Hablamos y reímos, y sé que no dejaré que pase tanto tiempo antes de volver a verlos. Ellos forman parte, sin duda alguna, del reducido grupo de mis mejores amigos, y cometí un error al descuidar nuestra amistad, porque los cuatro —Marcus, Fran, Dan y yo— nunca cuajamos tan bien como lo hacemos los tres.

No es que no le cayeran bien a Dan. Siempre dijo que eran agradables, pero la relación era distinta, se volvía más formal, y es un alivio verlos sin él.

Cuando vamos por la mitad de la segunda botella de vino —que debo decir que Fran y yo estamos puliéndonosla casi mano a mano—, me levanto para ir al lavabo; mientras me abro paso en zigzag por el concurrido restaurante, me fijo en la gente, que habla animadamente y se lo pasa bien, y pienso en lo agradable que es volver a estar en el mundo.

Porque así es como me siento: como si me hubieran apartado de la vida real y de pronto las nubes que me mantenían al margen, que me han distanciado de todo durante estos meses, por fin se hubieran disipado. Por fin soy capaz de ocupar mi sitio entre los vivos y volver a sentirme feliz.

Sé que no es porque estoy sola. Sé que no soy más feliz porque Dan ya no está conmigo, pero en cierto modo su ausencia ha actuado como un catalizador, me ha hecho despertar a la vida, me ha obligado a volver a la realidad.

Sonrío mientras pienso en ello y entonces los veo. Me fijo en una chica que está en un rincón; es guapísima. Tiene el pelo castaño largo y brillante, y unos ojos grandes y verdes, y mira con adoración a su pareja.

Mis ojos se desplazan para ver a su pareja, que probablemente será un hombre alto y guapo como un modelo, y me quedo paralizada. Es Dan.

Me quedo en medio del concurrido restaurante mientras el tiempo se detiene, y veo a la chica que se ríe y se inclina para decirle algo. No puedo moverme. Me quedo allí parada mirándolos; ella nota que la miro y sostiene mi mirada, interrogante.

Dan se vuelve, todavía con una sonrisa en los labios; sigue la mirada de ella y me ve. Veo que se queda pálido, exactamente igual que en el sur de Francia.

Nos quedamos mirándonos, Dan y yo.

No puedo moverme, y él no parece saber qué hacer. Por fin la chica pone una mano sobre la de él, y él se vuelve hacia ella y dice algo —supongo que algo así como «es mi mujer», a menos, por supuesto, que ella no sepa que está casado—; luego se levanta, y sé que se va a acercar a mí, pero yo no puedo enfrentarme a eso. No ahora. No aquí. Creo que voy a vomitar en cualquier momento.

Regreso rápidamente hasta Fran y Marcus.

—Tengo que irme —digo, sin apenas pararme junto a la mesa—. Os veo fuera.

—¿Ellie? ¿Pasa algo? —Fran se levanta mientras yo salgo, pero no me detengo, me limito a salir en busca de aire fresco.

Está sonando el teléfono cuando entro. Son las diez menos cuarto de la noche. Demasiado tarde para que me llame cualquiera de mis amigos, ya que todos tenemos hijos pequeños y sabemos que es de muy mala educación llamar después de las ocho, como muy tarde a las ocho y media.

No contesto al teléfono y vuelvo a dar las gracias a Rachel por haber venido, a pesar de haberle avisado con poca antelación; le pago, y me fijo en que el que llama no deja un mensaje sino que vuelve a llamar unos minutos después.

¿Quién debe de ser? Por supuesto sé que es Dan. ¿Quién iba a ser si no? Descuelgo cansinamente, no muy segura de si quiero saber lo que tiene que decirme; me siento aturdida, enferma y cansada. Muy cansada.

Y avergonzada. Después del mensaje que le dejé en el buzón de voz. El mensaje al que no ha respondido. Me daría de bofetadas por haberlo hecho. Sabía que era un error, que no debía hacerle saber que me importa, que me siento vulnerable. No me ha devuelto la llamada, pero pensé que estaba fuera, que ya lo vería el sábado por la mañana cuando viniera a recoger a Tom y que entonces sacaría el tema.

Aunque una parte de mí esperaba que no lo hiciera.

—Puedo explicártelo —dice Dan cuando descuelgo el auricular y me lo llevo al oído.

—No hay nada que explicar —digo, inexpresiva—. No me debes ninguna explicación. No me debes nada. Estamos separados.

—Ellie, no era lo que crees —dice—. Era Lola Smith. Está presentando la nueva serie que estoy haciendo. Era una cena de trabajo.

Eso no era una cena de trabajo.

—No importa —digo—. Está claro que ella no creía que era solo una cena de trabajo. De todos modos, tienes derecho a quedar con quien quieras. —Casi se me atragantan las palabras, pero continúo de todos modos.

—No es mi novia. Ni siquiera estoy saliendo con ella. —Dan parece desgraciado.

—¿Dónde estás ahora? ¿Hablando por el móvil mientras Lola te espera en el coche? —Solo mencionar su nombre me pone enferma.

—No. Se ha ido a casa. Tiene su propio coche.

No digo nada, pero me alegro. Tal vez no sale con ella. El Dan que yo conozco, el Dan con el que yo salía siempre insistía en pasar a recogerme.

Se produce un silencio. Luego, me dice:

—Recibí tu mensaje.

Oh, mierda. Exactamente las palabras que llevo días esperando. Las que ahora temía oír después de haberlo visto con Lola. Lola.

—Lo siento —digo, cortante. Oh, mierda. ¿Qué puedo decir? ¿Cómo salgo de esta? ¿Cómo me disculpo?—. Creo que estaba un poco borracha. La verdad es que ni me acuerdo de lo que te dije. Fuera lo que fuese, olvídalo.

—¿Borracha? ¿A las cuatro de la tarde? —Noto que sonríe y me entran ganas de pegarle.

—¿Qué quieres, Dan? —Me siento increíblemente humillada; solo quiero colgar, acurrucarme en alguna parte y llorar.

—He pensado que tal vez tienes razón. Que deberíamos hablar. ¿Tal vez podríamos hablar este fin de semana?

Me callo. Pero luego pienso en Lola. En Lola y en Dan riéndose. En Dan besando a Lola. Me pregunto si se mueve igual con ella que conmigo. Me pregunto si ella es mejor en la cama que yo. Dios. Por favor, no me dejes pensar en estas cosas.

—No puedo —digo con un tono de voz muy frío—. Ahora no puedo. Lo siento, Dan. —Cuando empieza a fallarme la voz, cuelgo con suavidad.

Lloro durante una hora; cuando por fin paro, saco del bolsillo de mi abrigo la tarjeta de Charlie Dutton. Mierda. Si Dan puede coquetear, o tener un idilio, o lo que sea, con Lola, yo también puedo tenerlo con Charlie Dutton.

Once menos cuarto de la noche. ¿Demasiado tarde para llamar? A esa hora nunca llamaría a nadie, pero es un hombre soltero, un viernes por la noche. Además dudo mucho que esté en casa. Y, de todos modos, lo ocurrido esta noche me ha dado valor; quizá sea falso, pero si no llamo ahora puede que no lo haga nunca.

Es ahora o nunca.

Llamo y tengo razón. Ha salido. Salta el contestador automático y, tratando de hablar con normalidad, dejo un mensaje.

«Hola, Charlie. Soy Ellie. Ellie... Cooper.» Por un instante he estado a punto de utilizar mi apellido de soltera, pero mientras digo el de casada pienso en lo deshonesta que eso me hace sentir. «Ellie Black», añado con firmeza, porque si voy a ser infiel, como me consta que voy a serlo, voy a hacerlo como una chica soltera.

Seguro que de ese modo me siento menos culpable.

«Acabo de encontrar tu tarjeta y me preguntaba si te gustaría quedar algún día. Llámame.» Dejo mi número y cuelgo, felicitándome por el mensaje que he dejado.

Ahora solo es cuestión de tiempo.

27

No puedo quitarme de la cabeza la imagen de Dan y Lola. Los veo en el restaurante; ella alarga una mano hacia la de él. Mi imaginación trabaja a toda máquina y también los veo en todas las posiciones comprometedoras que mi cansada mente es capaz de invocar.

Me indigna. Me llena de rabia. Provoca un deseo pueril de vengarme de la única forma que sé hacerlo: acostándome con Charlie Dutton.

El pobre Charlie Dutton. Me pregunto si sabe que lo tengo todo planeado. Me pregunto si sabe que me propongo seducirlo de la mejor forma que sé hacerlo: a la sensual luz de las velas, con ropa seductora y una cena exquisita.

Estoy a medio camino, puesto que él ya ha admitido que me considera sexy. Sin duda solo necesita un pequeño empujón. Pienso en Lola poniendo sus labios sobre Dan y sé que no estoy dispuesta a dejar que Charlie Dutton se escape de mis garras.

No pareció sorprenderse de recibir mi mensaje. De hecho, parecía encantado. Dijo que había querido llamarme, y que se sorprendió un poco cuando lo invité a cenar a casa. El sábado. La noche que Tom está fuera y los ratones pueden bailar.

Pero ahora parece que hace un montón de tiempo que jugué a seducir, si es que alguna vez lo he hecho. Ese es sin duda el terreno de Lisa, no el mío, y aunque podría pedirle consejo, y probablemente debería hacerlo, no puedo admitir ante ella lo que voy a hacer, no puedo decírselo a nadie hasta que sea un hecho consumado.

No busco un ligue de una noche, de eso nada. Pero no sé adónde nos puede llevar, y no estoy pensando en el futuro, solo en esta noche.

El salmón está en la nevera, esperando una capa de salsa tapenade y el hojaldre, las ensaladas están crujientes en la bolsa, y el bizcocho de limón espera las miradas de placer con que siempre es recibido, mi *pièce de résistance*, e, irónicamente, aunque por supuesto no lo pensé entonces, la de Dan.

Puede que no estrene ropa, no esta noche, pero me aseguro de llevar ropa interior nueva. Mis grisáceas bragas de algodón gastado y mi feo sostén de color carne, nada sexy pero increíblemente práctico, puede que sean suficiente para un marido, pero nunca para un amante.

Para ello sí que sigo el consejo de Lisa. Paso de largo Marks & Spencer tal vez por primera vez en mi vida y me dirijo a Agent Provocateur. Qué vergüenza. Qué sexy. Qué poco me pega hacer esto. Salgo balanceando mi culpabilidad en la muñeca: todo gasa y encaje. Ropa interior para la más vampiresa de las vampiresas, la más ramera de las rameras.

Es cierto que esta noche voy a interpretar un papel. Esta noche no voy a ser Ellie Cooper, ni siquiera Ellie Black. La soltera Ellie Black nunca habría actuado como me propongo hacerlo esta noche. La soltera Ellie Black habría pensado que Agent Provocateur era el nombre del malo de una película de Bond. Ellie Black no seducía, se dejaba seducir, y solo de vez en cuando, y si llevaba saliendo un mes con él y estaba absolutamente segura de que le gustaba de verdad.

Esta noche tengo pensado parecerme más a Lisa. Tengo pensado encender velas, poner bajito música de Norah Jones en el aparato de música, sentarme en el sofá con Charlie Dutton y mirarlo por encima del borde de mi copa de vino tinto con una expresión tierna.

Si Charlie Dutton no hace ningún movimiento —aunque debo

decir que estoy segura de que lo hará, ¿podría resistirse a esta situación?— tengo la intención de hacerlo yo, espoleada por mi deseo de venganza —solo piensa en Lola— y por cantidades ingentes de alcohol.

A las ocho estoy preparada. A las ocho. Una regresión a mi antigua vida. Charlie vendrá a las ocho y cuarto. Me paseo por el piso, nerviosa; enciendo velas y las vuelvo a apagar. Demasiado evidente. Aún no. Las encenderé pero más tarde.

La chimenea, sin embargo, está encendida —sigue haciendo frío por la noche a finales de mayo—; me siento junto a ella mientras espero a que él llegue, vuelvo a llenarme la copa y la apuro rápidamente para infundirme confianza.

Suena el timbre. Empieza a latirme con fuerza el corazón. Dios mío. ¿Qué estoy haciendo? ¿Es demasiado tarde? ¿Puedo fingir que no estoy? Por supuesto que no. Ellie Black, o Ellie Cooper, o Ellie la Vampiresa, sigue siendo demasiado educada, demasiado buena chica para hacer algo grosero, tiene demasiado miedo a desagradar para portarse de una forma impresentable.

Recorro el pasillo, determinando con cada paso mi destino. Un rápido vistazo al espejo me confirma lo que ya sé. Tengo buen aspecto. Tal vez porque debajo llevo la ropa interior más sexy que nunca he llevado, o porque estoy un poco achispada, pero me brillan los ojos y tengo las mejillas encendidas. Si yo fuera Charlie Dutton, querría acostarme conmigo.

—Hola. —Me quedo parada y le sonrío.

Él se inclina, me planta un casto beso en la mejilla y me ofrece un enorme ramo de lirios.

—Son para ti —dice entrando detrás de mí.

—Gracias. Son preciosas.

Le digo que se siente y me espere en la sala de estar mientras entro en la cocina para buscar un jarrón para las flores. De pronto estoy muy nerviosa. Esto no es un sueño. No es una fantasía. En mi piso hay un hombre con el que quiero acostarme y que no es mi marido. De pronto todo me parece muy extraño.

Y muy equivocado.

—¿Te apetece una copa de vino? —pregunto, deseando poder pasar el resto de la noche en la cocina, encontrar el modo de evitar lo inevitable.

—Un poco de tinto me encantaría —responde—. ¿Te ayudo?

—No, dame solo un minuto. Ponte cómodo.

Me encojo al oír mis palabras. ¡Qué típicas suenan! Qué típica es esta situación. Esta... cita. Estaba convencida de que había dejado atrás las citas, encantada de no tener que volver a pasar por esto, y sin embargo aquí estoy.

Respiro hondo y llevo dos copas de vino a la sala de estar, donde encuentro a Charlie de pie frente a la estantería, examinando los libros. Se vuelve y me sonríe, y empiezo a relajarme. Solo es un hombre, por el amor de Dios. No tienes que hacer nada, Ellie. Solo cenar y tener una charla agradable. Puedes salir de esta con vida. Ya verás como puedes.

—Siempre pienso que consigues mucha información de la gente viendo sus estanterías.

—¿Sí? —Me quedo de pie a su lado y me fijo en lo que ha estado mirando: los ensayos de Dan mezclados con mis libros de diseño, mis novelas de tapa dura, y algunos regalos de boda aquí y allá, como unos recipientes de cristal a los que nunca les hemos dado ningún uso, o cajas de porcelana de Limoges que pegarían más en la casa de la abuela de Dan que en la mía, y montones de fotografías de Tom. Tom recién nacido, con la cara roja y arrugada, mientras alguien lo sostiene frente a la cámara. Tom en brazos de Dan, Tom conmigo, Tom gateando, Tom durmiendo...—. Supongo que has deducido que queremos... que quiero —me apresuro a corregir— a mi hijo. —Ojalá me hubiera acordado de retirar las fotos de Tom con Dan, de eliminar todas las pruebas de Dan.

Charlie se echa a reír.

—Eso espero. Es guapísimo.

—¿Verdad que sí? —Me relajo y me siento más cómoda; por fin estoy en territorio conocido—. No soy del todo imparcial, pero creo que es el niño más guapo del mundo.

—¿Cuándo cumple los dos años?

—En agosto.

—Espera a que tenga dos —dice él sonriendo—. Es cuando empieza realmente la diversión.

—¿Cuántos dijiste que tiene el tuyo?

—Cinco. Pero los dos primeros son los peores. No vas a dar abasto. ¿Dónde está? ¿Dormido?

Sacudo la cabeza.

—No. Los fines de semana está con Dan. ¿Y Finn? ¿No te lo deja los fines de semana?

—Normalmente sí, pero mi ex y su novio se han ido al campo este fin de semana.

Mi ex. Me pregunto cuándo Dan dejará de ser Dan para convertirse en mi ex, o si algún día se convertirá en mi ex. ¿Cuándo dejan de formar parte de tu vida? ¿Cuándo eres capaz de referirte a ellos de forma desapasionada, sin apego, sin emoción, sin muestras de dolor? No me imagino llamando mi ex a Dan. Aún no. Pero no voy a pensar en esto esta noche. Bebo un largo sorbo de vino.

—Bueno, todavía no me has dicho qué has deducido de mi estantería.

Charlie sonríe y mira hacia la estantería antes de volverse de nuevo hacia mí.

—Hummm. Veamos. Supongo que los libros de historia y de temas relacionados con el cine no son tuyos, lo que nos deja con una persona apasionada por el diseño, que lee los últimos bestsellers pero que tiene una secreta inclinación por las noveluchas, aunque trata de no exhibirlas, y veo claramente que cuando te casaste, fueron a tu boda demasiados parientes mayores y no suficientes buenos amigos.

Me río.

—¿Cómo demonios puedes saberlo?

—Porque a mí también me regalaron esos recipientes de cristal y esas pequeñas cajas pintadas. Fueron las únicas cosas que estuve encantado de dejar a mi ex cuando nos separamos.

—¿Cuándo os separasteis?

—Hace cuatro años. ¿Por qué lo preguntas?

Me acerco al sofá y me siento.

—Pareces hablar de ella con mucha naturalidad, sin ninguna emoción. Me preguntaba si algún día llegaré a hacer lo mismo.

—Sinceramente creo que cada persona es un mundo. Yo tardé mucho, pero ahora somos amigos, en cierto modo. No es que la invite a casa, pero siempre tratamos de ser civilizados, por el bien de Finn. Es demasiado reciente para ti —esboza una ligera sonrisa— y probablemente demasiado pronto para que invites a cenar a tu casa a desconocidos.

Me sostiene la mirada mientras bebe un sorbo de vino y me ocurren dos cosas simultáneamente: me pongo roja —Dios, cómo odio que mis mejillas continuamente me delaten— y siento una oleada de deseo. Le sostengo la mirada un segundo más de la cuenta, para así sentirme cómoda y luego digo, con la sonrisa más dulce e inocente que soy capaz de poner:

—Pero tú no eres un desconocido.

—*Touché*. —Sonríe y alza su copa.

—Deja que empiece a ocuparme de la cena.

Me levanto y él me sigue hasta la cocina.

—Soy un genio de la cocina —dice—, deja que te ayude.

Charlamos, reímos y bebemos un poco más mientras pongo el salmón en el horno y Charlie prepara la ensalada. Hay algo tan familiar y al mismo tiempo tan extraño en toda esa escena... Una vez más me doy cuenta de lo mucho que echo de menos estar en pareja, porque algo tan prosaico y tan cotidiano como cocinar con alguien, se convierte de pronto en algo muy especial cuando dejas de hacerlo.

Parece absolutamente normal darle a Charlie un cuchillo, la tabla de cortar y la verdura. Y, sin embargo, mientras corta la lechuga, el pepino y el tomate en trocitos muy pequeños, quiero detenerlo y decirle que Dan no lo hace así, que no nos gustan troceados, que los tomates y los pepinos hay que cortarlos a rodajas, que lo está haciendo mal.

Pero, por supuesto, no lo digo. Solo disfruto mientras veo que la cocina vuelve a la vida cuando hay alguien más que Tom y yo en ella. Es sorprendente cómo la música de Norah Jones logra crear una sensación de relajación e intimidad, cómo de pronto estoy disfrutando de esta velada mucho más de lo que había previsto, sobre todo porque no es como lo había preparado.

Me gusta Charlie. Me gusta de verdad. No puedo negarlo. Pero ahora que está aquí, ahora que la fantasía se ha hecho realidad, no es la noche ardiente y sensual que había imaginado. Me estoy divirtiendo. No estamos coqueteando, estamos hablando. Y no nos estamos besando, nos estamos riendo. Es como si estuviera preparando la cena con un amigo. Y de pronto me doy cuenta de que lo estoy pasando muy bien, y que en realidad no quiero acostarme con Charlie; es más, no tengo por qué acostarme con Charlie. Simplemente estamos iniciando una amistad, y ese pensamiento me relaja y me hace sonreír.

—¿Por qué sonríes?

—Estaba pensando en que lo estoy pasando muy bien —digo—. Vamos a cenar.

Llevamos juntos la comida a la sala de estar y nos sentamos a la mesa de comedor.

Charlie se queda extasiado con la comida.

—Reaccionas como alguien que hace meses que no come como es debido —digo riéndome mientras él da cuenta de su ración de salmón, repite y se come tres trozos enormes de bizcocho de limón.

—Ser soltero y cocinar no van de la mano.

—Creía que a las mujeres se las conquistaba por el estómago.

—No, esa es la forma de conquistar a un hombre.

—Lo sé, solo bromeaba. Aunque, ¿no dicen todas las mujeres solteras que no hay nada más sexy que un hombre que sabe cocinar?

—No lo sé, ¿lo dicen? Tú eres soltera, debes de saberlo.

—Está bien, no hay nada más sexy que un hombre que sabe cocinar. —Ahora me toca a mí tomarle el pelo.

Charlie me sostiene la mirada y sonríe.

—¿Significa eso que no me encuentras sexy porque no sé cocinar?

Cielos. Eso sí que es ir al grano. Me está mirando, esperando una respuesta, y yo no sé qué decir. Mis intenciones de seducirlo se han desvanecido, mis planes de comportarme como Lisa se han ido al traste. Tartamudeo como una adolescente y murmuro rápidamente algo sobre recoger la mesa. Me levanto, cojo los platos y los llevo a la cocina. Me apoyo en el fregadero y cierro los ojos mientras respiro hondo para recuperar el equilibrio.

No lo oigo entrar. No sé que está allí hasta que siento su cálido aliento en la nuca. Está detrás de mí, tan cerca que casi oigo los latidos de su corazón; siento el susurro de su piel contra la mía.

Se me para el corazón. No puedo respirar.

—No me has respondido —me susurra al oído, acariciándome con los labios el lóbulo de la oreja, y siento que me fallan las rodillas.

Empiezo a volverme para decir algo, lo que sea, pero su cara está allí, a unos dedos de la mía. Cierro los ojos y nos besamos; pienso que debería apartarlo, no debería estar haciendo eso, pero es tan agradable...

Es tan, tan agradable...

Me rodea con los brazos. Sus brazos son muy distintos de los de Dan. Su boca también es diferente de la de Dan. Sabe dulce. A almizcle. Es fuerte. Me acaricia la nuca y levanto las manos para palparle la espalda, sin experimentar la oleada de pasión que había esperado pero intrigada por saber qué tacto tiene este nuevo cuerpo apretado contra el mío.

Los omóplatos le sobresalen más que a Dan, y tiene la cintura más ancha, con un pequeño y cómodo cojín de carnes que no había notado antes.

Volvemos sin hablar a la sala de estar y nos sentamos en el sofá, donde nos exploramos mutuamente, nos besamos y murmuramos, nos sonreímos.

Sé que él está excitado. Lo noto. Y sé que yo también debería estarlo, sobre todo por las emociones que ha despertado en mí antes de esta noche. Sin embargo, sigo sintiéndome una espectadora, me dejo llevar por el momento pero no lo estoy viviendo. Es lo más cerca que probablemente estaré nunca de vivir una experiencia extracorporal, porque cada vez que él me toca, cada vez que yo lo toco, sé perfectamente qué siento, y qué distinto es de lo que siento con Dan.

Hace que todos los recuerdos de Dan vuelvan en tropel a mi memoria. Hacía tanto que no hacíamos el amor cuando se marchó que no he vuelto a pensar en ello, en lo maravilloso que era, en lo bien que lo pasábamos, y lo agradable que era haber llegado con alguien a ese punto en el que no tienes que tantear ni actuar, que sencillamente amas a alguien de la mejor manera que sabes y él te ama a su vez.

Charlie murmura algo sobre ponernos aún más cómodos e ir a la habitación, y yo asiento, porque de pronto no me atrevo a hablar; tengo un nudo en la garganta, y cuando se acerca a mí para volver a besarme, sacudo la cabeza, me incorporo y lo aparto con suavidad.

Charlie se recuesta y me mira, con el pelo alborotado y la camisa medio desabrochada.

—Sabía que no era buena idea —susurra, casi para sí—. Sabía que era demasiado pronto.

—Lo siento —murmuro, con la culpabilidad escrita en la cara—. Lo siento mucho, Charlie. Me encantas, de verdad. Si no fuera demasiado pronto, si estuviera preparada...

—No tienes que explicar nada. —Me coge la mano y me acaricia la palma mientras los dos miramos mi pequeña mano en la suya—. Fran me dijo que era demasiado pronto, por eso no te llamé. Pero cuando tú lo hiciste, pensé que tal vez estabas preparada. ¿Sabes? Creo que eres una mujer fantástica.

—Gracias. —Sonrío y le aprieto la mano.

—De nada —dice él, y a continuación nos quedamos un rato sentados en silencio—. ¿Crees que vas a volver con tu marido? —pregunta por fin.

—Creo que el futuro sigue siendo incierto, pero supongo que

después de esta noche sé una cosa, y es que no estoy preparada para estar con nadie más.

—Lo sé.

—¿Crees que podemos seguir siendo amigos? —pregunto, esperanzada.

Charlie me suelta la mano, se levanta, y sé que se está preparando para marcharse. No tiene motivos para quedarse. Ya no. Debería sentirme culpable, pero lo único que siento es alivio. Sonríe y se encoge de hombros; yo le devuelvo la sonrisa con tristeza, sabiendo que la respuesta es no.

En otro momento, en otro lugar, en otra vida, tal vez. Pero no ahora, no aquí. No conmigo.

28

Recibo una llamada del Calden a primera hora del lunes. Necesitan urgentemente que les envíe por fax la propuesta de marketing antes de que acabe el día.

Aún no la he terminado. Casi, pero no del todo, y menos mal que tengo a Trish, que viene a recoger a Tom y se lo lleva a su casa mientras la termino.

Me paso la mañana delante del ordenador y haciendo llamadas, espoleada por cafés, hasta las cuatro. Me recuesto en la silla y levanto los brazos en el aire, sonriendo. He terminado.

Por desorganizada que pueda pareceros, no tengo fax, y Trish se ha llevado los niños al zoo, de modo que no puedo ir a su casa.

Lisa está fuera este fin de semana —como siempre, se cohíbe cuando trato de sonsacarle más información—, y tiene fax, y yo tengo llaves de su casa. Podría ir a la copistería del barrio, naturalmente, pero es ridículo tener que hacer cola y pagar cuando una de mis mejores amigas vive a la vuelta de la esquina y sé que no le importa en absoluto.

Sin embargo, lo más ridículo es que yo no tenga fax, pienso mientras me pongo el abrigo. Era una de las cosas imprescindibles que Dan se llevó consigo cuando se marchó, y parece que es lo primero que voy a tener que comprar.

Llamo a Trish para decirle que voy a enviar un fax y que la veré en el café de Regent's Park para tomar un té.

—Tu hijo es un ángel —dice ella. No importa las veces que me lo digan, nunca deja de conmoverme—. ¡Es tan bueno! ¿Cómo lo haces? ¿Por qué mi hijo tiene rabietas todo el tiempo mientras que el tuyo es un angelito? ¿Cómo lo haces?

Hemos tenido una y otra vez esta conversación. He tratado de explicarle mis teorías y he insistido sutilmente para que intente introducir más rutinas, pero Trish es una causa perdida, y puedo presionarla solo hasta cierto punto. De modo que hoy digo lo que siempre digo, que cada niño es un mundo y que yo solo he tenido suerte.

Nos despedimos y cojo las llaves de Lisa, luego titubeo. Mejor la llamo y se lo digo. Después de todo, no me gustaría que entrara nadie en mi piso sin mi permiso, aunque tenga llaves.

La llamo a su móvil, pero está desconectado, de modo que le dejo un mensaje.

«Lisa, soy yo. Mira, necesito utilizar tu fax, espero que no te importe. Te prometo que no tocaré nada y que solo estaré unos minutos. Espero que lo estés pasando genial donde sea y con quien sea que estés. Llámame cuando vuelvas. Adiós.»

Y salgo.

Me encantan los días como hoy. Cuando hace sol en Londres no hay ningún lugar en el mundo en el que preferiría estar. Os regalo el sur de Francia, o una isla del Caribe, o vuestro escondrijo en Mallorca... Primrose Hill bajo el sol es el lugar que adoro.

Todo el mundo parece feliz cuando hace sol, todos parecen sonreír, todos pasean con más brío. Tengo una sensación de energía y de felicidad que hacía tiempo que no sentía, y por primera vez en mucho tiempo no se debe a otra persona. No estoy feliz por Dan, o por la ausencia de Dan, o porque estoy pensando en otra persona.

Al bajar por Regent's Park Road, saludo con la mano a los dependientes con los que he hecho amistad desde que vivo aquí y siento de pronto que la vida es bastante bella. No sé qué pasará con mi matrimonio, pero de pronto tengo la sensación de que todo se va a arreglar, que todo ocurre por una razón y que estaba escrito que fuera así.

El piso de Lisa es el que me gustaría tener si algún día tuviera dinero. Es una de las casas altas que miran al parque. Una de esas casas con enormes cristaleras, molduras originales en los techos y luz en todas las habitaciones.

Me encanta el piso de Lisa, aunque su gusto para la decoración es totalmente distinto del mío. Me encanta mi piso porque es acogedor, cómodo, ecléctico. El de Lisa parece arrancado de las páginas de *Elle Decor*; es increíblemente chic, minimalista y elegante.

Las únicas manifestaciones involuntarias son los trastos de Amy, que suelen estar desparramados por el suelo de la sala de estar y de la diminuta cocina. Pero Lisa consigue meterlos en pequeñas cajas de mimbre, y en cuanto amontona pulcramente las cajas contra la pared, jamás sospecharías que un niño ha puesto un pie en esa casa, y no digamos que vive allí.

Mientras que yo tengo la enorme trona de plástico de colores Mamas and Papas que me ocupa media cocina, Lisa tiene la minimalista Tripp Trapp, una trona de madera que no desentonaría en la selecta Conran Shop; de hecho, es posible que sea de allí.

Mientras yo tengo un cuarto de juguetes azul, amarillo y verde atestado de móviles, ositos de peluche y cuadros, la habitación de Amy es de color café, con persianas de lino marrón chocolate y alfombra de sisal. El único indicio infantil es la cuna, y hasta esta es una cama trineo artesanal de madera de cerezo que, según me ha dicho Lisa, se convertirá en una elegante cama en cuanto se le quede pequeña a Amy.

Yo tengo un batiburrillo de fotografías de Tom por todo el piso. Lisa en cambio tiene una sola pared con fotografías en el pasillo. Todas son en blanco y negro, tomas profesionales y preciosas de Amy, Amy con Lisa y algunas solo de Lisa, ampliadas a un tamaño mayor que el natural y enmarcadas artísticamente en negro brillante.

Todo en el piso de Lisa denota gusto, estilo, elegancia. Al principio me intimidó, como me intimidaba Lisa, pero ahora sé que hay mucho más que eso en ella, y desde que Dan se fue me he sentido, para mi sorpresa, cada vez más unida a ella, porque sé que entiende por lo que estoy pasando mejor de lo que Trish podrá hacerlo nunca.

Sé que Trish me apoya y quiere ayudarme, pero ella nunca ha pasado por esto y no puede saber cómo hacerlo. Si nos vierais, nos juntaríais automáticamente a Trish y a mí, sabríais que somos amigas, y pensaríais que la glamurosa y perfecta Lisa es la que queda excluida. Sin embargo, Lisa y yo cada vez nos hemos hecho más íntimas, y Trish, aunque no queda excluida, es sin duda la que no acaba de entender qué ocurre.

No me siento cómoda entrando en el piso de Lisa sin su permiso, pero no voy a estar mucho rato. Voy directamente a su despacho, una habitación junto a la cocina; saco el documento de mi bolso y lo pongo en la máquina.

Trato de no mirar nada. Me quedo de pie y miro por la ventana mientras el fax se pone en marcha. Pero cuando sale la página 3, juro que oigo un ruido.

Me quedo inmóvil aguzando el oído, y sí, estoy segura de que oigo pasos en el piso de Lisa. Se me acelera el pulso. No estaba preparada para esto. Intrusos. Mi peor pesadilla. Miro rápidamente alrededor en busca de un objeto pesado y agarro la lámpara del escritorio, bonita y voluminosa. Debidamente armada, cruzo de puntillas la cocina para investigar.

La mayoría de los ladrones son oportunistas, pienso. Casi todos se asustan si alguien les planta cara. Los ahuyentaré. Darán media vuelta y se largarán. Mierda, ¿por qué ha tenido que ocurrir mientras estoy aquí?

Recorro sin hacer ruido el pasillo y oigo sonidos inconfundibles en el piso. Una puerta que se cierra. Pasos. Golpes en los muebles. Oh, mierda. El corazón me late con fuerza en el pecho; me detengo fuera del dormitorio y me doy cuenta de que no estoy preparada para enfrentarme a esto. Debería salir corriendo y llamar a la policía.

Mientras estoy ahí parada, a punto de echar a correr, se abre de pronto la puerta; suelto un grito y dejo caer la lámpara, porque delante de mí, envuelto en una toalla, con una lámpara en la mano derecha y tan asustado como yo, está Michael.

Mi suegro.

Ninguno de los dos decimos nada, e imagino que su expresión es semejante a la mía. Sorpresa. Confusión. Más sorpresa.

—¿Qué estás haciendo aquí? —Él es el primero en hablar.

Detrás de él veo a Lisa en albornoz con una expresión de horror, y yo me pregunto, también horrorizada, por qué no se me ocurrió, por qué no me di cuenta.

Lisa y mi suegro.

¿Recordáis cuánto se entusiasmó por ella en Francia? ¿Recordáis cómo nos reímos de que babeara cada vez que la miraba?

De pronto todo vuelve a mi memoria.

Y luego mi conversación con Lisa de la otra noche. ¿No dijo que era complicado, que él estaba casado pero que era muy infeliz? Dios mío. Mi suegro.

Empiezo a sentirme muy, muy enfadada. ¿Cómo se ha atrevido? ¿Cómo ha podido? Él no le pertenece. Es el marido de Linda. El padre de Dan. ¿Cómo se ha atrevido?

Mi mirada va de Michael a Lisa, y no encuentro palabras. Tengo ganas de abofetearlo. Mientras él me mira, la expresión de su cara pasa de la sorpresa a la culpabilidad y, por fin, estoy segura, a un indicio de remordimientos.

—Lo siento —murmura mientras yo lo miro fijamente, incapaz de creer que una amiga mía me haya traicionado de este modo.

La única traición peor habría sido que se hubiera liado con Dan, pero esto no es mucho mejor. Creedme, no lo es.

Contengo el impulso de abofetear a Michael. Miro a Lisa y veo desafío en su expresión mientras se queda al lado de Michael.

—Siento que hayas tenido que enterarte de este modo, pero ¿por qué estás aquí? ¿Qué estás haciendo en mi piso? —pregunta.

Yo solo siento asco.

—Estaba utilizando tu fax —respondo con frialdad—. Si miras en tu móvil, encontrarás un mensaje mío. Pensaba que estabas fuera, pero es evidente que no sabía lo bien que mientes.

Me alegro de ver que Michael no es capaz de seguir sosteniéndome la mirada, pero Lisa me mira a la cara, está a punto de decir algo en su defensa, en defensa de los dos, pero yo no pienso dejarle hablar, no me interesa nada de lo que pueda decir.

—Me dais asco —digo en voz baja, mientras Michael mira al suelo y parece encogerse por segundos—. Los dos. Si Linda supiera... —No termino, no es necesario.

Michael parece al borde de las lágrimas y Lisa lo aparta y se coloca delante de él. Sé que nuestra amistad ha desaparecido en un instante, que no habrá modo de volver a recuperarla.

—No lo entiendes. Michael y Linda hace años que son infelices. Nos queremos. No es solo una aventura.

—¿Y sabe Linda que vas a dejarla por otra mujer?

Miro a Michael y suelto una risotada fingida, porque, por supuesto, ella no sabe nada. Porque no va a decírselo. Puede que esté bajo el hechizo de Lisa, pero hasta yo sé que Lisa está engañándose si cree que él va a dejar a Linda.

No quiero estar más tiempo allí, no quiero quedarme y ser cómplice de esa relación; no quiero volver a tener nada que ver con ninguno de los dos. Me vuelvo, cojo mi fax, salgo por la puerta y, algo puerilmente, la cierro de un portazo detrás de mí.

Linda me dijo que no me fiara de ella, pienso mientras me dirijo a buen paso hacia el zoo. Lo supo, supo la clase de mujer que era Lisa, aunque ni siquiera ella hubiera imaginado que Lisa apuntaría hacia su marido.

Linda. Pobrecilla. La animosidad que todavía sentía hacia ella ha desaparecido, y de pronto la veo como alguien que sin saberlo es una víctima, la víctima de una traición cuando ella no ha hecho nada malo. Admito que soy la primera en decir que es dominante, tozuda y difícil, y a veces no debe de ser fácil vivir con ella, pero, la verdad, ¿se merece esto? ¿Se merece alguien esto?

¿Qué podría ser peor para una mujer de casi sesenta años que averiguar que su marido se está acostando con una mujer de treinta y pocos, y no cualquier mujer, sino alguien tan perfecto como Lisa?

Pobre Linda.

Aunque logres llevar adelante tu matrimonio, ¿cómo vas a mirarte al espejo y quedar satisfecho con lo que ves? ¿Cómo vas a evitar compararte continuamente con una modelo más joven, y cómo vas a volver a aceptar o a estar satisfecho de tu imagen?

Pobre Linda.

¿Dónde cree que fue su marido el fin de semana anterior? ¿Ha tenido que soportar verlo llegar tarde por las noches, oír misteriosas conversaciones en susurros que terminan en cuanto ella entra en la habitación, recibir facturas de la tarjeta de crédito que no se explica?

Porque Linda puede ser muchas cosas, pero de tonta no tiene un pelo. ¿Es posible que no lo sepa? ¿O es una de esas mujeres que lo saben, pero creen que es mejor fingir no saber? ¿Es de esas mujeres fuertes como Mary Archer..., alguien que probablemente cree que tiene demasiado que perder, que es capaz de pasar por alto las indiscreciones de su marido siempre que su vida continúe como siempre?

Cuando llego al zoo, siento algo que nunca creí que sentiría por Linda. No es que la compadezca, quiero protegerla. Por extraño que parezca, tengo un sentimiento maternal hacia ella. De pronto quiero saber cómo está, quiero asegurarme de que está bien, quiero ayudarla a superar todo esto y quiero estar a su lado, ayudarla a sobrellevarlo, ser su amiga.

Tengo la misma revelación que el otro día con Emma. Para bien o para mal, Linda es mi familia. Pase lo que pase con Dan, soy la madre de su nieto y, me guste o no, siempre formará parte de mi vida. Hasta que la muerte nos separe.

Nunca había entendido aquello de que la sangre tira, pero estoy empezando a hacerlo. Puede que no me guste o que a veces no me agrade Linda, pero ella y el resto del clan Cooper, y todo lo que conlleva, forman parte de mi vida.

Son parte de mi familia.

—Tienes muy mal aspecto. ¿Qué ha pasado?

Me abro paso a través del montón de madres que dan de comer a sus hijos en el café, y me inclino para dar un gran beso a Tom.

—No vas a creerlo cuando te lo diga —advierto, sabiendo que voy a decírselo; tengo que decírselo a alguien y liberarme de la carga de saberlo solo yo.

Mientras miro a Trish, agradezco inmensamente su amistad, y me doy cuenta de que, a pesar de que últimamente he creído tener muchas más cosas en común con Lisa, es Trish quien es mejor persona y quien nunca haría algo así. Trish sigue siendo, y siempre lo será, mi mejor amiga.

—¿Qué?

Y se lo digo.

Cuando termino de hablar, exhala fuerte y luego me abraza.

—¿Cómo te sientes? —pregunta, preocupada—. ¿Estás bien?

—Solo un poco aturdida. ¿Puedes creerlo? ¿No te parece espantoso? Es mi suegro, por el amor de Dios, por no hablar de que es un hombre casado.

—¿Quieres que te diga la verdad? —dice Trish, y yo asiento—. Puedo creerlo y no me sorprende demasiado. Mira, creo que Lisa es en muchos sentidos asombrosa, pero es una mujer muy fuerte y sabe lo que quiere, y creo que las mujeres como ella siempre son un poco crueles. Siempre anteponen los hombres a la amistad con otras mujeres.

—Pero ¿por qué nunca me lo has dicho? —pregunto—. Nunca te he oído decir nada negativo de Lisa. ¿Por qué siempre te lo has callado?

Trish se encoge de hombros.

—Por varias razones. No es mi estilo criticar a mis amigas y siempre me han puesto nerviosa los triángulos de amistad. Creo que, incluso siendo adultas, cuando hay una amistad entre tres mujeres, una de las tres suele ser excluida y no quería ser yo la que lo provocara.

No digo nada, porque Trish tiene razón, por supuesto. Me doy cuenta de que Lisa y yo, con nuestras sesiones de madres separadas, hemos excluido a Trish, y ahora lo siento muchísimo.

—Te hemos excluido, ¿verdad? —pregunto con tristeza.

Ella sonríe y sacude la cabeza.

—No te preocupes. Veía que necesitabas la ayuda de Lisa para superar esto, y lo comprendo. Yo nunca he tenido que buscarme la vida sola, no sé qué es eso, y sabía que Lisa podría apoyarte mucho mejor que yo. Pero Ellie —y se inclina y me pone una mano en el brazo—, sé que nuestra amistad nunca ha estado en peligro.

Asiento y trago saliva. Ojalá pudiera decir lo mismo. Qué mala he sido.

—Además —continúa—, había deducido que tenía un lío, porque últimamente se ha mostrado muy reservada, y me aterraba que pudiera ser con Dan. Al menos, por horrible que suene, estoy aliviada de que sea con Michael.

—¿De verdad lo pensaste? —Estoy horrorizada—. ¿Por qué no me lo dijiste?

—¿Qué iba a decirte? —pregunta Trish con tristeza—. Me habrías odiado por haberlo pensado siquiera, y no quería que mataras al mensajero.

—Menos mal que estabas equivocada.

—Lo sé —dice ella—. Gracias a Dios que todavía hay un resquicio de esperanza. ¿Y ahora qué? ¿Qué vas a hacer? ¿Crees que va en serio?

Me reclino y pienso, pero no lo creo; no puedo ni imaginar que vaya en serio. Me cuesta imaginar que Michael vaya a dejar a Linda por Lisa. Puede que tengan sus problemas, pero estoy segura de que en el fondo Michael quiere a Linda, y esto probablemente solo es una crisis de la mediana edad, algo que pasará.

—No lo creo, la verdad. Puede que sea ingenua, pero no le veo renunciando a todo por Lisa. Dios. —Sacudo la cabeza con admiración—. Espero que Linda no lo sepa.

—¿Qué quieres decir?

—No fuimos las únicas que pensamos que Lisa tenía una aventura con Dan. Linda me previno contra Lisa en cuanto la conoció en Francia.

—¡Bromeas!

—¡No! Es evidente que es mucho más sabia que ninguna de nosotras.

—Pobre Linda.

—Lo sé. Eso es exactamente lo que estaba pensando.

—¿Qué vas a hacer? ¿Piensas decírselo? —Trish parece horrorizada.

—¡Dios, no! —Robo una patata del plato de papel de Tom—. Pero creo que podría llamarla. Solo para ver cómo está. Sé que resulta raro, pero de pronto me siento protectora.

Trish sonríe.

—No me parece raro. Creo que es bonito. Y estoy segura de que le encantará saber algo de ti. ¿No era ese el problema, que quería que fueras otra hija?

Asiento. ¿Por qué de pronto no me parece tan extraño?

—¿Linda? Soy Ellie.

Oigo un grito ahogado. Luego un silencio mientras recupera la compostura.

—Hola, Ellie —dice, con el tono más frío que le he oído nunca—. ¿Qué puedo hacer por ti?

Bueno, ¿qué esperaba? ¿Que se pusiera a llorar y me dijera que me había echado de menos? ¿Que me agradeciera que le ofreciera la pipa de la paz? Bueno, la verdad es que sí. Esperaba algo así, y me sorprende su frialdad.

Aunque esta es la mujer con la que me he negado a hablar durante meses. Meses enteros.

Respiro hondo.

—Lo siento —digo en voz muy baja, y mientras lo digo siento un nudo en la garganta.

—¿Qué sientes? —pregunta Linda, con un tono de voz todavía helado.

—Todo —digo, y me vengo abajo. Me quedo sentada llorando al teléfono; trato de hablar, pero cada vez vuelvo a llorar. Cuando por fin me recobro no sé siquiera si sigue allí—. ¿Linda? ¿Sigues ahí?

—Sí, Ellie —dice con una voz más suave—. Sigo aquí.

—¿Podemos hablar? —digo, aunque no lo tenía previsto—. ¿Podemos quedar? ¿Tal vez para comer?

Sigue un largo silencio. Rezo para que diga que sí, para que no me cuelgue, aunque no merezco otra cosa y tiene todo el derecho a negarse.

—Sí —responde ella por fin—. Creo que es una idea excelente.

29

—No sé qué hacer con Lisa —admite Trish mientras empujamos las sillitas por el parque.

—¿Qué le pasa? —gruño.

—No podemos romper con ella así —dice Trish—. No puedes limitarte a hacerle el vacío. Yo también estoy horrorizada por su comportamiento, pero es una buena amiga y no puedes juzgarla por este error.

—¿Error? —Me paro y miro a Trish con espanto—. ¿Error? ¿Así es como lo llamas?

—Está bien, es más que un error, pero piensa en todas sus buenas cualidades. Piensa en lo buena amiga que ha sido para nosotras, lo maravillosa que siempre dices que ha sido desde que Dan se fue. Me parece mal condenarla. No es tan mala persona...

—Bueno, tampoco es tan buena persona —replico con amargura.

—Lo sé. —Trish suspira—. Solo trato de no meterme demasiado, de no tener que elegir.

—Mira. —Me paro de nuevo y la miro—. En serio, no te estoy pidiendo que escojas. Por lo que a mí se refiere, no quiero saber nada más de ella, y te mentiría si te dijera que no me importa que sigas siendo amiga suya, pero también sé que eso sería infantil, así que no dejes de hablar con ella por mí. Solo te pido que no me cuentes nada de ella, porque en estos momentos no quiero saber nada.

Trish reflexiona un rato mientras seguimos andando.

—Probablemente me preocupo por nada —dice por fin—. De todos modos, no me ha devuelto las llamadas. ¿Has roto realmente con ella?

—Definitivamente —digo con determinación—. Por lo que a mí respecta, mi suegra tenía razón.

—¿Y qué me dices de tu suegro? —pregunta Trish—. ¿Qué crees que pasará?

Da la casualidad de que sé qué pasará. Sé qué pasará porque tres días después de que sorprendiera a Lisa y a Michael, él me llamó. Naturalmente, llamó desde la seguridad de su bufete y parecía incómodo; mi voz fue fría mientras escuchaba lo que él tenía que decir.

Aunque dije que no me interesaba, es mentira.

—Quería darte una explicación —empezó él, carraspeando.

—No tienes que explicarme nada a mí —dije—. Creo que está perfectamente claro.

—Ellie, por favor. Sé que vas a comer con Linda, y tengo que explicártelo, tengo que pedirte que no le digas nada. Por favor. —Noté miedo en su voz—. Por favor, no le digas nada de Lisa.

—Supongo que vas a decirme algo tan típico como que Lisa no significa nada para ti, o que has sido muy desgraciado.

Michael suspiró hondo ante mi tono sarcástico.

—Ellie, la vida no siempre toma la dirección que esperas, y a veces cometemos errores, a veces hacemos cosas de las que no nos sentimos orgullosos. Pero uno solo aprende a base de cometer errores.

Lo interrumpí, irritada por su tono santurrón.

—Michael, no me interesa. Me alegro de que hayas encontrado una forma de justificar tu idilio ante ti mismo, pero yo no...

—No lo he hecho —dijo él con firmeza.

—¿No has hecho qué?

—No he encontrado una forma de justificarlo ante mí mismo. Solo... —Suspiró—. No pude resistirme. Dios mío, lo siento tanto, Ellie... Lo siento porque no quería disgustarte, ni hacer daño a Linda, ni implicarme yo. Te juro que no tenía intención de tener un lío, pero me halagó tanto el caso que me hacía, es tan joven, y...

Por una fracción de segundo lo compadecí.

No. No debía compadecerlo. Pero había despertado mi curiosidad. Había imaginado que Michael había sido el seductor, el instigador, el que había encabezado la traición. ¿Cómo podía haberme equivocado tanto?

—¿Halagado? ¿Qué quieres decir?

Michael, que es listo, vio mi punto flaco y se lanzó a contarme toda la lamentable historia.

Al parecer fue Lisa la que empezó a coquetear. Él no era infeliz con Linda, pero tampoco había sido realmente feliz, al menos desde hacía muchos años. Al principio se había mostrado incrédulo cuando Lisa dijo algo insinuante y le sostuvo la mirada más tiempo del necesario, más del que una mujer joven y guapa se la había sostenido en años.

Ocurrió en el sur de Francia. Antes del accidente, por supuesto. Hubo unos comentarios insinuantes de Lisa, comentarios que Michael trató de pasar por alto, pero no pudo evitar sentirse halagado. Dios mío, ¿cómo es posible que no nos diéramos cuenta? ¿Cómo es posible que Linda no lo viera? Con lo recelosa que estaba de Lisa, y sin embargo nunca se le ocurrió que Michael sería el blanco.

Él estaba acostumbrado a que halagaran su inteligencia, explicó. Su talento en los tribunales, sus conocimientos, su mente ágil. Pero no le habían elogiado su aspecto, o su destreza, o su persona, desde hacía años.

—¿Ella ha sido la primera? —pregunté en cierto momento.

No es que fuera asunto mío. Tampoco esperaba realmente que me respondiera.

Se produjo un largo silencio.

—Tienes que comprenderlo. —Michael suspiró—. Llevo casado treinta y cinco años. Es mucho tiempo. —No dijo más. No fue necesario.

Pobre Linda.

Lisa había llamado a Michael después del accidente. Había encontrado el número del bufete por internet. Había llamado para decir cuánto lo sentía, si había algo que ella pudiera hacer y que si quería hablar, estaría encantada de quedar con él.

Qué bruja. Utilizó a mi hijo para liarse con mi suegro.

No tengo ninguna duda de que todo fue premeditado. Ella había decidido que Michael era exactamente lo que buscaba. Estaba dispuesta a mover montañas, si era necesario, para asegurarse de que él tenía una aventura y dejaba a su mujer.

Así que quedaron para comer. Una comida inocente, dijo Michael, porque necesitaba hablar; Linda estaba destrozada y no paraba de llorar. En ese momento guardé silencio, no hace falta que os diga cómo me sentí.

Y la comida llevó a lo inevitable, dijo.

—¿La quieres? —pregunté.

Creía que no quería saberlo, afirmé que no me interesaba, pero ahora que lo sabía, necesitaba saber más.

—Me encanta cómo hace que me sienta —dijo en voz baja—. Me encanta sentirme joven cuando estoy con ella. Pero odio con la misma intensidad el sentimiento de culpabilidad. Por cada momento maravilloso hay otro igual de horrible. Odio la culpabilidad y me odio por haber sucumbido a trucos tan obvios.

Me quedé callada. No había nada más que decir.

—He terminado con Lisa —añadió—. Quiero a mi familia. No quiero hacerles daño. Ha sido una gran equivocación, y te pido de nuevo perdón, Ellie.

—¿Lo sabe Lisa?

—Creo que sí. Tuvimos una larga conversación cuando te fuiste, pero no estoy seguro de que lo crea. Pero es cierto. Todo ha terminado.

—No voy a decirle nada a Linda —dije—. No pensaba hacerlo, ni siquiera antes de que llamaras.

—Gracias. —Oí alivio en su voz—. Gracias, Ellie.

—De nada —respondí, porque decir que era un placer habría sido una mentira.

Trish y yo llegamos a la zona de los columpios, y en cuanto salimos de los árboles veo a Lisa sentada sola en un banco, hablando por el móvil mientras Amy juega en el cajón de arena.

—Mierda —murmuro; cojo a Trish del brazo y la llevo detrás de los árboles.

—¿Qué? —pregunta Trish, ajena como siempre a todo.

—Lisa. No nos ha visto. No puedo. No puedo enfrentarme a esto.

Trish asiente.

—Vamos —dice—, volvamos a casa.

—Oh, Dios —gruño mientras nos escabullimos como colegialas—. ¿Crees que tendremos que mudarnos?

—He oído decir que Muswell Hill es muy agradable —dice Trish, y por primera vez ese día me río con ganas.

Luego dejo de reír bruscamente, porque Lisa no solo nos ha visto, sino que se acerca.

—Hola —dice, mirándome.

—Hola, Lisa. —Trish sonríe radiante, tratando de hablar de la forma más normal posible—. ¿Cómo estás?

—Bien. —Lisa se encoge de hombros—. Hola, Ellie.

—Hola, Lisa —murmuro; logro mirarla un segundo y enseguida desvío la mirada.

—Ellie —dice Lisa—, ¿podríamos ir a alguna parte a hablar?

—Ya me quedo yo con los niños —se ofrece Trish rápidamente—. ¿Por qué no dais un paseo?

La miro furiosa, pero Trish finge no verlo y Lisa me lleva hacia el camino.

Andamos un rato en silencio, luego Lisa dice en voz baja:

—Ha terminado, lo sabes, ¿verdad?

—Sí —digo—. Lo sabía.

—Y yo que creía que esto iba a ser diferente. —Suspira hondo—. Creía que dejaría a su mujer por mí. Creía que había encontrado por fin la verdadera felicidad.

—Lisa...

Estoy a punto de decir que no quiero saber nada ni hablar más de ello, pero entonces veo las lágrimas que le corren por las mejillas. Me detengo, asombrada de ver a Lisa tan vulnerable, y de pronto me doy cuenta de que no se trata de que me haya traicionado a mí. Se ha enamorado y le han hecho daño.

Yo no tengo nada que ver con esto.

Me sorprendo abrazándola y, mientras lo hago, ella llora y se disculpa por haberme hecho daño, dice que no era su intención, que soy su mejor amiga y que haría cualquier cosa para que se arreglen las cosas entre nosotras.

A duras penas puede sobrellevar haber perdido a Michael, dice, sonriendo entre lágrimas, pero es totalmente incapaz de soportar perder también a su mejor amiga.

Creía que no podría perdonarla. Pensé que nunca volveríamos a dirigirnos la palabra, pero me doy cuenta de que también es humana; todos cometemos errores y yo ya he juzgado bastante a Linda para que ahora haga lo mismo con Lisa.

—No te preocupes. —Le froto la espalda—. Lo entiendo. Yo también lo siento. Siento haberte juzgado y no haberte dado una oportunidad. Lo siento. —Y soy sincera—. Por supuesto que seguimos siendo amigas.

Mientras nos separamos y Lisa me sonríe, me doy cuenta de que solo me queda una cosa que hacer. Ahora debo pedir perdón a Linda.

Admito que estoy nerviosa. Tanto o incluso un poco más nerviosa que la primera vez que la vi, ese domingo que Dan me llevó a comer a su casa y pensé que había encontrado al hombre perfecto, a la familia perfecta.

Me siento como si fuera nuestro primer encuentro; quiero obtener su aprobación, lo que es una sensación extraña, sobre todo tratándose de Linda. Hasta ahora nunca había tenido que esforzarme por obtener su aprobación, ni siquiera el primer día que nos conocimos. Mis esfuerzos fueron para tratar de apartarla, de mantenerla a distancia, de encontrar una fórmula para que nos incorporáramos a su familia y ella se incorporara a la nuestra sin que nos engullera.

Y no supe hacerlo. Entonces no. No supe hacerle sitio poco a poco, y ella no supo construir nuestra relación de forma lenta pero segura. De modo que se acercó corriendo a mí con los brazos abiertos y yo me hice a un lado y levanté una barrera que ella no tenía ninguna posibilidad de cruzar.

A menudo me pregunto si todo habría sido distinto si no hubiera ocurrido el accidente. Si hubiéramos llegado igualmente a esta situación, si la tensión entre la familia de Dan y yo era tan fuerte que de todas formas habría estallado otra crisis, se habría interpuesto entre nosotros otra cosa que me habría hecho salir por piernas.

Estos días he estado preguntándome si me habría ablandado tanto de no haber descubierto lo que sé ahora, si estaría sentada aquí si no viera a Linda como una víctima, si no la compadeciera y quisiera ayudarla.

Y quiero ser su amiga.

Puede que no esté preparada para ser su hija. Puede que nunca sea su hija, sobre todo ahora que Dan y yo nos hemos separados, y no parece que la situación vaya a cambiar en un futuro próximo. Pero estoy dispuesta a ser su amiga.

O, al menos, estoy dispuesta a intentarlo.

Miro el reloj. Llega tarde. No es propio de ella. Linda siempre llega pronto. Miro hacia la puerta y la veo. Me levanto y la saludo con una mano; el corazón me late con fuerza.

Vamos, relájate, por el amor de Dios. Solo es tu suegra.

Parece mayor. Mayor de como la recordaba. Va tan maquillada como siempre, pero no recuerdo esas arrugas, o al menos no tan pronunciadas.

Tropieza con una silla mientras se acerca a nuestra mesa; se disculpa y en ese instante sé que nunca más veré a Linda como la matriarca omnipotente de la familia. Es humana, frágil y vulnerable.

¿Por qué no he visto nunca esa faceta suya?

Se queda de pie frente a mí y sonríe, y —oh, Dios, pero ¿cuándo me he vuelto tan llorona?— siento un nudo en la garganta y se me saltan las lágrimas. Entonces ella me abraza, y pienso que aunque no sea mi madre no es una mala sustituta, y lo lamento mucho, muchísimo todo.

Nos sentamos.

Es la primera vez que percibo cierta frialdad en Linda. Después de nuestro abrazo inicial he supuesto que volveríamos a nuestros papeles, pero aunque se muestra educada, mantiene las distancias, y eso me desconcierta. Es un aspecto de ella que nunca he visto, y me doy cuenta de que el abrazo no significa que me haya perdonado, que todo ha quedado olvidado y que vuelvo a ser parte de su familia.

Ese abrazo solo era para consolarme, una respuesta espontánea a mis lágrimas, ahora me doy cuenta. Sentada aquí en este restaurante, mientras jugueteo con una ensalada y hablo de trivialidades, haría cualquier cosa, lo que fuera, por borrar a esa Linda fría y traer de vuelta a la Linda que conocí, la que creía odiar. La Linda que ahora me doy cuenta de que echo de menos.

De modo que hablo de Tom. Un camino seguro para ablandarla. Le digo todo lo que me viene a la mente sobre él. Sé que lo ve los fines de semana, pero no lo ve en su centro de estimulación motriz, o con sus amigos, ni oye las salidas tan divertidas que tiene, de modo que la bombardeo con anécdotas de Tom y veo que empieza a funcionar.

Poco a poco se ablanda y, mientras tomamos un capuchino, le repito lo mucho que lo siento y empiezo a explicarle por qué no podía hablar con ella, por qué le eché la culpa, pero me interrumpo.

No hay nada que explicar. Ni siquiera sé por qué me parecía tan importante. La ira ha desaparecido hasta tal punto que nada puede justificar que me haya negado a verla, o que le haya impedido durante tanto tiempo que forme parte de nuestra familia.

—¿Y cómo está Dan? —pregunto, rompiendo el violento silencio y tratando de adoptar un tono tan indiferente como soy capaz.

Me pregunto si podrá decirme algo que yo no sepa, si sabe lo de Lola, si sabe qué piensa Dan, qué siente, o qué tiene pensado hacer respecto a nosotros.

Si sigue habiendo un «nosotros» del que hablar.

Linda remueve el azúcar del café y miramos cómo se arremolina la superficie; luego, levanta la vista hacia mí.

—Todo lo bien que se puede esperar —dice, mirándome fijamente.

—Lo echo de menos —digo en voz baja, y me doy cuenta de que esa es la llave mágica. No el querido nieto, sino el querido hijo.

Y parece relajarse visiblemente. Una hora y media después de haber entrado en el restaurante, sus facciones por fin se suavizan, y veo a la verdadera Linda. La Linda que conocía.

—¿De verdad? —dice, y veo esperanza en sus ojos.

Asiento.

—Lo echo muchísimo de menos. Y Tom también. Queremos que vuelva. Pero no creo que nos quiera aún.

—Oh, Ellie. Por supuesto que os quiere. Os adora a los dos. No entiendo nada. No entiendo por qué os separasteis. —Hace una mueca al pronunciar la palabra y veo cuánto le desagrada la situación, independientemente de lo que haya pensado de mí.

—Pero he intentado hablar con él y no ha dicho nada. Si quiere volver a casa, ¿por qué no lo dice?

Linda sacude la cabeza y vuelve a ser realmente la Linda que conozco, solo que ahora no me irrita. Hoy me parece encantadora.

—Vamos, Ellie, no seas tan ingenua. —Se ríe—. Puede que sea mi hijo y la persona que más quiero en este mundo, pero también es un hombre. Dan nunca ha sido muy bueno comunicándose cuando está dolido. Siempre ha hecho exactamente lo que está haciendo ahora. Se encierra en sí mismo, se hace un ovillo y se esconde hasta que el dolor pasa.

Oh, gracias, Dios. Gracias, gracias, gracias. De modo que no ha salido ileso; no está tan bien como parece. Por primera vez desde que lo vi esa noche en Belsize Park, empiezo a vislumbrar un resquicio de esperanza.

—¿Crees entonces que está dolido? —Necesito oírlo de labios de su madre, sobre todo después de mis recientes fantasías.

—Ya lo creo —afirma ella—. No sabe qué hacer consigo mismo, pero le han herido en su orgullo, por eso no acudirá a ti, aunque quiera hacerlo. Tendrás que ir tú a él. Créeme, sé que le conoces bien, pero yo lo conozco desde hace mucho más tiempo.

—¿No ha estado saliendo todas las noches? Suponía que había vuelto a la vida que llevaba antes de conocerme.

—¡Cielos, no! —exclama Linda—. ¿Qué te ha hecho pensar eso?

—¿Y Lola? ¿No ha estado saliendo con ella?

—¿Lola? ¿Te refieres a la chica que presenta su nuevo programa? —Linda me mira como si fuera la criatura más ridícula del mundo.

Pero los vi juntos —protesto—. Y ella se moría por él.

Linda sacude la cabeza.

—No puedes haber visto lo que dices. Te lo aseguro. Acaba de casarse y está embarazada de su primer hijo, y, según dice Dan, es muy feliz. La invitó a cenar para hablar de trabajo mientras el marido trabajaba en Leicester, pero puedo asegurarte que no hay nada. Para empezar, ella no es su tipo, y en segundo lugar, Dan no está interesado en nadie más que en ti.

¿No es su tipo? Recuerdo haber oído que Linda hablaba de un tipo de mujer que se llevaría por delante al hombre de otra; incómoda, cambio de postura, pero Linda parece leerme el pensamiento.

Hace una señal a la camarera para pedir la cuenta, luego se vuelve de nuevo hacia mí.

—¿Cómo están tus amigas? —dice—. Trish y... Lisa.

¿Es mi imaginación o ha hecho una pausa y ha pronunciado su nombre de forma más significativa? ¿Sabe algo? ¿Qué hago si me pregunta? ¿Lo niego? ¿Miento?

—Muy bien —respondo, incapaz de mirarla a los ojos—. Sigo viéndolas mucho.

Hay un silencio incómodo que trato de llenar bebiendo un sorbo de Perrier, aunque en cuanto me llevo la copa a los labios me doy cuenta de que está vacía.

—Tenía razón acerca de Lisa, lo sé —dice Linda en voz baja.

Suelto un grito ahogado y la miro. Dios. Lo sabe. ¿Cómo se ha enterado?

—¿Cómo lo sabes? —Abro mucho los ojos, horrorizada, mi voz es apenas un susurro.

—No soy estúpida. —Sonríe con tristeza—. Vi lo que pasaba en Francia.

Me quedo sentada mirándola como una sordomuda. No sé qué decir. ¿Qué significa eso? ¿Va a dejar a Michael? ¿Es capaz de perdonarlo?

—¿Qué vas a hacer? —pregunto por fin.

—¿Hacer? —Me mira y se ríe—. ¡Nada! Vi cómo tiraba los tejos a Michael, como coqueteaba con él cuando creía que todos estábamos absortos en otras conversaciones, cómo le lanzaba largas miradas elocuentes. Por suerte, mi marido no es la clase de hombre que tiene aventuras. —Se ríe débilmente—. De lo contrario habría estado seriamente preocupada.

No lo sabe. ¿Cómo es posible que no lo sepa? ¿Cómo ha atado cabos y ha llegado a esa conclusión?

—Entonces, ¿no pasó nada entre ellos? —No puedo evitarlo, no me creo que no lo sepa. Quiero saber lo que él le ha dicho.

—No porque ella no lo intentara —gruñe Linda—. ¿Sabes que hasta tuvo la audacia de invitarlo a comer?

Intento poner una expresión inocente.

—¿De verdad?

Linda se ríe.

—Lo sé. ¿En qué estaría pensando una chica como ella, yendo detrás de un hombre casado de mediana edad? No consigo entenderlo.

No puedo decir nada.

—Nunca pensé que ella fuera su tipo. —Linda resopla—. Yo desde luego jamás me he fiado de ella. En fin, ahora Michael y yo somos más felices que nunca. ¡Anoche vino a casa con unos billetes de avión para pasar el fin de semana en Florencia! ¡Menuda sorpresa! —Se ríe como una niña—. ¡Así que tu amiga se equivocó de pareja!

Asiento y desvío la mirada. Ya hemos dicho bastante. Que tuviera razón respecto a Lisa no significa que tenga que saber más de lo que ya sabe. Sabe Dios cómo se ha enterado de la invitación a comer de Lisa —tal vez Michael entonces no quería ir tan lejos y se lo dijo—, pero se la ve feliz, y creo lo que dijo Michael por teléfono. Se ha terminado, y con suerte Linda nunca se enterará.

Cambio hábilmente de tema y charlamos mientras nos preparamos para irnos. Pienso en lo mucho que he disfrutado con esta comida, ahora que Linda se ha relajado y parece que hemos encontrado una forma de seguir adelante.

Pensé que tal vez todo saldría a la luz. Pensé que en nuestro encuentro habría recriminaciones, que hablaríamos de quién había herido a quién y del daño que nos habían hecho, y cómo nos habíamos sentido y cómo nos sentíamos ahora.

Estaba preparada para que me atacara emocionalmente, de modo que agradezco que no haya sido necesario pasar por ello y que Linda no haya querido que me desnude ante ella. Que no haya enumerado todas las quejas que tiene contra mí.

Hemos encontrado una forma de seguir adelante sin tener que regodearnos en el dolor; esta vez creo realmente que podemos forjar una relación, que cada una puede formar parte de la vida de la otra.

—¿Crees realmente que debería acudir yo a Dan? —pregunto mientras nos ponemos el abrigo y nos disponemos a irnos después de que Linda pague; como siempre, está demasiado inmersa en su papel de madre suprema para cambiar de costumbres.

—Ya lo creo que sí —dice sonriendo, y titubea antes de pasarme el brazo alrededor de los hombros como la cariñosa y afectuosa Linda de siempre—. Llámalo esta noche y dile que quieres hablar con él.

Epílogo

—¡Oh, Dios mío! ¡Es una broma! —exclamamos Dan y yo encantados mientras dejamos las maletas en el suelo de mármol y nos acercamos a la enorme cristalera para ver las vistas del mar.

—¡Es increíble! —Me vuelvo hacia Dan y sonrío mientras él me abraza y me besa en los labios.

—¿Quién era la que no quería ir de vacaciones con la familia? —dice, empujándome con suavidad.

—Bueno, no son exactamente unas vacaciones con la familia. Tu madre cumple sesenta años, por no hablar de que tu padre corre con todos los gastos. Créeme, si fuera por nosotros, no estaríamos aquí.

—Créeme —dice Dan riéndose—, si fuera por nosotros nunca podríamos permitirnos estar aquí.

—Eso es cierto —asiento.

Sandy Lane. El hotel entre los hoteles. El destino preferido de los ricos y los famosos. Un lugar al que ni en mis sueños más disparatados imaginé que iría.

Michael anunció hace dos meses que iba a llevarnos a toda la familia allí para sorprender a Linda en su sesenta cumpleaños. Ellos llegaron ayer, y ella no tiene ni idea de que los demás vamos a aparecer esta noche en The Cliff para su cena de cumpleaños.

Tom mira asombrado la gigantesca pantalla de plasma del televisor que hay frente al sofá de nuestra suite y luego entra corriendo en el dormitorio.

—¡Mamá! —grita emocionado—. ¡Papá! Hay otra pantalla *gigantasca* aquí también. ¿Podemos verla, papá? ¡Por favor!

—No, cariño —dice Dan siguiéndolo hasta el dormitorio—. Hoy nada de televisión. —Se vuelve hacia mí y sacude la cabeza—. No tiene ni cuatro años y ya está obsesionado con la televisión. ¿Cómo será cuando sea adolescente?

Sonrío.

—Distráele con un castillo de arena gigante. En la tienda de regalos venden cubos y palas.

—Por cuatrocientas libras. —Dan sacude la cabeza.

—Pero es para nuestro querido hijo —digo—. Vamos, cómprale un cubo y una pala y llévalo a la playa.

Dan levanta a Tom y lo sienta sobre los hombros.

—Vamos, míster T. ¿Qué tal si vamos a la playa y hacemos un castillo de arena?

—¡Sí! —grita Tom—. ¡Buena idea, papá! —Y empuja su maleta hasta su cuarto para buscar su bañador y cambiarse.

Se van a la playa mientras yo acuesto a una soñolienta Millie en la cuna que hemos traído con nosotros.

No ha dormido la siesta, y aunque se ha portado muy bien en el avión, tiene el pulgar en la boca y ha inclinado la cabeza sobre mi pecho, una clara señal de que está a punto de dormirse.

Entro sin hacer ruido en la habitación a oscuras al cabo de cinco minutos, y ya está dormida; sus pestañas están ligeramente curvadas y tiene el pulgar todavía en la boca. Contengo mis deseos de inclinarme y cubrirla de besos, sabiendo que la despertaré, que todavía no está profundamente dormida.

¡Es tan distinto tener una hija! Durante mucho tiempo temí que se repitiera la historia de mi propia madre; temí no estar preparada para tener una hija, no estarlo tal vez nunca.

Y sin embargo en cuanto nació la quise con locura. Aun ahora, que tiene nueve meses, es totalmente distinta de Tom. Más suave, más tranquila, más alegre. Si Tom era serio, Millie nunca para de sonreír. Si Tom, de bebé, siempre me era un poco ajeno, sé exactamente quién es Millie, qué está pensando, qué va a hacer.

Salgo de la habitación —la ventaja de tener una suite de dos habitaciones— y deshago las maletas antes de coger una manzana de la cesta y salir a la terraza para comérmela.

No puedo dejar de sonreír mientras veo el lujo de este lugar. Incluso en la terraza hay un sofá. ¡Un sofá! ¡En la terraza! Debe de haberle costado una fortuna a Michael, pero si es el precio que tiene que pagar por una vieja indiscreción, que pague.

Trato de no pensar muy a menudo en aquellos tiempos. Dos años después de que Dan y yo volviéramos a vivir juntos, hemos pasado tanto que me siento otra persona. Cuando pienso en la época en que Tom tuvo el accidente, Dan y yo nos separamos, y Michael tuvo su aventura con Lisa, me parece extraordinario que pueda ser tan feliz ahora cuando entonces era tan tremendamente desgraciada.

Veo que Dan coge a Tom de la mano y recorre con la mirada las hileras de balcones del ala Orquídea hasta que me ve; los dos me saludan con la mano y me echan besos, y yo se los devuelvo hasta que desaparecen.

Nos hemos convertido en la familia que siempre quise tener. Aunque no ha sido fácil. Las primeras semanas en que Dan y yo volvimos a vivir juntos fueron a menudo violentas, pero lo superamos, con ayuda de un consejero matrimonial; sabíamos que estábamos juntos por los motivos adecuados y que los dos queríamos lograrlo, no solo por Tom sino también por nosotros.

Si miro atrás, parece que sucedió de la noche a la mañana, aunque sé que la memoria me engaña, que no fue sencillo. Recuerdo que durante un tiempo la situación fue un poco violenta entre los dos, pero un buen día todo fue bien. No, mejor que bien. De pronto un día fue maravilloso.

Enseguida me quedé embarazada de Millie, y de algún modo supe que yo no repetiría los errores que habían cometido mis padres. Tom no sería el hijo único solitario y aturdido que yo fui; él tendría un hermano, tal vez dos, o incluso más.

Seríamos una familia como es debido.

Mi felicidad y mi satisfacción aumentan día a día. Dan es realmente mi mejor amigo ahora. Mi marido, mi amante, mi confidente. En palabras de Sally, que sigue soltera y buscando desesperadamente, es el marido perfecto.

¿Quién lo hubiera dicho?

Aunque Linda y Michael tal vez no son los suegros perfectos, hemos avanzado mucho desde aquellos tiempos oscuros.

Tardé un tiempo en perdonar a Michael. En realidad me llevó aún más tiempo ser capaz de mirarlo a la cara. Tampoco fue fácil para él. Pero con el tiempo vi que él y Linda estaban mucho más unidos. Era como si aquella aventura amorosa, o tal vez su final, hubiera servido para recordarles tiempos mejores. Ya fuera porque eso le hizo más cariñoso, o porque Linda empezó a valorarlo más, el caso es que los dos son mucho más felices ahora que hace unos años.

En aquella primera época yo nunca veía afecto entre ellos. Michael casi no abría la boca y Linda se dirigía a él sobre todo para criticarlo. En cambio ahora hablan y se sonríen, y he visto a Linda besar espontáneamente a Michael. Bueno, no pasa muy a menudo, pero incluso Dan ha comentado que sus padres parecen más felices que nunca.

Tal vez nuestra felicidad es contagiosa.

Linda tiene más tacto que antes. Es más prudente conmigo, se anda con más tiento que antes de que Tom tuviera el accidente, pero, como le he dicho a Dan, eso no es malo. Prefiero que tenga más cuidado en lugar de que me abrume como solía hacer cuando trataba de convertirme en su hija y se picaba por no seguirle el juego.

Hemos encontrado la forma de hacer que funcione.

No es y nunca será la madre que no he tenido, y yo no tengo intención de ser su hija. Somos madre y nuera, y, como tales, somos amigas. No le hago confidencias ni acudo a ella para pedirle consejo, aunque sé que me lo daría gustosamente.

Solemos quedar para comer una vez a la semana y hablamos de

cosas sin importancia, como libros, noticias, gente que conocemos. Charlamos y reímos. Nunca hablamos de las cosas importantes, como Michael, o Dan, o los niños, si no es para contar anécdotas de lo adorables que son o de las salidas tan graciosas que han tenido.

Antes siempre tenía la sensación de que Linda me desaprobaba, que creía saber más que yo y ser mejor que yo en todo, hasta como madre. Ahora me dice que soy una madre maravillosa y, en lugar de pensar que lo dice por decir, opto por creerle. Nos llevamos bien.

Llaman a la puerta y, al mirar por la mirilla, veo a Emma. Abro, le echo los brazos al cuello y ella me abraza con fuerza.

—¿Has visto nunca un lugar como este? —dice, entrando en la suite y cogiendo una pera antes de dejarse caer en el sofá—. ¿No es sensacional? El Calden a su lado parece un tugurio —añade riéndose, dando un gran mordisco.

—¡Gracias! —Pero no se equivoca.

—¿Y sabes qué? Te juro que acabo de ver a uno de los Gallagher abajo en el bar. Y parece ser que la semana pasada estuvo aquí Beyoncé. Me muero por bajar y ponerme a buscar a famosos, aunque con mi maldita suerte solo veré a Michael Winner.

Me desternillo de risa.

—Entonces, ¿a ti también te han advertido que no te acerques a la playa? —Recuerdo las instrucciones escritas a máquina que nos envió Michael sobre qué hacer cuando llegáramos para que Linda no nos viera—. Ya sabes que tenemos autorización para estar en este lado. Michael dijo que siempre que nos quedáramos junto a los barcos, no pasaría nada. Por lo visto él y tu madre están junto al restaurante.

—Lo sé, pero Jake no pasa exactamente inadvertido.

—Ah, sí. Tienes razón.

Jake Motrin. El último chef de moda del que se ha enamorado todo Londres, por no hablar de Emma, que por primera vez dice que por fin lo ha encontrado. Que Jake es el hombre adecuado. No pasa inadvertido, ni por su fama —su último programa de televisión tuvo los mayores índices de audiencia y lo situó entre los cinco primeros, aparte de su restaurante en Notting Hill, que es el más moderno y concurrido del oeste de Londres—, ni por su estatura —midiendo metro noventa y cinco es imposible no fijarse en él—, de modo que Emma hace bien en no pasear con él por la playa, aunque sea en el lado opuesto de donde está Linda.

No me sorprende que Emma esté con alguien como Jake. Su fama, aparte de su físico, es una clara atracción para una chica como ella, a la que le gusta ver y ser vista con la gente adecuada. Lo que me sorprende es que realmente parecen hacer buena pareja. Y que Emma lo tome con calma, cosa que nunca ha hecho hasta ahora. Que se haya mudado al piso de soltero que él tiene en Marylebone y lo haya transformado en un hogar. Que sea igualmente feliz ya sea quedándose en casa viendo la televisión, ya sea yendo a una fiesta.

El único que parece no haber cambiado mucho es Richard. Sigue siendo el niño de Linda, sigue buscando su siguiente proyecto descabellado, sigue tan irresponsable como siempre. A menudo me pregunto si algún día madurará, si Linda no lo ha consentido demasiado, si su incapacidad para sentar la cabeza le impedirá encontrar algún día la felicidad.

Pero si habláis con Richard os dirá que es feliz. Habla de su nuevo proyecto de filmar una serie de vídeos con Jake —el pobre Jake está siendo absorbido por esta familia de locos—, dirá que es una idea genial, que ya ha hablado con algunas productoras, que con esto va a ganar una fortuna.

Quizá te pedirá dinero o quizá no, depende de si te ve como un posible inversor, pero yo sigo diciendo lo que dije hace años, cuando le conocí. Es encantador, pero tened mucho, mucho cuidado. Si estáis solteras, os atrae físicamente y os gusta oírlo hablar, os aconsejaría que salierais por piernas antes de que os rompa el corazón como a todas las demás.

Pero Emma es feliz, y Dan es feliz, y, como yo siempre digo, dos de tres no está mal; además, si sumáis a la ecuación a Linda y a Michael, seguro que contrarresta lo de Richard.

Probablemente os estaréis preguntando por Lisa en este momento. Como era de esperar, ya no somos amigas. La aventura con Michael fue un golpe demasiado duro para nuestra relación y nunca ha vuelto a ser igual.

La he perdonado, total y absolutamente. Pero ambas hemos pasado a otra cosa. Creo que fue muy duro para ella que yo volviera con Dan, y cuando Millie llegó y cimentó nuestra familia, la vida de Lisa —que seguía yendo a discotecas y a fiestas, y alternando con la gente guapa— me pareció un mundo demasiado ajeno a mí.

Seguimos viéndonos. De vez en cuando quedamos para comer o nos encontramos en el parque, pero no es lo mismo; aunque las dos finjamos que lo es.

Trish, por otra parte, sigue siendo la fabulosa amiga de siempre. O incluso más; sin duda es mi mejor amiga, la mejor amiga que he tenido.

Creo que todos hemos recorrido un largo camino.

La última vez que vi a Lisa me comentó que había conocido a alguien. En los viejos tiempos habría querido saber todos los detalles. Quién era, dónde se conocieron, cómo era su relación, pero ahora no tengo la suficiente confianza para preguntarle esas cosas ni me interesa demasiado saberlo.

Me alegro de que esté contenta. Le deseo lo mejor, y creo que es suficiente.

Charlie Dutton es muy famoso ahora. Se ha casado con una de sus primeras actrices, una inglesa que ha logrado la insólita hazaña de triunfar en Hollywood, engrosando las filas de Catherine Zeta Jones y Minnie Driver, aunque, con franqueza, apuesto a que no es tan guapa por las mañanas cuando se levanta.

De hecho, hace tres semanas abrí el *Daily Mail* y había una gran foto a todo color de Charlie y su mujer brincando en las olas de —lo habéis adivinado— Sandy Lane.

—¿Por qué no le dices a Jake que venga y pedimos unas copas? —propongo, estirando las piernas y admirando las uñas rojas de mis pies, expresamente pintadas para las vacaciones—. Creo que una piña colada es justo lo que necesitamos para despertarnos.

—Vergüenza tendría que darte —dice Emma mientras coge el teléfono para llamar a Jake, que está en su habitación—. Bebiendo mientras duerme tu niña. —Pero sonríe.

—¡Vamos, calla! —digo riéndome—. Estoy de vacaciones y lo mejor de todo es que, ¡corre a cuenta de tu padre!

—Tienes razón —dice ella justo antes de que Jake conteste—. Que sea doble.

Cuando hacia las siete y media pasa a recogernos la furgoneta para llevarnos al restaurante, todos estamos riendo bobamente. No tanto por el alcohol —aunque las piñas coladas estaban riquísimas— sino porque nos hemos sentido unos espías: nos movíamos a hurtadillas por el hotel; nos escondíamos en los rincones y mirábamos antes de salir, por si Linda estaba allí.

Jake ha dicho que cuando se dirigía hacia nuestra habitación ha pasado por delante de la biblioteca y que al mirar por la cristalera ha visto a Linda sentada ante un ordenador consultando su e-mail, por suerte de espaldas a la puerta. Michael estaba fuera vigilando y se ha puesto pálido cuando ha visto a Jake, pero este ha logrado escabullirse sin que Linda lo viera.

—Buenas tardes, señor Cooper —dice el portero—. Que disfruten de la velada.

—Caray —susurro a Dan—. ¿Cómo es que se acuerda de tu nombre?

—Para eso se les paga. Pero impresiona bastante, ¿verdad?

—Ya lo creo. —Jake se agacha y sube a la furgoneta detrás de nosotros—. También se acordaba del mío.

—Pero tú eres famoso —dice Richard—. No es tan sorprendente, la verdad.

—No lo soy en Barbados —protesta Jake—. No sabe quién soy.

—¿Te das cuenta —digo, volviéndome hacia Emma— que en el *Daily Mail* de esta semana apareceréis Jake y tú brincando sobre las olas?

—Por supuesto. —Emma sonríe—. ¿Por qué crees que me he pasado todo el mes yendo al gimnasio, por no hablar de mis súper biquinis Missoni nuevos?

—Tengo que reconocer que son bastante sexys —dice Jake sonriendo.

—Puaf —dicen Dan y Richard al mismo tiempo—. ¡Es mi hermana! —Y todos nos echamos a reír mientras la furgoneta nos lleva al restaurante.

No estoy segura de cómo se las ha arreglado Michael para conseguir la mejor mesa del restaurante, pero es espectacular. Estamos en la terraza con vistas a un mar de color azul turquesa, y la temperatura, el paisaje y el ambiente no podrían ser más perfectos.

Sean cuales sean las teclas que ha tenido que tocar, el dinero que va a costarle esta velada, o todo este viaje, sin duda merece la pena pagarlo; nunca he estado en un lugar más paradisíaco en toda mi vida.

En la mesa nos espera una botella de champán; brindamos mientras consultamos el reloj. A las ocho menos diez en punto, tal como señaló Michael en sus instrucciones, lo vemos entrar en el restaurante con Linda.

Michael la rodea con un brazo y la conduce con gentileza entre las mesas mientras Linda contempla la vista y se exclama ante su belleza. No tiene ni idea de que estamos aquí.

Todos sonreímos; yo estoy tan emocionada con esta sorpresa, y tan impaciente por ver su cara, que casi no puedo estarme quieta en la silla. Luego miro alrededor y me doy cuenta de que todos nos sentimos igual, todos sonreímos de oreja a oreja, la mayoría tenemos los ojos llorosos.

Michael se detiene junto a nuestra mesa y Linda lo mira confundida; creía que la llevaba a la mesa para dos que hay detrás de la nuestra. Su mirada va de él a nosotros y, cuando se da cuenta de que estamos allí toda la familia, se lleva una mano a la cara y se echa a llorar.

Emma y yo también nos echamos a llorar.

Todos nos levantamos; hay muchos abrazos, lágrimas y risas. Linda nos mira de uno en uno y nos dice que nos quiere, y que es el día más feliz de su vida.

Dan me aprieta la mano cuando nos sentamos, y me rodea con un brazo. Atrayéndome hacia él, me besa en la coronilla mientras le explicamos a Linda los problemas que hemos tenido para mantenerlo en secreto, y la hacemos reír contándole nuestros movimientos sigilosos de esta tarde. Luego, resplandece de alegría cuando se entera de que sus dos nietos duermen profundamente en el hotel.

—De eso se trata —se limita a decir, sonriendo entre lágrimas mientras alza la copa y brinda por cada uno de nosotros—. De la familia.

Todos alzamos nuestras copas para desearle un feliz cumpleaños y bebemos un largo sorbo.

—Por la familia —volvemos a brindar, y al alzar de nuevo las copas sonrío; sé que he vuelto a casa.

Después de todo, esto es lo que llevaba esperando toda mi vida.